16	3	2	13
5	10	11	8
9	6	7	12
4	15	14	1

Carlos Calado

A Divina Comédia dos MUTANTES

editora 34

EDITORA 34

Editora 34 Ltda.
Rua Hungria, 592 Jardim Europa CEP 01455-000
São Paulo - SP Brasil Tel/Fax (11) 3811-6777 www.editora34.com.br

Edição conforme o Acordo Ortográfico da Língua Portuguesa.

Capa, projeto gráfico e editoração eletrônica:
Bracher & Malta Produção Gráfica

Digitalização das imagens e arte das pp. 14 e 304:
Ernesto Herrmann

Revisão:
Wendell Setúbal

1ª Edição - 1995, 2ª Edição - 1996 (1 Reimpressão),
3ª Edição - 2012 (1ª Reimpressão - 2023)

CIP - Brasil. Catalogação-na-Fonte
(Sindicato Nacional dos Editores de Livros, RJ, Brasil)

Calado, Carlos, 1956
C143d A divina comédia dos Mutantes /
Carlos Calado. — São Paulo: Editora 34, 2012
(3ª Edição).
360 p. (Coleção Todos os Cantos)

ISBN 978-85-7326-009-0
Inclui bibliografia e discografia.

1. Mutantes (grupo de rock). 2. Grupos
de rock - Brasil. I. Título. II. Série.

CDD - 784.5400981

A DIVINA COMÉDIA DOS MUTANTES

A Divina Comédia dos MUTANTES

para Valéria, música todos os dias

para Roberto, Aimar e Mário Sérgio,
parceiros nas primeiras viagens sonoras

Prefácio
O MUTANTE É MAIS FELIZ

No final dos anos 60, eu era uma garota que, como muitas, amava os três Irmãos Marx, os Três Patetas e um trio autóctone que respondia pelo curioso nome de Mutantes.

E os Mutantes eram a versão cabocla dos *Marx Brothers* e dos *Three Stooges*, pra mim. Era com eles que eu ria, quando não estava rindo com os dois primeiros. Parafraseando Jim Jarmusch a respeito de Screamin' Jay Hawkins, eu diria: eles eram loucos, e isso bastava.

De fato, bastaria, se eles não fossem igualmente geniais. A conjunção perfeita de som, imagem e movimento. Os Mutantes eram cinema, em terceira dimensão. Dois irmãos Baptistas aliados à Linda Evangelista da música, a Chanel do rock & roll. Arnaldo, uma fusão de Rimbaud com Liszt e Chacrinha. Sérgio, um híbrido de Paul McCartney com Jerry Lewis, com pitadas de Segovia e Pernalonga. Rita, Da Vinci sem sair de cima, a mulher dos mil instrumentos, truques de Fada Sininho e humor de Lucille Ball.

Sem esquecer, é claro, de Cláudio César, o "quarto mutante", possível reencarnação de Stradivari e Thomas Edison, numa só pessoa. Inventor tecnológico-científico do grupo, ele desempenhou papel semelhante ao de Henrique Britto, no Bando de Tangarás, conjunto formado por Almirante e Noel Rosa, entre outros. Assim como Britto foi o inventor do primeiro violão elétrico da história, CCDB, você verá, concebeu inauditos modelos avançadíssimos de guitarra, baixo e demais geringonças eletromusicais, posteriormente, copiadas lá fora. (E ainda houve quem protestasse contra o ingresso da guitarra elétrica no universo da MPB — bem como a dos Mutantes, ignorando o fato de que a invenção era aborígene, tanto quanto não podia ser mais o trio.)

Gosto dos três juntos, do mesmo modo que separados. Adoro a poesia de Arnaldo, a voz do Sérgio e o histrionismo da Rita. Ou seria: a voz do Arnaldo, o histrionismo do Sérgio e a poesia da Rita? Ou ainda: o histrionismo do Arnaldo, a poesia do Sérgio e a voz da Rita? É. Parece impossível destacá-los uns dos outros, quando se pensa neles e um sussurro inconsciente nos confidencia ao pé do ouvido: mutantes. E imediatamente, sobre nossas cabeças adultas, um céu de vinte e tantos anos passados se refaz. Um céu "cortado por pressentimentos e foguetes". O firmamento do futuro que não veio, mas acabou deixando uma memória virtual no nosso computador afetivo.

Estou convencida de que Caetano Veloso não estava certo ao desconfiar, em seu livro *Alegria, Alegria*, de que a década de 70 não iria soar. Porém, caso nossos *vienatones* venham a sofrer a interferência da seleção antinatural das espécies raras e deles escape o som do século XXI, antecipado pelos Mutantes, nossas lentes de contato, nosso tato, nossa antena parabólica, paródica, satírica, há de se ajustar às exigências suaves das linhas que Carlos Calado costurou adiante, para este desfile de *haute-couture* jornalística.

Tenho acompanhado Calado desde o início deste trabalho, e fui testemunha do zelo com que ele amealhou as informações que se seguem. Tão cuidadoso com a verdade. Mas, já proclamava Oscar Wilde, uma verdade deixa de ser verdadeira quando mais de uma pessoa acredita nela. E, dizia Abbie Hoffman, "*If you remember the sixties, you weren't there*".

A verdade aqui perdeu a importância. Malgrado a sentinela diligente de seu autor, este livro transcende a verdade. É um argumento narrado de diferentes pontos de vista. Um *Rashomon* retropicalista. Um filme no melhor estilo do cinema mutante. Misto de tragédia com *slap-stick*. Farsa com romance. Jornalismo com literatura de primeiro time.

Já se disse que 90% da humanidade não têm nada a dizer e os outros 10% fariam melhor em ficar calados. Menos este Calado aqui, que tem muito a dizer e da maneira mais saborosa.

Esta é uma oportunidade imperdível para aqueles que não estiveram lá se deliciarem com o raconto sonhador proporcionado pelo emocionante texto que se segue. Quem não viveu, aqui lerá a história e as estórias do tresloucado trio dentuço que, orquestrado pelo maestro Rogério Duprat, urdiu cinco *Sgt. Pepper's*, enquanto os Beatles, em si, e George Martin só tiveram fôlego para um. Uma história que é a síntese de uma época de muitas contradições, contrastes, e de uma efervescência que nossos tempos mauricinhos desconhecem. A descrição de uma saga que não se limita à trajetória atravessada pelo grupo, mas se estende igualmente ao levantamento das circunstâncias que a proporcionaram, o contexto em que ela se desenrolou. O autêntico rock & roll do mutante doido que foram aqueles anos 60/70, assistidos com uma perplexidade extasiante pelo planeta Terra.

Sim. Os Mutantes eram demais. E esta também é outra oportunidade de lê-los (sic) reunidos novamente. Afinal, quem é que não sonhou com a volta de Rhett Butler para os braços de Scarlett O'Hara? E como não associar Rita Lee a uma Scarlett O'Hara pós-moderna, numa era de tantas *starlets* odaras antediluvianas?

Mas esse é um outro filme. O que vocês vão ver daqui a duas páginas é o meu *road-movie* de cabeceira, dirigido magistralmente pelo meu mestre e super amigo, Carlos Calado, sobre quem eu diria: "é o Woody Allen do pop". E isto por si bastaria, se ele não fosse também um repórter que honra as palavras de outro diretor, Elia Kazan: "criticar é um ato de amor".

Agora, você vai me dar licença, porque eu estou louca para ler tudo outra vez. Será que eles vão voltar no final?

*Mathilda Kóvak**

* Mathilda Kóvak, 36, é compositora e escritora.

Melhora o estado do ex-mutante Arnaldo
ARNALDO, O EX-MUTANTE, TENTA SUICÍDIO
Ex-marido de Rita Lee está em coma
O mutante que cuspiu na cara da morte
Queda de músico será apurada em inquérito
continua em coma
É grave estado de Arnaldo, ex-mutante
EM FOCO
ARNALDO BATISTA
O Mutante que voltou do
para Arnaldo

1.
SALTO NO ESCURO

No ano 2000, ele fez 18 anos de novo. Afinal, embora já tivesse vivido 33 anos, Arnaldo Dias Baptista praticamente renasceu naquela noite em que seu corpo se estatelou no chão acimentado do estacionamento do Hospital do Servidor Público. Era o primeiro dia de 1982.

Só quatro dias depois as rádios paulistas começaram a noticiar a aparente tentativa de suicídio do ex-tecladista e compositor dos Mutantes. Arnaldo quebrou com as próprias mãos o vidro de uma janela do setor de Psiquiatria, no terceiro andar do hospital, alcançou a pequena sacada e se atirou. A precária grade externa estava longe de servir como proteção. Antes de atingir o solo, o corpo bateu no parapeito do andar inferior, o que ajudou a amortecer um pouco o choque. Mesmo assim, a base do crânio foi fraturada — um tipo de lesão que normalmente resulta em morte.

Além do edema cerebral e um outro pulmonar, sete costelas fraturadas e várias lesões pelo corpo compunham um quadro clínico desesperador. Os médicos eram unânimes no diagnóstico: o estado de coma em que Arnaldo se encontrava era apenas uma questão de horas. Ou, no máximo, de poucos dias. Só um milagre o faria escapar com vida.

Rita Lee, ex-mulher de Arnaldo, chegou chorando ao hospital, no meio da tarde do dia 5, acompanhada pela parceira Lúcia Turnbull. As duas tentaram desviar do grupo de fãs, repórteres e curiosos parados na frente do portão principal, mas logo foram reconhecidas. Os mais inconvenientes chegaram até a pedir autógrafos. Lúcia teve que empurrá-los, para conseguir furar o cerco.

"Agora não! Agora não!", repetia, puxando a amiga pelo braço.

Rita estava tão abalada que mal conseguia andar em linha reta, muito menos falar. A ex-vocalista dos Mutantes soubera da tragédia minutos antes, em sua casa, ali perto, no bairro do Paraíso. Conversava descontraidamente com o marido Roberto de Carvalho e Lúcia, sobre a viagem à Europa que fariam naquele mês, quando o telefone tocou. Um amigo tinha escutado a notícia pelo rádio. Roberto ainda tentou argumentar, mas nem foi ouvido. Não queria que Rita se envolvesse com o caso, muito menos que fosse até o hospital. Irritado, ao vê-la sair correndo com Lúcia, derrubou todos os objetos da mesa.

Já nas dependências da Unidade de Terapia Intensiva, as duas chegaram a passar pelo corpo de Arnaldo, mas não o reconheceram. Ele estava com a cabeça bastante inchada, envolta por uma faixa. Quando refizeram o caminho e finalmente o acharam, Rita voltou a chorar, compulsivamente. Lúcia a deixou só, encostada no vidro que a separava de Arnaldo, murmurando frases ininteligíveis, como se pudesse falar com ele.

Entre as cenas que passavam pela cabeça de Rita, a mais recorrente era a de seu último encontro com Arnaldo, pouco antes do Natal, depois de quatro anos sem se verem. Ela, Roberto e os filhos Beto e João tinham acabado de se mudar para uma casa na serra da Cantareira, ao norte da cidade. O casal comprara o sítio, pensando em ter ali o terceiro filho. Numa tarde, Rita conversava com Roberto no portão da casa, quando pensou ter vislumbrado um fantasma. Subindo a ladeira, junto com alguns cachorros, surgiu o último sujeito no mundo que Rita esperaria encontrar ali. Muito menos que fosse seu vizinho.

"Arnaldo?!"

"Oi... Eu moro aqui do seu lado..."

Com um sorriso amarelo, Rita o apresentou a Roberto. Apesar do constrangimento geral, Arnaldo aceitou o convite para entrar na casa e conhecer o resto da família. Estranho, sem dizer quase nada, ficou olhando fixamente para Rita, como se tentasse transmitir uma mensagem telepática.

"Que cara mais esquisito! Deve estar louco", disse Roberto, assim que o inesperado visitante foi embora.

Os dois maridos de Rita ainda não haviam sido apresentados. Tinham apenas se visto de longe, no dia em que ela e Arnaldo assinaram o desquite amigável, no Fórum, em março de 1977. Naquela época, tanto Rita como Marta, a nova mulher de Arnaldo, já estavam em avançado estado de gravidez.

"É uma pena vocês quererem se divorciar agora, com um filho prestes a nascer", comentou o juiz, olhando para a barriga de Rita.

"Mas não é dele não. É de outro cara que está lá fora", explicou a futura mãe.

"Ah, sim", engasgou o juiz, tão constrangido com a gafe que assinou a papelada do divórcio na hora, sem dizer mais nada. O mesmo fizeram Arnaldo e Rita: despediram-se rapidamente e nunca mais se falaram até o imprevisto reencontro na Cantareira.

Na saída do hospital, já um pouco mais controlada, Rita aceitou falar com os repórteres. A situação a fez lembrar da irmã mais velha, Mary, que morrera um ano antes, após uma série de complicações cardíacas. Emocionada, Rita acabou fazendo um indignado desabafo:

"É bom ficar de olhos bem abertos. Minha irmã me disse, um dia antes de morrer, que o tratamento que um paciente recebe numa UTI é pior do que tortura. Eu mesma, quando estava na sala de parto, tendo meu filho, ouvi os médicos conversando sobre futebol. Temos que ficar alerta e rezar muito por ele".

* * *

Suzana Braga ficou perplexa ao receber a notícia por telefone, só no dia seguinte ao acidente. Vivia com Arnaldo há um ano e meio e já conhecia bem suas fases de depressão. Ao visitá-lo no hospital, na véspera, sentiu que ele estava triste, mas jamais a ponto de fazer uma loucura como aquela. Arnaldo chorou bastante naquela tarde, dizendo que tinha passado o pior dia de sua vida. Estava muito angustiado por ficar internado numa clínica durante a passagem do Ano-Novo. Só não contou a ela que 31 de dezembro também era o dia do aniversário de Rita.

A medicação que Arnaldo recebeu ao ser internado deixara-o mais ansioso. Sentia dificuldade para falar, como se sua língua estivesse enrolada — outro efeito colateral dos remédios. Agressivo, chegou a esmurrar o vidro de uma porta da Psiquiatria, até conseguir quebrá-lo. Porém, naquela sexta-feira, quando Suzana se preparava para sair, ao final do horário de visitas, Arnaldo já começara a dar sinais de melhora. Até se convidou para um joguinho de buraco com alguns enfermeiros e pacientes.

Arnaldo fora internado à revelia, por iniciativa de sua mãe, dona Clarisse, em 27 de dezembro. Andava muito tenso, fumando quatro maços de Hollywood por dia, além de tomar vários comprimidos do tranquilizante Lorax, receitados por seu médico. Mas quando começou a ficar mais agressivo, a mãe não viu outra alternativa. Com um sedativo diluído num copo de Coca-Cola, ela conseguiu fazê-lo dormir e então chamou a ambulância com os enfermeiros, para carregá-lo até o hospital.

Aquela era a quinta internação de Arnaldo, desde que começou a tomar LSD e algumas outras drogas com frequência, no início dos anos 70. Para piorar as coisas, ele não possuía um plano de saúde, muito menos dinheiro para pagar uma clínica especializada. A sorte da família era que o prestígio do pai, César Dias Baptista, que fora secretário particular do ex-governador Adhemar de Barros, ainda abria algumas portas, cinco anos após sua morte. Arnaldo foi internado no Hospital do Servidor Público do Estado de São Paulo, por ordem expressa do então governador Paulo Maluf.

Quando Sônia Abreu e Lucinha Barbosa receberam o telefonema de Suzana, desesperada, pedindo ajuda, as amigas lembraram imediatamente do que Arnaldo dissera na última vez que o viram. Bastante deprimido, ele estivera no apartamento das duas poucos dias antes de ser internado. Nem mesmo a proximidade do lançamento de seu novo LP (*Singing Alone*), que já estava gravado, ajudava a levantar seu astral. O papo de Arnaldo, naquela noite, foi bastante estranho. Entre alucinações e coisas incompreensíveis, disse que estava se sentindo "como Jimi Hendrix".

"Estou sofrendo muito. Alguma coisa me diz que eu vou morrer", anunciou, deixando as amigas preocupadas.

Lucinha quase desmaiou ao ouvir a notícia do acidente. Fanática por Arnaldo desde a época dos Mutantes, teve um caso rápido com ele, em 75, logo que se mudou do Rio de Janeiro para São Paulo. Na verdade, continuou apaixonada, mas se contentava em vê-lo apenas esporadicamente. Passaram a cultivar o que se chamava de "amizade colorida".

Chocada, sem forças até mesmo para se levantar do sofá, Lucinha pediu à amiga que corresse para o hospital. Sônia trabalhava como radialista, mas tinha muita familiaridade com o universo da medicina. Além do pai, oito de seus tios eram médicos. Um deles, inclusive, era funcionário do próprio Hospital do Servidor Público.

Providencialmente vestida de branco, Sônia não teve dificuldade nenhuma para atravessar o portão do hospital com seu fusquinha e deixá-lo no estacionamento. Passou fácil por todas as dependências do prédio, sem precisar se identificar ou responder alguma pergunta. Entrou até mesmo na UTI, cuja porta estava semi-aberta. Quando encontrou Arnaldo enrolado em um lençol, com a cabeça enfaixada, ele ainda nem havia sido operado. Estava respirando artificialmente, ligado aos aparelhos, estirado numa maca. Sônia custou a acreditar no que via. Mas pela primeira vez pensou que o trágico vaticínio de Arnaldo parecia mesmo estar se tornando realidade.

* * *

Alguns dias depois, um pouco mais calmas, Sônia e Lucinha fizeram um balanço geral da situação e perceberam que Arnaldo estava praticamente abandonado no hospital. Para começar, Suzana não tinha condições de cuidar direito dele. Além de sua evidente fragilidade física e emocional, ela ainda tinha a responsabilidade de cuidar das duas crianças de seu casamento anterior.

Nem mesmo com a família Arnaldo podia contar muito. Dona Clarisse tinha acabado de contrair uma doença infecciosa e estava acamada, proibida pelo médico de sair de casa. Serginho se radicara nos Estados Unidos dois anos antes — sua tentativa mais consistente de dar uma guinada na carreira musical, desde que dissolveu a última formação dos Mutantes, em 1978. Cláudio César, o irmão mais velho, estava morando no Rio de Janeiro e tinha rompido relações com Arnaldo. Sônia e Lucinha não viram outra saída: para que ele tivesse alguma chance de sobreviver, precisavam assumir o controle de tudo.

Quando foi procurar o doutor Büller Souto, assistente da diretoria do hospital, Sônia entrou no assunto sem rodeios. Lembrou a ele que a janela da enfermaria na qual Arnaldo estava internado não tinha proteção — uma falha gravíssima de segurança. Apesar de uma grade ter sido instalada às pressas, algumas horas após o acidente, o fotógrafo de uma revista tinha conseguido fotografar a janela ainda quebrada e desprotegida. Assim, Sônia propôs um pacto muito útil para as duas partes: se os diretores colaborassem sem restrições na recuperação de Arnaldo, ela manteria as provas em segredo e evitaria que o hospital fosse processado por negligência.

O acordo foi aceito na hora. Até mesmo porque o delegado do 36° Distrito Policial, da Vila Mariana, onde já havia sido aberto inquérito, não descartava a possível responsabilidade do hospital quanto à segurança do paciente. A partir daquele dia, Sônia, que já tinha se transformado em uma espécie de assessora de imprensa do caso, passou também a ser a responsável oficial por Arnaldo perante a direção do hospital. Conseguiu até mesmo uma licença para três curtos horários diários de visitas na UTI, onde Arnaldo continuava em estado de coma.

O próximo passo foi formar um plantão de pessoas de confiança, para cuidar do paciente durante 24 horas por dia. Além de Sônia, Lucinha e Suzana, a escala também incluía Carmem Sylvia (cunhada de Dinho, o primeiro baterista dos Mutantes), Vera (irmã de Lucinha) e a fotógrafa Grace Lagôa. O importante era manter duas pessoas ao lado dele durante todo o tempo, para evitar qualquer descuido fatal.

Apesar de os médicos afirmarem que o melhor a fazer, naquele caso, era rezar para que o paciente morresse logo, porque assim sofreria menos, as garotas sentiam que Arnaldo ainda não entregara os pontos.

Em alguns instantes, era possível perceber que ele mantivera alguns reflexos. Às vezes seu pé esquerdo se mexia levemente, renovando as esperanças dos amigos.

Finalmente, em meados de janeiro, Arnaldo foi transferido da UTI para um quarto particular, também cedido de graça pelo hospital. Ainda estava em coma, mas seus sinais de reação já eram bem mais evidentes. Sônia e Lucinha sabiam que deixá-lo na enfermaria coletiva seria perigoso. Com um simples deslocamento acidental do aparelho respiratório, ele poderia morrer asfixiado, sem que ninguém percebesse.

Um *walkman* injetava música clássica e de meditação, durante todo o tempo, nos ouvidos de Arnaldo. Mais tarde, foi a vez dos discos dos Mutantes e muito Jimi Hendrix. Isso quando alguém não murmurava alguma canção que ele pudesse gostar, bem próximo de seus ouvidos. Uma tarde, por acaso, Sônia cantarolou a soturna "Dia 36", da fase inicial da banda. Os músculos do rosto de Arnaldo esboçaram um sorriso. O que poderia ser mais forte para ele do que a música?

Descrentes do tradicional tratamento alopático, Sônia e Lucinha também convocaram amigos e conhecidos que praticavam terapias alternativas. Arnaldo passou a receber tratamentos nada convencionais para um hospital público, como acupuntura e massagens. As garotas passavam o dia todo tocando o corpo do paciente, principalmente em pontos indicados pela terapia do *do-in*. Chegavam a subir sobre a cama, para massageá-lo com os pés.

Além de várias imagens indianas coladas pelas paredes, havia sempre um incenso aceso no quarto, para perfumar o ambiente e "afastar os maus fluidos". Até mesmo geleia real foi misturada ao tubo de soro do paciente — uma terapêutica que deixaria qualquer médico alopata simplesmente com os cabelos em pé.

Tudo isso acontecia sob as vistas grossas dos enfermeiros e médicos, que seguiam ordens expressas da direção do hospital para não entrarem em atrito com as duas. Diariamente, sempre no final da tarde, Sônia se encontrava com o doutor Büller Souto e fazia uma espécie de relatório sobre a evolução do estado do paciente, como se fosse a verdadeira responsável por aquele caso médico.

Quase dois meses após o acidente, Arnaldo finalmente saiu do estado de coma. Com 30 quilos a menos, ele mais parecia um refugiado de Biafra, magérrimo e careca, por causa da operação. Ao acordar, quase pulou da cama, vociferando uma língua estranha, entre o inglês e o alemão. A traqueotomia a que foi submetido atingiu as cordas vocais, alterando

Vida nova: Arnaldo, pouco depois de sair do hospital, em maio de 1982.

Caso sério: Rita e Roberto, no auge do sucesso.

bastante o timbre de sua voz. Estava tão faminto que engoliu nacos de bananas e caquis, com a voracidade de um selvagem.

O período de recuperação do coma também foi longo. Durante outros dois meses, Arnaldo enfrentou uma rotina muito pouco diferente da vida de um vegetal. Tomava água só com colher e tinha que ser banhado e limpo como um bebê. Usava até mesmo um fraldão de plástico. Além de todo o lado direito de seu corpo ter ficado paralisado, os membros também estavam atrofiados. No entanto, vê-lo desse jeito já significava um verdadeiro milagre para quem o encontrara praticamente morto.

Sônia e Lucinha se encarregavam pessoalmente de fazer toda a comida para Arnaldo, que logo passou a incluir produtos naturais como arroz integral e granola. Cada vez mais confiantes na recuperação, as duas não viam a hora de poder tirá-lo do hospital. Algumas vezes, com a desculpa de que iriam levar Arnaldo para tomar sol no pátio, sentado em uma cadeira de rodas, chegavam a raptá-lo. Colocavam-no dentro do carro de Sônia e o levavam para passear na famosa "praça do pôr do sol", próxima à Cidade Universitária, frequentada por vários adeptos de um *fuminho* ao cair da tarde.

Também sentado em uma cadeira de rodas, Arnaldo saiu finalmente do hospital, em 7 de maio de 1982, quatro meses e onze dias após a internação. Os médicos tinham proposto como experiência que ele passasse um fim de semana na casa da mãe, mas Arnaldo se recusou a voltar ao hospital e ficou de vez. Nessa fase, suas reações e atitudes ainda eram semelhantes às de uma criança. Sentia um prazer especial em dizer palavrões e coisas obscenas. Odiava tomar banho, o que só aceitava após muita insistência e bate-boca. Também tinha crises agressivas. Em algumas delas, promoveu verdadeiros pandemônios na casa da mãe, quebrando tudo que estivesse a seu alcance.

"Eu não me atirei pela janela para me matar. O que eu queria era sair daquela clínica", explicou Arnaldo, nas primeiras entrevistas que deu, logo após o início de sua recuperação. E quando perguntavam qual era sua música favorita, ele não titubeava: "Flagra" (de Rita e Roberto), o *hit* daquele momento.

Arnaldo começava assim uma segunda vida, na qual teria que reaprender muitas coisas e tentar esquecer algumas outras. Há quem diga que esse foi o preço pago pelos excessos de sua vida anterior. Aventuras e maluquices, nas quais o rebelde Arnaldo raramente esteve sozinho.

2.
A GANGUE DO TWIST

"Pare o ônibus, motorista! Aqueles rapazes estão se matando!"

A senhora idosa apontou na direção de um grupo de garotos, a menos de dez metros dali, no momento em que o ônibus da linha Vila Romana diminuía a velocidade para virar a esquina com a rua Cotoxó. Quase todos que estavam dentro do coletivo puderam ver aquela cena de brutalidade: cinco garotos esmurrando e chutando um outro, já meio estirado e sangrando no chão. O motorista atendeu ao pedido e freou ali mesmo, na esquina, abrindo a porta para que um policial, encostado na catraca, pudesse descer.

"Parem com isso meninos! Assim vão matá-lo", implorou a mesma senhora, já com a cabeça quase fora da janela.

O bando se dissolveu em uma piscada de olhos. Os garotos perceberam que tinham uma plateia indignada se aproximando e fugiram. Assim, ficou mais fácil ver o garoto ferido no chão, com manchas de sangue pelo corpo. Seguido pelo motorista, o policial já tinha descido o primeiro degrau, quando percebeu o engodo. Num salto, o garoto se levantou rapidamente do chão, encarando os passageiros. Com um sorriso maroto que logo se transformou em uma debochada gargalhada, lá se foi Arnaldo e sua roupa manchada de groselha juntar-se a Serginho, André, Pataca e o resto da suposta gangue de agressores. Perseguidos pelo guarda, irritado com a peça em que tinha acabado de cair, os garotos correram até o portão de uma casa vistosa, a maior do quarteirão, e sumiram. A turminha tinha acabado de aprontar outra das suas molecagens.

* * *

No início dos anos 60, dificilmente se encontrariam pais tão liberais como os de Arnaldo, Sérgio e Cláudio César. O casarão da família Baptista, no n° 408 da rua Venâncio Aires, no bairro da Pompeia, vivia repleto de garotos, entrando e saindo o dia todo. Nos raros momentos em que estava em casa, sem perder o bom humor, o atarefado doutor César era às vezes obrigado a descer até o portão da rua para colocar panos quentes nos pequenos tumultos provocados pelas traquinagens da garotada.

A trinca do barulho: Serginho, Arnaldo e Cláudio César, na fazenda do ex-governador Adhemar de Barros, em Taubaté, SP, 1955.

Recebia as reclamações com tanta diplomacia, que em geral a confusão terminava ali mesmo.

Quem o conhecesse naquela época, provavelmente imaginaria que aquele homem culto, muito educado e sorridente jamais enfrentara grandes dificuldades na vida. César Dias Baptista nasceu em Avaré, no interior de São Paulo, em 1913. Décimo dos treze filhos do coronel Horácio Dias Baptista, que chegou a ser prefeito da cidade, teve que abandonar os estudos no final do curso primário. A vida abastada da família desabou quando o coronel perdeu a fazenda e quase tudo que possuía, graças às artimanhas de um parente de caráter duvidoso. César chegou até a carregar sacas de café, além de ter trabalhado como caixeiro, escriturário e balconista, para ajudar a equilibrar a economia da casa.

Já maior de idade, mudou-se para São Paulo, onde conseguiu um emprego de conferente na Estrada de Ferro Sorocabana, trocado pouco depois pelo Departamento de Receita da Secretaria da Fazenda. Trabalhando com números e alíquotas, César podia garantir o chamado leite das crianças. Porém, satisfação mesmo ele encontrava ao lidar com palavras e sons. Por seu próprio esforço, acabou se tornando escritor, poeta e jornalista. Foi editorialista do jornal *O Dia*, no qual assinou durante mais de sete anos a coluna *Amanhece o Dia*, crônica diária que misturava prosa e poesia. Além dos poemas que compunha e recitava em público, outro de seus grandes prazeres era cantar no Coral Paulistano. Tinha uma bela voz de tenor, com uma grande extensão. O gosto pela música foi, de fato, a verdadeira herança deixada ao filho pelo coronel Horácio, que também tocava violão.

Entre os livros que escreveu, César deixou duas biografias. Publicado em 1945, *Romance sem palavras* (Casa Wagner Editora) narrava a história do maestro João Gomes Júnior. Inédita até hoje permanece a biografia de seu patrão e mentor Adhemar Pereira de Barros, o poderoso político que ocupou duas vezes o governo do Estado de São Paulo (nos períodos 1947-1951 e 1963-1966), além da Prefeitura paulistana (1957-1961).

César conheceu o ex-governador no final dos anos 40, através de José Soares de Souza, seu primo, que era secretário particular de Adhemar durante sua primeira gestão no Estado. Adoentado, José pediu a César que ajudasse, redigindo alguns discursos para o governador. Dias depois, ao saber que outra pessoa estava escrevendo os textos, sem ter notado a diferença, Adhemar quis conhecer o novo *ghost-writer*. Gostou dele e acabou convidando-o a continuar no cargo, que César só aceitou depois que o governador designou outro posto para o primo. Ao contrário do slogan popular que imortalizou Adhemar ("rouba mas faz"), César tinha a honestidade entre suas qualidades. Mas isso não o impediu de se tornar o braço direito do governador, a quem já admirava.

No dia a dia, César era uma pessoa alegre, que adorava comer e contar anedotas. Em reuniões sociais, geralmente acabava se tornando o centro das atenções. Foi mais ou menos o que aconteceu naquela noite de agosto de 1943, quando conheceu a pianista Clarisse, no apartamento da família Leite, na praça Marechal Deodoro, no centro de São Paulo. Apresentados por um amigo comum, os dois se divertiram muito, cantando, recitando poesias e tocando piano durante horas. Foi uma paixão *prestissima*: em dez dias César já estava pedindo a mão da moça. Dois meses depois, em 19 de outubro, aconteceu o casamento.

Clarisse não era a única musicista de sua família. Assim como a irmã Zilda, dez anos mais velha, a tia Benedita Borges de Moraes também era pianista; já o avô materno, Laurentino Mendes de Moraes, escrevia arranjos para uma bandinha da cidade de Paraibuna. Orientada por Zilda, Clarisse começou a aprender piano muito pequena. As duas tinham um trato: quando a irmã saía às escondidas para namorar, a caçula ficava tocando no lugar dela, para que a mãe não desse conta.

Com apenas seis anos, Clarisse conseguiu uma vaga no respeitado Conservatório Dramático Musical, do qual saiu formada aos treze. Não foi à toa que o exigente escritor e musicólogo Mário de Andrade, professor responsável pelo curso de História da Música, estranhou ver uma garotinha sentar-se entre as moças, para assistir sua aula inaugural. "Menina, seu lugar não é aqui", disse o poeta modernista, custando a acreditar que aquela era Clarisse Leite, a talentosa pianista que ele apreciava ouvir em programas de rádio.

Já como concertista, ela tocava com frequência em São Paulo e no Rio de Janeiro (curiosamente, numa de suas apresentações, no Teatro Municipal paulista, fez parte da orquestra um violoncelista jovem e irreverente chamado Rogério Duprat, que anos depois se tornou mentor musical de seus filhos). Clarisse chegou a se apresentar na Áustria e a fazer parte do júri de um concurso internacional de piano, realizado na Hungria. Foi ainda a primeira mulher no país a compor um concerto para piano e orquestra. A estreia também se deu no Teatro Municipal de São Paulo, em maio de 1971, com a Sinfônica Municipal, regida pelo maestro Armando Bellardi.

* * *

Nos primeiros tempos, o dinheiro de César ainda era bem curto, o que obrigou o casal a morar com os pais de Clarisse até a situação melhorar. Depois, mudaram-se para uma casa na rua Tanabi, já no bairro da Pompeia, na zona oeste da cidade. Finalmente, no início da década de 50, César conseguiu um financiamento que lhe permitiu comprar a casa da Venâncio Aires, a duas quadras do complexo industrial da Matarazzo.

Aquele bairro fabril, habitado por uma classe média baixa, não era exatamente o lar dos sonhos de Clarisse, acostumada a frequentar círculos mais aristocráticos. Mas o casarão dos Baptista destoava do modesto padrão das casas vizinhas. O terreno era grande, com seus 8 m de largura por 41 m de profundidade. Além da confortável sala de jantar, duas colunas imponentes sobressaíam no meio da ampla sala de estar, coberta por carpete verde e espesso, com móveis clássicos e quadros nas paredes. Ali estava uma das principais atrações da casa: o piano Steinway, mais tarde trocado por um Petrof de cauda. No andar superior, ficavam a suíte do casal e os quartos dos meninos. Lá fora havia ainda uma espécie de edícula, com dois quartos, um deles usado como biblioteca. Sem falar no quintal, perfeito para as maquinações da garotada.

Cláudio César, o primogênito, nasceu em 6 de maio de 1945, seguido três anos depois por Arnaldo, em 6 de julho de 1948. O trio se completou após outros três anos, em 1° de dezembro de 1951, com o nascimento do caçula Sérgio — literalmente, uma trinca do barulho. Cresceram ouvindo Chopin, Bach e Beethoven, que dona Clarisse tocava quase o dia todo, estivesse ela estudando ou dando aulas particulares. Desde pequenos, os três se acostumaram a frequentar o camarote do prefeito, no Teatro Municipal, assistindo óperas, concertos de música erudita e balés. As festas que aconteciam com frequência na casa da Pompeia geralmente se transformavam em saraus. Músicos profissionais, como o violinista Raul Laranjeiras e o pianista Alberto Salles, se misturavam aos artistas da família, caso da pianista e tia Zilda, ou ainda a prima Nelly Rizzo, que era soprano.

Também foi com a mãe que os três irmãos aprenderam os fundamentos musicais e tiveram as primeiras aulas de piano. Só com Arnaldo é que dona Clarisse chegava a perder a paciência. Perfeccionista demais, sempre que errava alguma coisa, mesmo que fosse a penúltima nota da "Marcha Turca" de Mozart, ele insistia em começar tudo de novo. A mãe ficava exasperada. Sem contar o fato de que Arnaldo estudava a contragosto, mais por insistência de dona Clarisse do que por um real interesse pelo instrumento. Para sua desilusão, depois de algum tempo ela percebeu que seu filho jamais seria um concertista. Porém, quanto ao desempenho de Arnaldo na escola, a mãe não tinha do que reclamar: ele era um ótimo aluno, especialmente em línguas. Dizia que pretendia estudar Filosofia ou Direito.

Uma das brincadeiras prediletas dos garotos era a chamada "tribo tabaru", que de tão frequente no dia a dia da casa acabou servindo de tema para uma canção composta por dona Clarisse ("Tribo Tabaru", cuja partitura até chegou a ser publicada). Cláudio César era o Cacique; Arnaldo, o Vaca Sentada; Serginho, o Bunda Suja. No fundo, essa tribo inventada pelos três garotos era só uma fantasia usada para disfarçar uma verdadeira gangue mirim, que entre pequenas barbaridades não dispensava rituais de iniciação para os novos membros. Um dia, chegando em casa, dona Clarisse tomou um grande susto, ao ver um garoto chorando, amarrado sobre uma fogueira que ardia nos fundos da casa.

O vizinho Luís Sérgio (Carlini, que nos anos 70 veio a tocar com Rita Lee, na banda Tutti Frutti) era considerado um dos inimigos seculares da tribo. Como represália, os tabarus disparavam flechas incendiárias contra as camisas de nylon do pai do garoto, que geralmente estavam estendidas no varal. Não sobrava uma intacta. Nem mesmo uma estatueta de São Jorge, na casa da vizinha oposta, escapava das flechadas e tiros de espingardas de chumbinho dos pequenos selvagens. Os tabarus eram barra-pesada mesmo.

Interessado desde cedo em misticismo, Cláudio tinha um prazer especial em aprontar pequenas maldades com Serginho. Dizendo-se o "Chefe do Mundo dos Feiticeiros", diluía cal em água e passava o dedo molhado na testa do irmão. Minutos depois, logo que a cal secasse, o garotinho ficava assombrado ao ver um misterioso sinal branco aparecer em sua testa. Ficava achando que Cláudio tinha poderes extraterrenos. Piores eram os tombos que levava ao tentar reproduzir experiências de "voo espontâneo" que Cláudio garantia serem possíveis. Serginho acreditava piamente no irmão-guru e volta e meia acabava todo arrebentado. Ainda assim, pensava que tinha se enganado em algum detalhe e, dias depois, tentava novamente. Afinal, Cláudio entendia muito daquelas coisas esquisitas.

* * *

Raphael Vilardi e Cláudio César se conheceram em 1959, quando frequentavam o curso ginasial do Colégio Ipiranga, no bairro do Paraíso. Apesar de achar aquele cara meio estranho, com uma calça pula-brejo, camisa abotoada até o colarinho e cabelo engordurado, Raphael ficou impressionado pela primeira conversa que tiveram. Durante o recreio, Cláudio descreveu minuciosamente o processo de desintegração do átomo numa bomba atômica, mostrando suas diferenças com uma bomba de hidrogênio e detalhando o processo de fusão nuclear. Não era à toa que, entre outros apelidos, Cláudio César já era conhecido na escola como "o cientista louco" ou "Professor Pardal".

Fanáticos por ficção científica, astronomia e assuntos afins, os dois começaram a "trocar figurinhas" e logo se tornaram amigos inseparáveis. Já no ano seguinte, costumavam faltar às aulas, para frequentarem as projeções matinais do Planetário, no Parque do Ibirapuera. Acabaram se tornando os responsáveis pelo trabalho de sonoplastia nas sessões da Associação de Amadores de Astronomia de São Paulo (AAASP), da qual se tornaram sócios. Utilizavam gravações de música erudita para criar uma atmosfera mais apropriada às projeções de filmes científicos que conseguiam emprestados no Consulado dos EUA. Nos finais de semana, para poder acompanhá-los, Arnaldo era obrigado a cumprir um encargo literalmente pesado: ia atrás de Cláudio e Raphael, carregando um enorme e desajeitado gravador Geloso, usado durante as projeções. Foi assim que Arnaldo acabou ganhando o curioso apelido de Horizonte: estava sempre obstruindo a linha do horizonte de seus parceiros.

Também foi no Planetário que Raphael, Claúdio e Arnaldo viveram a primeira experiência de "criação musical", já com uma boa pitada de humor. Para gozarem um sujeito que os acompanhava nas projeções, chamado Gumercindo Lobato, fizeram uma paródia do tema da então popular série de TV *Bat Masterson*. A "Balada de Lobat Masterson" chegou até a ser registrada em uma gravação doméstica, com participações do doutor César, no vocal, e dona Clarisse ao piano.

Outro hobby dos garotos era o aeromodelismo, mais um forte motivo para que eles passassem os finais de semana no Parque do Ibirapuera. Como tudo que faziam, Cláudio e Raphael também tratavam essa atividade com um toque de seriedade: mais habilidoso no trabalho manual, Cláudio era o encarregado de construir os aeromodelos; Raphael ficava com a função de piloto. A Equipe Vulcânia de Aeromodelismo tinha até um rígido estatuto, escrito por Cláudio. O misto de sede e oficina ocupava um cômodo nos fundos da casa, à direita da biblioteca do doutor César. Era daquele quartinho que saía diariamente o ruído ensurdecedor dos motores de aeromodelos que estavam sendo amaciados — um barulhão que deixava os vizinhos completamente enlouquecidos.

* * *

Em 1962, aos 15 anos de idade (dois a menos que Cláudio), Raphael começou a ouvir música com mais interesse. Era a época de transição do rock & roll clássico para a futura invasão dos Beatles. Apesar do relativo sucesso de cantores como Chubby Checker, ouvia-se muito twist instrumental, estilo que destacava a guitarra como instrumento principal.

Fã dos Jet Blacks, um dos conjuntos nacionais pioneiros na propagação do twist, Raphael ficava babando toda vez que Benê, um colega do Liceu Pasteur, levava a guitarra até sua casa. Sob o olhar atento de Raphael, ele ficava repetindo dezenas de vezes os sucessos instrumentais da época, como "Apache" (na versão do The Ventures), que já tocava com seu conjunto Os Álamos. Não deu outra: em pouco tempo Raphael economizou algum dinheiro e comprou a sonhada guitarra, uma Giannini.

Sem as facilidades pedagógicas de hoje, como os métodos ilustrados e vídeos didáticos, naquela época os garotos tinham que trabalhar duro para aprenderem a tocar. O jeito era colocar o disco na vitrola e tentar reproduzir tudo o que ouviam, nota por nota — o método conhecido popularmente como "orelhada". Até mesmo assistir um guitarrista profissional tocando era difícil. Só com muita sorte podia-se ver na TV o popular Poly, ou mesmo Betinho, um evangélico da Lapa cuja lenda o apontava como participante de uma gravação dos sagrados Ventures. O jeito era ir a algum baile de formatura e grudar em Edgar ou Capacete, para vê-los tocar guitarra ou baixo.

"Você tá louco!", desdenhou Cláudio, nada animador ao ver o amigo quebrando a cabeça para tentar aprender sua primeira música. "Até você saber tocar guitarra direito, talvez daqui a um ano ou dois, essa música já saiu de moda. Não vale a pena", argumentou.

Mas a reação de Arnaldo foi bem diferente. Animado com a ideia, acabou vendendo uma preciosa moeda de ouro de 10 dólares que possuía, para comprar seu baixo elétrico, um Del Vecchio sem trastes. Aos poucos, os garotos foram sentindo que tocar um instrumento não era exatamente um hobby, como o aeromodelismo ou os telescópios. A música era a porta de entrada para uma nova dimensão, um mundo diferente daquele tão competitivo e neurótico que existia lá fora. Era a possibilidade de se encarar as coisas de outro modo, em que o sentimento era mais importante do que o simples ato de fazer. A música unia as pessoas e permitia trabalhar e viver de um modo mais comunitário e fraterno. O grande problema era como adaptar tantas sensações a um ritmo, a uma

Primogênito: o recém-nascido Cláudio César
com os pais, César e Clarisse, em 1945.

ASSOCIAÇÃO DE AMADORES DE ASTRONOMIA
DE SÃO PAULO

FUNDADA EM 18-11-1949

De utilidade Pública - Lei Estadual n.º 3051 - 19-9-56

AAA

NOME CLAUDIO CEZAR
DIAS BATISTA

SÓCIO N.º 1.[illegible]50

1.º SECRETÁRIO

PLAC-LITE LTDA. - R. MARCONI

Amador de astronomia:
a carteirinha de
Cláudio César,
responsável pelo som
do Planetário, em 1960.

melodia e a uma harmonia. Não era nada fácil. A persistência de Raphael e Arnaldo acabou contagiando Cláudio César, que decidiu tocar saxofone — uma escolha bem apropriada para quem tinha os Jet Blacks como modelo musical. O problema é que Cláudio e Raphael adoravam competir em tudo. Como a importação do sax Martin demorou um pouco, ao ver o amigo já começando a fazer os primeiros solos, Cláudio também quis experimentar a guitarra. Logo ganhou do pai uma Fender Jaguar azul e mergulhou no estudo.

Poucos meses depois nascia o The Thunders (os trovões), com Raphael na guitarra solo, Cláudio César na guitarra base, Arnaldo no baixo e Gaguinho (José Roberto Rocco) na bateria, que logo começaram a tocar em festinhas de colégios e igrejas da Pompeia. Os ensaios aconteciam na sede da Equipe Vulcânia, nos fundos da casa da Venâncio Aires. Com a saída de Gaguinho, entrou Luiz Pastura, um baterista de 18 anos, dono de um raríssimo prato de 22 polegadas. No fundo, seu sonho era tocar jazz, mas como ainda tinha um longo caminho até lá, aceitou tocar twist com os garotos.

Anos depois, quando algum visitante entrava naquele mesmo quarto, transformado na oficina de Cláudio César, ainda se surpreendia ao ver a enorme projeção da sombra dos quatro Thunders, pintada por ele sobre uma das paredes — um efeito visual impressionante que precedeu os pioneiros efeitos sonoros que Cláudio veio a criar para os Mutantes.

* * *

Com a experiência acumulada na construção dos aviõezinhos, ainda em 1963, Cláudio César decidiu fazer guitarras melhores para os Thunders. Para começar, optou pelo modelo mais fácil: a guitarra sólida, cujo corpo é formado apenas por uma peça inteiriça de madeira ou fibra. Graças ao que aprendera fazendo espelhos para os telescópios da AAASP, Cláudio imaginou que uma guitarra desse tipo só teria qualidade se fosse bastante sólida. Fez o corpo com um pedaço de imbuia, no qual encaixou um disco de cristal perfurado para segurar um captador. O cabo foi tirado de um violão e adaptado ao corpo. E não é que o Frankenstein sonoro acabou funcionando?

Cláudio percebeu logo que precisava ter mais conhecimentos para construir uma boa guitarra. Começou a frequentar a oficina de Vitório, um senhor já idoso que havia trabalhado na Del Vecchio, a famosa fábrica nacional de violões, além de fazer captadores para as guitarras Giannini. De fato, Cláudio chegou mesmo a morar durante uma semana com

Vitório, quando decidiu sair de casa após uma briga com os pais. Trabalhou com ele enrolando captadores, com o auxílio de um rudimentar pedal de máquina de costura. Porém, tão logo fez as pazes com a família, voltou para casa e transformou a velha sede da Equipe Vulcânia, nos fundos do quintal, em uma nova oficina.

Durante alguns meses, Cláudio copiou os modelos das grandes marcas internacionais de guitarras — trabalho que funcionou não só como pesquisa tecnológica, mas também o ajudou a desenvolver sua habilidade manual. A partir de catálogos da Fender, da Gibson e de outras boas guitarras, todas fotografadas de frente, fazia slides das fotos e os projetava na parede. Assim, conseguiu fazer cópias bem próximas das guitarras originais, que logo começaram a atrair interessados. A casa da Pompeia passou a ser frequentada por músicos dos Jet Blacks, The Rebels, Som Beat e outros conjuntos. Até então, os guitarristas locais se contentavam com as primitivas Felpas, mas a perspectiva de tocar com uma Fender, mesmo falsa, criou o maior *frisson*. Afinal, além dos preços convidativos, a perfeição das cópias chegava até ao logotipo.

A produção atingiu rapidamente o volume de uma guitarra por dia quando Cláudio associou-se a Osvaldino, sobrinho do velho Vitório. Mas essa parceria não durou muito tempo. Cláudio tomou consciência de que poderia evoluir na sua atividade. Decidiu construir guitarras assinadas e de qualidade superior, enquanto Osvaldino estava mais interessado na produção em massa. Era o fim de uma lucrativa sociedade.

Sozinho novamente, Cláudio investiu mais ainda na produção. Contratou um marceneiro e comprou várias máquinas profissionais, transformando o porão da casa em uma oficina que incluía até uma marcenaria completa. Muitas vezes, Cláudio chegava a passar dois ou três dias sem dormir, trabalhando de pijama, completamente envolvido com suas pesquisas acústicas e de materiais. Um genuíno *luthier* do rock começava a dar seus primeiros passos.

* * *

"Vou levar vocês pra ouvir uns caras que tocam músicas dos Ventures!", sugeriu o baterista Pastura, convidando Raphael e Arnaldo para um show no Teatro João Caetano, na Vila Clementino, bairro da zona sul, onde costumavam acontecer muitas festinhas de colégios.

Para um conjunto que ainda estava na cola dos Jet Blacks, como o The Thunders, tratava-se de um convite irrecusável. Formado em 1960, em Seattle (a mesma cidade norte-americana que três décadas depois se tornou a capital do rock *grunge*), o The Ventures era o conjunto *cult*, o favorito entre os roqueiros mais bem-informados da época. Com suas guitarras de som metálico e a bateria quase mecânica, esse quarteto criou um estilo inconfundível, preconizando o chamado *surf rock*. Na época, seus guitarristas — Don Wilson, Nokie Edwards e Bob Bogle — serviram de modelo para inúmeros principiantes.

O tal conjunto se chamava The Wooden Faces (os caras-de-pau) e era composto por Tobé na guitarra, Robertinho na bateria, Sérgio Orlando no piano e Zé Eduardo no baixo. Os quatro moravam nas redondezas da Vila Mariana e há quase um ano animavam festas e bailinhos da região. Inicialmente, seu repertório incluía o twist dos Ventures, uma dose menor de Shadows (a versão britânica dos Ventures) e algumas pitadas de música popular brasileira. Como o público dos bailes gostava de ouvir um pouco de tudo, incluindo samba, bolero, cha-cha-cha e bossa nova, a salvação do quarteto estava no piano de Sérgio Orlando, que já dominava um repertório bem variado.

Raphael e Arnaldo não só aprovaram o som dos Wooden Faces, como iniciaram naquela mesma noite um namoro musical com o conjunto. Os dois passaram a assistir os ensaios do quarteto, na casa de Tobé, que morava na Vila Clementino e estudava no mesmo colégio de Raphael, o Liceu Pasteur. Chegaram até a tocar juntos algumas vezes.

* * *

O Wooden Faces era apenas um entre as dezenas e dezenas de conjuntos adolescentes e jovens que, desde o início dos anos 60, pululavam na zona sul de São Paulo, principalmente nas cercanias da Vila Mariana. The Fenders, The Hits, The Flash's, Os Álamos, The Spitfires, Silver Strings e Os Lunáticos estavam entre os mais conhecidos de uma enorme fornada de grupos afinados com o iê-iê-iê e o twist.

A explicação mais evidente para essa pioneira concentração de roqueiros estava no fato de essa região de classe média sediar a maior parte dos bons colégios da época, como o Pasteur, o Arquidiocesano, o Madre Cabrini, o Bandeirantes, o Nossa Senhora do Rosário, o Maria Imaculada, o Cristo Rei e outros. Em geral, os alunos dessas instituições de ensino eram despertados para o contato com a música desde cedo, tanto através de bandas como de corais. Além disso, todos esses colégios promoviam eventos periódicos — festas juninas, quermesses, festas da primavera e festinhas pró-formatura — que serviam de palcos livres para as apresentações desses conjuntos antes de se profissionalizarem.

Curiosamente, quase todos esses colégios seguiam uma orientação católica rígida, mas os padres e freiras ainda estavam um tanto longe de se preocuparem com os efeitos (satânicos, diriam alguns) do rebelde rock sobre seus alunos.

* * *

Quando Arnaldo e Raphael conheceram os Wooden Faces, o tempo já começava a ficar literalmente fechado entre os Thunders. Depois de desistir do saxofone, Cláudio tinha decorado algumas dezenas de músicas e desenvolvido uma certa agilidade no instrumento. Descontente com o status de coadjuvante que era reservado à guitarra base, passou a forçar a barra para solar também. O equilíbrio de egos no conjunto começava a ficar ameaçado.

Assim, já em 1963, quando recebeu o convite para tocar com os Wooden Faces, Raphael aceitou na hora. Tobé e Robertinho tinham decidido participar de um concurso no popular programa de Antonio Aguillar, na TV Excelsior, e, para se adaptarem melhor ao padrão dos conjuntos da época, convocaram mais um guitarrista. Não havia muito o que pensar. Tocar na televisão era a consagração suprema para qualquer músico ou conjunto amador.

Raphael tinha ainda duas outras razões. Em primeiro lugar, seria o solista da apresentação; depois, a experiência musical dos Wooden Faces era muito maior que a dos Thunders. E como notara que o baixista do conjunto de Tobé era um tanto fraco, aceitou o convite já pensando em sugerir o nome de Arnaldo, na primeira chance que tivesse. O que Raphael não sabia é que seu amigo também tinha decidido participar do mesmo concurso. O convite partiu do Só Nós, um conjunto formado por alunos do Liceu Pasteur que não primava exatamente pela qualidade. Em todo caso, pensou Arnaldo, seria uma experiência a mais.

Às vésperas da competição, os Wooden Faces não escondiam sua enorme confiança. Com mais de um ano de estrada, sabiam que estavam entre os melhores concorrentes e que tinham grandes chances de papar o prêmio, disputado por vinte conjuntos jovens de São Paulo. Raphael e seus novos parceiros tinham ensaiado duro para preparar a moderninha "Let's Go", dos Ventures, tema instrumental que não era dos mais fáceis. Com o peito estufado, dentro de seus ternos e gravatinhas à Bat Masterson, estavam seguros de que pelo menos conseguiriam chegar entre os cinco primeiros colocados.

Para surpresa geral, os Wooden Faces quebraram a cara. Jamais es-

Arqueologia do twist paulista: os Wooden Faces, em frente ao Monumento das Bandeiras, no Ibirapuera.

Caras-de-pau: Robertinho, Arnaldo, Raphael e Tobé.

perariam que, na chamada hora H, Robertinho acelerasse o andamento da música a ponto de transformá-la em algo mais próximo de "Let's Run" do que "Let's Go". Nem mesmo foram classificados. E para aumentar mais ainda o vexame, tiveram que engolir o Só Nós, com Arnaldo e tudo, classificado em 3° lugar.

O fato é que Arnaldo conseguiu arrumar a bagunça sonora do Só Nós. Além de tocar o baixo, organizou os ensaios até todos se afinarem no arranjo bem quadradinho, porém eficiente, de "In the Mood", um dos grandes sucessos da orquestra de Glenn Miller. Como tudo que precisavam era tocar apenas uma música certinha, acabou funcionando. Mas nem esse episódio impediu que, uma semana depois, Arnaldo já tivesse se tornado o baixista oficial dos Wooden Faces. Assim, os ensaios do conjunto que costumavam acontecer na casa de Tobé, na Vila Clementino, de vez em quando passaram a ser transferidos para a Pompeia.

Aparentemente, Arnaldo era o mais quieto e comportado dos cinco caras-de-pau. Não fumava, não bebia, nem mesmo costumava falar palavrão. No entanto, era louco por uma boa molecagem. Adorava gozar, tirar um sarro dos amigos, ou mesmo de desconhecidos. Nessas horas, nem doutor César escapava. O chefe da família estava sossegadamente lendo seu jornal, no sofá da sala, quando percebia uma labareda saindo dele. Assustado, era obrigado a se levantar correndo, jogava o jornal no chão e tentava apagar o fogo com os pés. A essa altura, Arnaldo já estava longe, escondendo a caixa de fósforos incriminadora, sem conseguir segurar a gargalhada.

* * *

Já durante a fase dos Wooden Faces, Sérgio começou a se revelar um azarão no páreo musical da família. Correndo por fora, o gordinho caçula repetia tudo que os irmãos e Raphael faziam nas guitarras, às vezes até com mais velocidade. De certo modo, essa era sua criativa resposta aos irmãos, que além de não permitirem que ele fizesse parte da turma ainda o chamavam, muito carinhosamente, de Banhão de Merda.

Aliás, menos ou mais pejorativos, sobravam apelidos para toda a família. Depois da poética alcunha de Horizonte, Arnaldo virou Cray (com a pronúncia abrasileirada para "crái"), nome emprestado de seu prato predileto, a enlatada Dobradinha CRAI (sigla da empresa Castro Ribeiro Agro-Industrial). Cláudio César era Té (uma redução de Tetéda, o modo como Arnaldo o chamava quando ainda usava fraldas). E Sérgio, o Banhão, mais tarde praticamente adotou como nome artístico o apelido Kier (corruptela de Kiérkio, o jeito como era chamado por Cláudio).

Foi Té quem ensinou Serginho, então com 11 anos de idade, a tocar a primeira música no violão: o tema da série de TV *Bonanza*, simples o suficiente para qualquer iniciante. O garoto mostrou logo que tinha jeito para a coisa. Dias depois, Té já era solicitado a ensinar um tema bem mais complexo: "Guitar Twist", dos Ventures. Além de ficar espiando os irmãos e Raphael tocarem, Serginho rapidamente descobriu qual era a melhor escola. Colocava os discos dos Ventures na enorme vitrola Telefunken da sala, com a rotação do prato diminuída para 16 rotações por minuto, e ficava imitando nota por nota, pelo menos oito horas por dia.

Graças também a seu evidente talento, o progresso foi rápido. Assim, mal completou 13 anos, o garoto tomou uma decisão seríssima: abandonar o ginásio para se dedicar apenas à música. Uma resolução que, em uma família menos liberal, resultaria em um solene "não e ponto final". Porém, entre os Baptista, as coisas eram um pouco diferentes.

Na verdade, Serginho jamais gostou de ir à escola. Quando não estava tocando, passava horas fazendo enormes desenhos de combates entre aviões, cujas histórias ele mesmo desenvolvia a partir dos filmes que via na televisão. Como já estava se virando bem no violão, pensou que era a hora de seu grito de independência.

"Vai deixar a escola? Você precisa de uma profissão, meu filho!", argumentou dona Clarisse, já quase arrependida de ter dado a ele seu primeiro violão — um Rei azul, comprado na loja Eletroradiobraz, dois anos antes.

"Mas eu já sou profissional, mãe. Sou músico!", retrucou o decidido garoto.

"Ah, profissional? Então, meu filho, durante um ano eu vou suspender sua mesada. Vamos ver se você é profissional mesmo..."

Alguns dias depois, alguém tocou a campainha da casa. Dona Clarisse atendeu e viu um menininho, carregando um violão quase do seu tamanho.

"O que você quer?"

"O Sérgio. Eu vou ter uma aula com ele", disse o garoto, primeiro de uma série de alunos que passaram a frequentar a casa.

Não que Serginho tivesse algum dom especial para o ensino. As más línguas dos garotos da redondeza diziam que ele costumava deixar o aluno trancado no quarto, com um disco dos Ventures tocando, para que a vítima tentasse reproduzir o tema da música ou o solo. Quase ao final do suposto tempo da aula, Serginho voltava e, depois de constatar que o infeliz não tinha conseguido quase nada, debulhava a melodia no seu violão e ainda humilhava o coitado:

"Viu como é fácil?"

Juntando os trocados ganhos nessas aulas e em uma ou outra festinha, Serginho conseguia o suficiente para não desistir do desafio da mãe.

Alguns meses mais tarde, dona Clarisse entregou os pontos e deu ao filho sua primeira guitarra: uma cópia de uma Stratocaster vermelha. O "profissional" mirim venceu a parada.

Uma evidente vantagem de Sérgio era sua memória musical. Dificilmente esquecia qualquer coisa que já tivesse tocado antes. Era comum ouvi-lo tocando de ouvido as peças eruditas que tinha aprendido com dona Clarisse dias antes. Em pouco tempo, Cláudio percebeu que seu repertório pessoal — quase oitenta músicas, tiradas nota por nota dos discos, em um trabalho cansativo de meses — já não significava quase nada perto das possibilidades musicais do irmão.

Com dois anos de música, Serginho já estava tocando em cinco ou seis conjuntinhos das áreas de Perdizes e Pompeia. Fizeram apresentações em colégios como o Sion e o Batista Brasileiro, mas nenhum deles chegou exatamente a vingar. Um dia, num ensaio, o garoto conheceu Carlinhos, o guitarrista do The Bells, de quem recebeu uma dica preciosa. Nada o obrigava a reproduzir exatamente o que ouvia nos discos. Por que não improvisar? Serginho saiu dali com a cabeça a mil por hora. Tinha descoberto um novo e infinito horizonte musical.

* * *

"Quem são esses caras?!"

Quando Arnaldo, Raphael e Tobé ouviram os Beatles pela primeira vez, quase não acreditaram. Era 1964 e todos eles, fãs incondicionais dos Ventures e dos Shadows, passavam horas diárias decorando novos temas instrumentais e, mais ainda, tentando desenvolver seus solos. Já não eram mais principiantes. Podiam mesmo dizer que sabiam tocar. Agora, deparavam-se com quatro inglesinhos que queriam mudar tudo, até os cabelos, numa época em que o corte oficial de cabelo era o americano (bem raspado atrás, quase como o dos militares). Mas o pior mesmo era que eles cantavam, ou melhor, praticamente berravam vocais que tinham tudo para grudar nos ouvidos de qualquer jovem. O twist instrumental estava com seus dias contados. A pessimista previsão de Cláudio César, feita dois anos antes quando Raphael decidiu começar a estudar guitarra, parecia estar se realizando.

A primeira reação da turma foi de perplexidade, no dia em que Raphael chegou na Pompeia, levando na mão o compacto de "I Want to Hold Your Hand" e "She Loves You". O que fazer? Desistir? Jogar fora todo o tempo gasto até ali? Mas bastou mais uma ouvida no disco, para que todos se convencessem de que o melhor a fazer era mesmo aderir à nova onda. Ali estava, literalmente, o novo caminho das pedras — ou melhor, do rock. Dias depois já estavam ensaiando as duas faixas do disco para uma apresentação no Teatro João Caetano. Raphael fez a voz principal; Arnaldo, a de apoio. Para uma primeira vez, até que não se saíram mal. Nessa época, Arnaldo já começava a ficar conhecido como um bom baixista, passando a ser requisitado por outros conjuntos. Nas noitadas do João Caetano, era comum que ele e seu baixo se mantivessem no palco, tocando com vários conjuntos diferentes. E quando queria ganhar mais alguns trocados, chegava a combinar shows em locais diferentes na mesma noite, estratégia que às vezes significava manter os Wooden Faces aflitos com os atrasos, quando não os deixava na mão.

O conjunto continuou em atividade por mais um ano, tocando em festas de colégios e clubes da zona sul, como o Ipê, o Rachaia, o Vila Mariana e o Tênis, ou mesmo mais distantes, como o Banespa, em Santo Amaro. Esse circuito de festas e bailinhos semanais forçou os garotos a ampliarem seu repertório. Além de várias canções dos Beatles e uma ou outra dos Ventures, obrigatórias em qualquer evento, o quinteto passou também a tocar temas do jazz progressivo de Dave Brubeck, como "Blue Rondo a la Turk" e "Take Five", ou mesmo sucessos da bossa nova, como "Garota de Ipanema" e "Samba de Uma Nota Só", de Tom Jobim, que sempre eram pedidos pelo público.

Uma noite, durante um baile na alameda Casa Branca, a harmonia dos Wooden Faces começou a desafinar. Um pouco por farra, mas também porque eram antes de tudo roqueiros de carteirinha, Arnaldo e Raphael se negaram a tocar uma seleção de jazz e bossa nova. Nem mesmo chegou a haver uma discussão: Tobé foi para o baixo, o que já costumava fazer nas ausências de Arnaldo, e o trio tocou sem os grevistas. Como deu tudo certo naquela noite, a experiência se transformou em hábito: quando chegava a vez das seleções de jazz e bossa, Arnaldo e Raphael saíam para dar uma volta. E como os trios desse gênero estavam entrando em moda, Tobé, Robertinho e Sérgio Orlando acabaram fundando o Samba Novo Trio, que em pouco tempo passou a ser mais requisitado para os bailes do que o antigo quinteto de twist. Era o fim da linha para os Wooden Faces.

Traquinagens: Rita, o “menino baiano”, na fazenda dos tios, em Porto Feliz, SP.

3.
LEVADA DA BRECA

Suely Aguiar jamais esqueceu como conheceu Rita Lee Jones. Foi em 1964, quando cursava o ginasial, no Liceu Pasteur, um tradicional colégio paulistano de orientação francesa, no bairro da Vila Clementino. Naquela manhã, ela estava na fila da cantina, esperando a vez para comprar um refrigerante durante a hora do recreio, quando alguém tocou seu ombro. Virou para trás e sentiu uma coisa gosmenta espremida contra o seu nariz. Não dava para acreditar: sem motivo algum, uma garota alta, meio ruiva e sardenta, que estava morrendo de rir, tinha acabado de esmagar na sua cara um Dan-Top (um grande bombom recheado com *marshmallow*, bastante popular entre a criançada). Roxa de raiva, entre pular no pescoço da magricela, ou sair correndo para evitar a gozação dos colegas, Suely ficou com o vestiário, morta de vergonha.

Semanas depois, as duas se reencontraram na seleção de handebol do colégio. Só que em vez da garota travessa e gozadora, durante os treinamentos Suely ficou conhecendo outra Rita bem diferente, quase uma *caxias*, seríssima nos jogos e inimiga das derrotas. O time foi ganhando, a bronca passando e as duas acabaram virando amigas. Anos depois, Suely virou até produtora de Rita. Resistir ao carisma daquela ruivinha sardenta não era nada fácil.

* * *

Os pais de Rita eram um caso típico de atração de opostos. Descendente da primeira geração de imigrantes italianos radicados na cidade de Rio Claro, no interior de São Paulo, foi ali mesmo que Romilda Padula nasceu e cresceu. Religiosa e apaixonada por música, chegou a ser galanteada por um rapaz bem-falante chamado Ulysses Guimarães, muito antes de ele se transformar em um dos políticos mais famosos do país. Mas o coração de Romilda só bateu forte mesmo ao conhecer o engenheiro Charles Fenley Jones, bisneto de uma índia Cherokee e descendente de imigrantes sulistas norte-americanos que se estabeleceram na cidade paulista de Americana, em 1866, após serem derrotados pelas tropas do Norte, na Guerra da Secessão.

O namoro de Charles e Romilda começou com um toque de drama romântico. Nenhuma das duas famílias, nem a norte-americana, nem a italiana, gostou da aproximação. O casal já tinha até resolvido comprar a briga com todos os parentes, quando a sorte afastou a sombra de uma possível tragédia shakespeariana. Charles ganhou uma pequena bolada na loteria e logo pôde se mudar com a esposa para São Paulo.

Não fosse ele um homem prevenido, a família teria passado maus bocados quando a ressaca econômica da Segunda Guerra Mundial o deixou sem o emprego na Light. Porém, preocupado com sua autonomia, Charles já estava estudando Odontologia, em Piracicaba. Formou-se dentista após os 30 anos de idade, montou um consultório e desde então não teve mais problemas para sustentar a família.

* * *

O rádio estava sempre ligado naquele sobrado alto e pintado de rosa, o de n° 670 da rua Joaquim Távora, no bairro classe média de Vila Mariana, na zona sul de São Paulo. Quando não estava ouvindo Angela Maria, Cauby Peixoto ou outros cantores de sucesso da época, dona Romilda gostava de recordar velhas canções napolitanas, que sabia cantar muito bem. Não foi à toa que, ainda menina, em Rio Claro, costumava cantarolar em dupla com a amiga Dalva de Oliveira, que anos depois se tornou uma estrela da música popular brasileira.

Mary Lee, a filha mais velha, também herdou os genes musicais da mãe. Adorava ir com uma turma de amigas aos programas radiofônicos de auditório, para invariavelmente desmaiar quando Cauby, seu grande ídolo, entrasse no palco (nos anos 50, o tímido *showbiz* brasileiro já tinha dessas coisas). Mary também tocava piano e adorava cinema — sabia tudo a respeito dos filmes e grandes atores da época dourada de Hollywood. Ao se formar pelo Mackenzie, foi trabalhar em uma firma inglesa, a Atlantis, onde conheceu o futuro marido.

Em termos de rebeldia e até de pequenas maluquices, as irmãs mais novas aprenderam bastante com Mary. Era só o pai viajar para pescar, num fim de semana, e ela já aparecia com os cabelos pintados de branco, usando um vestido esquisito que ela mesma inventava e fazia. E se não tinha dinheiro para comprar uma meia de nylon, nem se preocupava. Com um lápis, desenhava o suposto fio da meia na parte traseira da perna e saía tranquilamente.

Virgínia Lee, oito anos mais nova que Mary, era a mais tímida e certinha das três — suas coisas sempre eram as mais arrumadas da casa.

Também adorava música e cantava muito bem. Foi através de sua coleção de discos que Rita, a caçula, entrou em contato com a música jovem norte-americana do final dos anos 50, nas vozes de Connie Francis, Paul Anka e Neil Sedaka, assim como a música popular brasileira de João Gilberto, Tito Madi e Dolores Duran, entre outros.

Nessa miscelânea sonora que ajudou a fazer a cabeça de Rita, seu Charles contribuiu com a música sertaneja — era fã de Tonico e Tinoco, Inezita Barroso e outros simpáticos caipiras da época. O dono da casa levantava-se todos os dias por volta das 4h da manhã, fazia o café e acordava toda a família como se fosse um sargento do exército. Disciplina era com ele mesmo. A regra básica para as meninas era sempre lembrada: "Nesta casa, minha filha, ou você estuda, ou você trabalha".

Desde muito cedo, Mary, Virgínia e Rita aprenderam a negociar seus desejos com o pai. "Você quer um sorvete? Então vá engraxar os meus sapatos. Quer outro vestido? Então lave o meu jipe", ele propunha. Só que essas tarefas não eram tratadas como meros recursos pedagógicos. Um sapato, por exemplo, tinha que ter os cadarços retirados antes de receber a graxa; a sola também devia ser limpa cuidadosamente; o couro precisava ser escovado durante vários minutos antes de ser lustrado com uma flanela até brilhar como novo. E, ao final da tarefa, o trabalho era ainda checado pelo exigente "sargento". O dinheiro pedido só aparecia se a tarefa fosse aprovada nos mínimos detalhes. Uma pequena falha ou um detalhe esquecido e a infeliz poderia sair de mãos abanando.

Em compensação, com dona Romilda as meninas encontravam toda a delicadeza e amabilidade que precisassem. Católica e bastante religiosa, ela conhecia as vidas dos santos e colecionava imagens. Uma das maiores da casa era a de Santa Bárbara, nome que por pouco a terceira filha do casal não herdou. Foi Charles quem sugeriu batizar de Rita Lee a caçula, nascida em 31 de dezembro de 1947. O pai quis fazer uma homenagem à sogra, que se chamava Clorinda, mas tinha o apelido de Rita. Quanto ao Lee, também acrescentado aos nomes das duas outras filhas, tratava-se de um tributo ao general Lee, o líder das tropas sulistas na guerra que acabou provocando a vinda de seus antepassados para o Brasil.

Além da mãe verdadeira, as meninas tinham em casa outras duas mães postiças. Lu era irmã adotiva de Romilda e madrinha de Rita. Foi passar uns dias com a família Jones, logo após o nascimento de Mary (um parto difícil que quase custou a vida da mãe), e acabou ficando para sempre. Mais ou menos o que aconteceu com Caru, que se transformou em membro da família depois de trabalhar como secretária do doutor.

Talvez Charles pudesse ter sido um pouco mais liberal se tivesse pelo menos um filho homem. Porém, com tantas mulheres em casa, optou pela linha dura. De manhã, só depois que o ronco de seu jipe virava a esquina da rua, rumo ao consultório, é que as garotas respiravam direito. A liberdade possível reinava na casa até a hora em que o pai retornava do trabalho, geralmente entre 5h e 5h30 da tarde. Às 6h30 ele trancava os portões da rua e fechava todas as janelas e portas da casa. Às 7h era servido o jantar, com toda a família reunida à mesa. O "toque de recolher" vinha às 7h30, quando ele apagava as luzes e subia para o quarto, com a implícita proibição de se ouvir qualquer barulho na casa.

O jeito era descer até o porão. Com o pé direito bem alto, exatamente como o de outros sobrados do bairro, ali ficava a única área da casa liberada para as conversas até mais tarde, ou mesmo para assistir televisão. Não era muito, mas para as garotas já se tratava de um avanço. Até uma certa época, enquanto as crianças da vizinhança brincavam na rua ou assistiam televisão após o jantar, Virgínia e Rita tinham como programa sessões de leitura da Enciclopédia Britânica. Para duas meninas, uma verdadeira chatice.

Mesmo no Carnaval, a disciplina era mantida. As meninas até podiam se fantasiar, dançar e pular, desde que dentro dos portões da casa. Mas não foi por essas e outras que elas deixavam de se divertir. A pouca liberdade contribuiu para que elas aprendessem a usar mais a imaginação: muitas vezes, um simples abajur era usado como um *spotlight*, para que elas criassem um teatrinho, cantassem ou dançassem. Além disso, dona Romilda servia como cúmplice das garotas. Nos momentos necessários ou mais delicados, com um certo jeitinho ela ajudava-as a furar o cerco.

Talvez pela pequena diferença de idade, Rita e Virgínia tinham uma ligação maior. Desde cedo a irmã do meio pressentia que Rita seria uma artista. Até mesmo porque ela vivia dizendo que iria ser muito famosa quando crescesse. Apesar de uma certa timidez, Rita era a mais solta nas brincadeiras, sempre recheadas de brigas barulhentas. A grande disputa das duas, quando pequenas, girava em torno de uma fantasia suscitada pelos desenhos animados de Walt Disney. No dia em que Peter Pan aparecesse de surpresa, qual delas seria escolhida por ele? Virgínia estava certa de ser a favorita. Rita também. Então tome careta, tome beliscão...

"Mãe! O menino baiano tá puxando meu cabelo", choramingava Virgínia, apelando para o apelido que mais irritava a irmã, criado após um corte de cabelo infeliz que a deixara com cara de garoto.

Na verdade, Rita gostava mesmo de trocar suas bonecas por trenzinhos e jamais largava um passeio de carrinho de rolimã com os meninos para brincar de casinha com as meninas. Não era à toa que, volta e meia, tinha alguma parte do corpo engessada. Fraturou dedos, joelhos, mãos e pés, sem falar nos dentes quebrados e unhas pisadas. Era uma moleca levada da breca, que achava o universo masculino muito mais interessante que o das bonecas e panelinhas. Mesmo assim, morria de raiva toda vez que Virgínia alfinetava sua aparente falta de feminilidade. O troco vinha rápido: Rita destruía o primeiro brinquedo da irmã que encontrasse pela frente e a confusão só terminava com a chegada da mãe.

Contemplada em suas preces, dona Romilda só viu as brigas diminuírem com a entrada das meninas na adolescência. As duas saíam juntas, mas sempre sob a disciplina rigorosa do pai. Se ele deixasse que elas fossem a uma festinha, podiam ficar apenas uma hora. Cinema, nem pensar. Bicicleta, elas nunca tiveram. Só mesmo à missa dos domingos as meninas podiam ir sem precisar pedir permissão ao pai.

Não que seu Charles, descendente de uma família protestante, fosse religioso. "Eu sou ateu, graças a Deus", vivia dizendo, com um toque de ironia que não chegava a escandalizar dona Romilda. Nem mesmo quando ele afirmava preferir o inferno ao céu, porque gostava mais do verão do que do inverno. Ou ainda que não queria correr o risco de encontrar no céu as amigas beatas da esposa. Dona Romilda assimilava todas as alfinetadas sem responder, com a maior resignação cristã. Brincadeiras à parte, no fundo, um respeitava as convicções do outro.

* * *

Apesar da linha dura imposta pelo pai, Rita teve uma infância próxima do que se costuma chamar de feliz. Dona Romilda não demorou a perceber a inclinação musical da filha menor, a mais espevitada das três. Ritinha nem tinha cinco anos ainda quando, ouvindo a mãe tocar ao piano a vigorosa "Dança Ritual do Fogo" (do espanhol Manuel De Falla), saiu pulando e dançando pela casa, como se tivesse sido possuída por uma entidade misteriosa. A garotinha aprendeu bem cedo que aquela sensação forte e perturbadora se chamava música.

Pouco tempo depois, Rita começou a estudar piano. Doutor Charles tinha entre seus pacientes a famosa pianista Magdalena Tagliaferro, e propôs a ela que ensinasse suas filhas em troca do tratamento dentário. Depois das primeiras aulas, a professora deu seu parecer a respeito do potencial de Rita, deixando o pai um tanto surpreso:

A caçula: doutor Charles segura Rita Lee, a terceira filha, no dia de seu batizado, em fevereiro de 1948.

Devoção: entre Rita e Virgínia, dona Romilda contempla a imagem de Nossa Senhora Aparecida, que tinha em casa.

Primeiro dia de aula: Rita e dona Romilda, no portão do Liceu Pasteur.

"A menina tem talento, mas é muito tímida", disse a pianista, sem desconfiar da pestinha que tinha nas mãos.

No fim daquele ano, lá se foi Rita com seu vestidinho de babados cor-de-rosa, feito pela mãe, para a audição dos alunos da professora Tagliaferro. Saiu-se bem, tocando uma peça de Chopin, mas foi para casa achando que tinha tocado mal. Dali em diante, cada vez que tinha uma audição pela frente, ficava sem dormir na véspera, insegura e aflita. Até que, dois anos depois, convenceu a mãe de que não tinha jeito mesmo para pianista e desistiu das aulas.

Essa foi a única vez em que Rita estudou música de modo mais formal, exceto o período em que participou do orfeão do Liceu Pasteur, onde estudou desde o Jardim da Infância, na sede da rua Mairinque, na própria Vila Mariana. Porém, se chegou a prejudicar suas aulas de piano, a timidez foi progressivamente deixando de ser um problema para a ruivinha sapeca. Já no final do ginásio, a grandalhona e irreverente Rita era o terror das colegas mais comportadas, alvos preferidos de suas caricaturas e gozações. Preferia ser expulsa da sala de aula do que perder uma piada.

Em dezembro de 1962, às vésperas dos 15 anos, ao contrário das meninas de sua idade que sonhavam com a valsa que dançariam no baile de debutantes, Rita quase matou a mãe de susto. Em vez da formatura, queria uma bateria de presente. Já seu Charles não chegou a ficar perturbado. Pensou que aquela era apenas outra das vontades passageiras da filha, como tinha sido o piano, mas não negou o pedido. Foi até uma loja do bairro, na rua Vergueiro, e levou para casa uma Caramuru azul, com um único pratinho, sem chimbau, um bumbo, um surdo e uma caixa sem esteira. Parecia mais um brinquedo, com um som simplesmente horrível. Enquanto dona Romilda ficava suspirando e rezando para que a filha não se desvirtuasse com aquela opção tão insólita, Rita treinava o batuque na sala. Só parava no final da tarde, quando ouvia o ronco do jipe do pai, chegando do consultório. Se não, o barulho certamente seria maior.

* * *

Rita e Suely Chagas também se conheceram em 1962. As duas moravam bem perto e costumavam tomar o bonde para o Liceu Pasteur no mesmo ponto da avenida Domingos de Moraes. Alguma coisa chamava a atenção de Rita naquela moreninha ensimesmada. Um dia, resolveu puxar conversa com ela e logo descobriram que tinham muito em comum. Dias depois, já economizavam o dinheiro da passagem, indo a pé para a escola, em papos animados.

As duas gostavam bastante de esportes. Eram, por sinal, ótimas jogadoras de queimada. Só que aquele típico "jogo de menina" era pouco para ambas. Bom mesmo seria jogar beisebol, sonhavam. Não descansaram enquanto não arranjaram um velho bastão e uma luva de entregador de botijões de gás, juntando-se a Jean e Beatrice, uma loirinha inglesa e outra suíça, ambas colegas do Pasteur. Assim nasceram as Giants, misto de time de beisebol e gangue feminina. Rebeldia era com elas mesmas.

Mas as afinidades das meninas não paravam nas bolas e bastões. Mais até do que Rita, Suely praticamente cresceu cantando, no meio de uma família repleta de artistas de teatro, de circo e cantores. Em meados de 1963, as duas Giants receberam o empurrão que faltava para inaugurarem um novo ramo de atividades: ficaram sabendo de um concurso para novos conjuntos, patrocinado pelo programa de Miguel Vaccaro Netto, na Rádio Record.

Era uma chance e tanto: além do concurso, ainda poderiam conhecer o cantor Prini Lorez (o clone nacional de Trini Lopez) e os Jet Blacks, escalados para animarem a festa. Primeiro, as duas convenceram Jean e Beatrice. Depois, passaram a semana toda ensaiando loucamente a canção que escolheram para levar ao programa: "Will You Love Me Tomorrow?", um sucesso do quarteto feminino The Shirelles. Não esqueceram também do uniforme, um detalhe essencial para qualquer conjunto que desejasse ser notado. Decidiram-se por camisas brancas, saias de Tergal e botinhas — um verdadeiro primor. E como desconfiaram que o nome Giants poderia não ser bem interpretado, rebatizaram o quarteto como The Teenage Singers.

Claro que elas não ganharam o concurso. Mas Rita e Suely tiveram a confirmação de que era exatamente aquilo que queriam fazer e, dias depois, até compuseram uma espécie de hino oficial do quarteto, intitulado "Here We Come The Teenage Singers". O quarteto continuou se apresentando em festinhas domésticas e bailinhos pró-formatura, em colégios da zona sul. De vez em quando, as Teenage eram acompanhadas pelo The Flash's, outro conjunto da Vila Mariana que conheceram durante o concurso de Vaccaro Netto. Era um quinteto já com uma razoável experiência no circuito de colégios e clubes, formado por Régis Monteiro no piano, Tadeu Chaim e Serginho Pontes nas guitarras, Jurandir Meireles no baixo e Eduardo Lemos na bateria. Por sinal, a marca registrada do conjunto era a bateria: cada vez que Eduardo percutia o bumbo com o pé, uma lâmpada conectada a um interruptor comum de luz acendia o

Hi-tech tupiniquim: Eduardo Lemos aciona a bateria pisca-pisca do The Flash's, criada por Antonio Peticov, com Régis (à esquerda), Tadeu, Jurandir e Serginho Pontes.

logotipo do The Flash's na bateria, num efeito que fazia o maior sucesso nas apresentações. Pura *hi-tech* tupiniquim do início dos anos 60.

Na verdade, a única das quatro Teenage que sabia cantar bem mesmo era Suely, que também tocava violão. Seu *tour de force* era "Don't Play That Song", um sucesso do cantor norte-americano de *rhythm & blues* Ben E. King, que costumava ser o clímax do show das garotas. Rita até ajudava nos vocais, mas ainda não era exatamente uma cantora, ou muito menos baterista, para conseguir fazer bem as duas coisas juntas.

Quanto a Jean e Beatrice, as duas enganavam como podiam. Encaravam o conjunto apenas como um hobby e resistiam à ideia de se dedicarem mais, estudando música e técnica vocal. Assim, quando os pais de ambas começaram a pressioná-las a sair, dizendo que o ambiente musical não era para garotas de família, as duas entregaram os pontos. Pior para Rita e Suely, que de um dia para o outro viram seu quarteto virar dupla.

* * *

Assim como outros milhões de adolescentes e jovens em todo o mundo, Rita e Suely também foram contaminadas pela febre musical que atingiu o Brasil em 1964. Na casa da família Jones, não foi só a vida de Rita que mudou com a chegada dos Beatles. Como num passe de mágica, ela e Virgínia praticamente esqueceram as briguinhas diárias, ao deixarem de disputar Peter Pan, o ultrapassado ídolo da infância. Rita logo caiu de amores pelo bonitão, o *pão* Paul McCartney; Virgínia, por sorte, ficou gamada pelo irreverente John Lennon.

Mas essa foi só a primeira mudança. Dona Romilda agradeceu a todos seus santos, ao ver a filha caçula, semanas depois, trocar a barulhenta bateria por um baixo — o instrumento de Paul, é claro. A fixação foi tanta que, para imitar com mais perfeição seu ídolo adorado, Rita tentava tocar o baixo na posição inversa, dedilhando-o com a mão esquerda, só para parecer canhota como "ele". Suely, simplesmente vidrada por George Harrison, também não deixava por menos. Em fevereiro de 1965, quando teve que ser submetida a uma operação preventiva de apendicite, escolheu justamente o dia 25, data em que George completou 22 anos. Só para oferecer aquele ato de heroísmo a seu queridinho.

Esse culto obsessivo também passava pelo cinema. Rita e Suely viram pelo menos dezesseis vezes *Os Reis do Iê-Iê-Iê* (*A Hard Day's Night*), o primeiro filme estrelado pelos Beatles. As duas chegavam a assistir ao filme escondidas uma da outra, para depois ficarem disputando, junto com Virgínia, quem conseguia repetir todos os diálogos, palavra por palavra — ou então lembrar detalhes mínimos do filme, como roupas e objetos. Coisa de fãs maníacas.

Provando que tudo não foi uma simples paixão de verão, cinco anos depois, quando foi a Londres, Rita ainda teve uma recaída. Ficou plantada durante horas, na esquina do prédio da gravadora Apple, embaixo de chuva, cruzando os dedos para ver Paul descendo de alguma limusine e entrando no edifício. Mas a fanática deu azar: só conseguiu pegar um resfriado.

* * *

Também foi a beatlemania que aproximou as Teenage dos Wooden Faces. No início de 1964, durante um dos frequentes shows no Teatro João Caetano, com a participação de conjuntos de vários colégios, Rita e Suely conheceram Raphael, Arnaldo, Tobé e Robertinho. Não demorou muito para que o assunto caísse nos Beatles, paixão comum a todos. Papo vai, papo vem, até que Rita e Arnaldo, já conversando sozinhos, fizeram um trato: ele daria aulas de baixo a ela, em troca de algumas dicas vocais. Um negócio com evidentes segundas intenções.

Dias depois, lá estava Arnaldo na saída do Liceu Pasteur, esperando por Rita. Foram até a casa dela e começaram o intercâmbio musical que, pouco tempo depois, veio a se transformar em namoro. A ligação também se estendeu aos dois conjuntos. Além de um frequentar as apresentações do outro, os Wooden Faces chegaram a acompanhar as meninas em alguns shows, inclusive no próprio João Caetano. Não eram tão experientes nem tão bem-equipados como os Flash's, mas não faziam feio.

Naqueles tempos, a amizade geralmente valia muito mais do que o resultado musical. A camaradagem entre os Wooden Faces e as Teenage logo ultrapassou a música, e Rita e Suely começaram a convidar os meninos a acompanhá-las em seus passeios. Além de jogar boliche, elas adoravam ir ao Gelorama, uma pista de patinação no gelo, na avenida Brigadeiro Luís Antonio, quase esquina com a avenida Paulista, que anos depois deu lugar ao salão de dança Cartola. Outro programa irresistível das duas era tomar sundae na lanchonete em frente ao cine Astor, no Conjunto Nacional na avenida Paulista. Até nessas horas Rita fazia questão de ser diferente: quando não pedia batatas fritas após o sorvete, comia os dois juntos.

Enquanto não conseguiam outras garotas para as vagas deixadas por Jean e Beatrice nas Teenage Singers, Rita e Suely cantavam juntas ou ensaiavam com outros conjuntinhos eventuais. Esse foi o caso do Danny,

Chester e Ginny (qualquer proximidade com Peter, Paul & Mary não era mera coincidência), trio vocal que Rita (ou Danny, um apelido que durou anos) formou, em janeiro de 64, com a irmã Virgínia Lee (a Ginny) e o violonista Bogô (Carlos Bogossian, o Chester), outro músico da região da Vila Mariana. Os três chegaram a se apresentar em algumas festinhas pelo bairro, com um repertório de canções dos Everly Brothers e, claro, Peter, Paul & Mary. Mas a experiência não foi muito adiante. Rita e Bogô se desentenderam e o trio morreu prematuramente. Meses depois, Bogô fundou o The Beatniks, conjunto que veio a se tornar bastante conhecido como atração fixa do programa *Jovem Guarda*, na TV Record.

Por volta de abril, já completamente convertidas à beatlemania, Rita e Suely tiveram a chance de reativar as Teenage Singers. Através de Eduardo, do The Flash's, conheceram Rosa e Eliane, que também moravam na região e ficaram animadas com o convite para se juntarem a elas. O conjunto já tinha até uma apresentação marcada para alguns dias depois, no Teatro João Caetano. Agora, com Rita no baixo, a bateria (a inevitável Caramuru) ficaria com Eliane; Suely continuava no violão e Rosa cuidaria do piano. Só havia um pequeno problema: apesar de toda sua enorme vontade de tocar bateria, Eliane mal sabia segurar direito as baquetas. Chegou a tomar algumas lições rápidas com Eduardo, seu namorado, que não foram suficientes para o show de estreia. O jeito foi mantê-lo atrás da cortina do palco, sussurrando o ritmo certo: "tá tá tum, tá tá tum, tá tá tum...".

Até que as meninas deram conta do recado. Nos meses seguintes, com um repertório recheado de canções dos Beatles reproduzidas nota por nota, elas tocaram em algumas festinhas de colégios da Vila Mariana. Numa noite de setembro, durante uma festa no Arquidiocesano, aconteceu o que Rita temia: sentiu-se mal durante o show e teve que ser levada às pressas para o hospital, onde sofreu uma operação de apendicite aguda. Foi assim que o "sargento" Charles descobriu que a filha saía escondida de casa. Sempre que havia alguma apresentação noturna, ela descia para jantar com a camisola vestida sobre a roupa. Logo que o pai subia para dormir e apagava as luzes do andar superior da casa, ela pulava a janela do quarto e fugia, para tocar nos conjuntos.

No hospital, após a operação, Rita ainda estava apavorada com a provável reação do pai, mas acabou tendo uma surpresa: em vez de um castigo ou pelo menos uma grande bronca, ganhou de presente um disco do conjunto inglês Gerry and the Pacemakers — o primeiro de sua discoteca. Como se dizia na época, o coroa já estava quase *no papo*.

* * *

Rita e Arnaldo tinham 16 anos quando começaram a namorar — por sinal, tratava-se da primeira experiência de ambos no chamado campo sentimental. O romance começou com uma aura de Romeu e Julieta. A princípio, a família Baptista e a família Jones teriam uma forte razão para serem inimigas: o pai de Arnaldo, evidentemente, era ademarista; o de Rita admirava Jânio Quadros. Além do mais, um garoto que nem chegara a terminar o colégio, para se transformar em um cabeludo músico de rock, certamente estaria fora do padrão de marido que o doutor Charles pretendia para suas filhas.

"Eu passo fogo no primeiro desgraçado que entrar aqui", costumava dizer, com cara de bravo, quando alguém mencionava a possibilidade de ver uma de suas meninas namorando.

Quase tudo parecia indicar um conflito incontornável, um típico caso de amor impossível. No entanto, na prática foi bem mais fácil. Falantes e bem-educados, Arnaldo e Sérgio não tiveram muitas dificuldades para conquistar os pais e as irmãs de Rita, e começaram a frequentar a casa da família. Em pouco tempo, Rita até já podia sair de casa sem broncas, desde que estivesse acompanhada pelos irmãos Baptista. Até mesmo as famílias acabaram se dando bem. No primeiro encontro oficial, ao se exibir cantando alguns trechos de óperas italianas, o doutor César caiu imediatamente nas graças de dona Romilda. Tudo terminou em pizza.

4.
BEATLEMANIA

Foi só uma questão de tempo. No início de 1965, quando já tinham desistido do Wooden Faces, Arnaldo e Raphael estavam ansiosos para começarem um novo conjunto de rock. Arnaldo até chegou a flertar alguns meses com a então popular moda da bossa nova. Tocou no Sand Trio, com o líder e pianista Conrado Miller e Eduardo Lemos (ex-The Flash's) na bateria. Mas, no fundo, não conseguia viver sem seu rock & roll.

A invasão dos Beatles mexeu com as concepções musicais dos garotos. Mesmo sabendo que cantar não era o forte de ambos, Raphael e Arnaldo não tinham dúvidas: queriam fazer um rock com bons arranjos vocais. Precisavam de reforço nessa área e pensaram logo nas Teenage Singers. Quando iam aos ensaios e apresentações das meninas, gostavam de ouvir Suely e Rita, principalmente cantando qualquer sucesso da dupla Lennon & McCartney. Comparados aos vocais dos Wooden Faces, as vozes das meninas se abriam com mais graça nas harmonias; os timbres combinavam melhor. Sem falar nos pequenos shows particulares de Suely, que deixava muita gente babando quando pegava o violão para cantar alguma coisa diferente.

Rita e Suely aceitaram o convite na hora. Fora a simpatia que já tinham pelos meninos, as duas amigas estavam novamente sozinhas — Rosa e Eliane tinham acabado de largar as Teenage Singers, para tocar em outro conjunto feminino, o Bossa Cor-de-Rosa. Com o velho Pastura na bateria, os cinco começaram a trabalhar com vontade. Os ensaios aconteciam geralmente na casa de Raphael, na rua Artur Alvim, também na Vila Mariana. Para começar, escolheram "This Diamond Ring", de Gary Lewis & Playboys; "Bye Bye Blues", gravada pelo guitarrista Les Paul; e, como bons beatlemaníacos que eram, "Please, Mr. Postman", entre outras do repertório dos cabeludos de Liverpool. Aliás, em termos de fanatismo beatle, Rita ganhava de todos no conjunto. Para poder sentir a emoção de assistir a um show dos Beatles, na primeira fila da plateia, vivia pedindo a Raphael — que aprendera algumas técnicas de hipnose com um tio — que a sugestionasse. Obviamente, na intenção da garota não havia nada de científico. Queria apenas imaginar que estava a poucos metros de distância de seu querido Paul McCartney.

Após os primeiros ensaios, Raphael achou o que faltava para completar o conjunto. Começando a perceber suas limitações como solista, enquanto notava Serginho progredir a cada dia, Raphael sugeriu chamá-lo para a guitarra solo. Arnaldo e as meninas gelaram. Aos 13 anos, o caçula da família Baptista era o que hoje se chamaria de pentelho. Rita, por exemplo, era uma de suas vítimas favoritas, carimbada com o apelido de Banana Pintada. Mas a ascendência e os argumentos de Raphael venceram. Serginho já tocava muito bem nessa época e estava simplesmente louco para entrar no conjunto. Faria qualquer coisa, até se comportar um pouco. Com seis roqueiros no conjunto, o nome surgiu rápido: Six Sided Rockers.

* * *

"Vocês precisam conhecer aquele rapaz. Ele adora os Beatles tanto quanto a gente!"

Foi assim que Suely convidou os meninos do conjunto, após o ensaio do fim de semana, a assistirem mais uma vez *Os Reis do Iê-Iê-Iê*. Toninho Peticov realmente estava lá, na porta do Cine Metrópole, no centro da cidade, pronto para inaugurar o segundo dígito das vezes que tinha visto o filme. A empatia entre ele e a turminha foi imediata. Em seu favor, além da adesão à beatlemania, ele tinha também o mérito de haver criado o luminoso logotipo do The Flash's. Os rapazes do Six Sided Rockers jamais poderiam imaginar que aquele estudante de artes plásticas seria seu futuro empresário.

Foi justamente através de Régis e Eduardo, dos Flash's, que Suely o conheceu. Toninho tinha 18 anos e pintava desde os 12, mas também era vidrado em música, especialmente rock & roll e tudo mais que fosse underground. Filho de um pastor batista, ainda morava no suburbano bairro da Mooca, na zona leste, onde os poucos amigos que tinha também eram ligados à música.

Toninho era um espectador assíduo dos concertos e das *jam sessions* que o jornal *Folha de S. Paulo* realizava frequentemente em seu auditório, na alameda Barão de Limeira, no centro da cidade. Interessado em expor seus trabalhos visuais, acabou aproximando-se dos responsáveis pelo departamento de promoções do jornal. Foi bem recebido e passou a contribuir com sugestões. Queria que eles também começassem a promover shows de rock, mas sabia que não seria fácil driblar o preconceito que os meios de comunicação tinham contra aquele gênero de música. Rock ainda soava quase como um palavrão. O jeito era ir com calma.

Já frequentando a Pompeia, um dia Toninho apareceu com Túlio, um talentoso pianista que também morava na Mooca. Alguns anos mais velho que a turma, próximo de concluir o curso de Medicina, ele tocava e cantava muito bem, especialmente *rhythm & blues*, com marcante influência de Ray Charles. Como uma espécie de *one man show*, Túlio já fazia sucesso no programa jovem do disc-jóquei Antonio Aguillar, mas queria conhecer outros músicos, experimentar novas formações. Toninho resolveu fazer a conexão.

Com Túlio ao piano, Suely ao violão e Danny (nome artístico escolhido por Rita) ao banjo, o recém-formado Túlio Trio se saiu muito bem como atração da *III Jam Session da Folha de S. Paulo*, em 5 de julho de 1965. Como destaques do programa, dedicado a vários estilos de jazz e aos *spirituals*, apareciam ainda a cantora chilena Madalena de Paula e a São Paulo Dixieland Band, que revelou o jovem pianista Nelson Ayres.

O Túlio Trio cantou "Jesus Met the Woman" (um emocionante gospel emprestado da cantora Mahalia Jackson), além de "Cruel War" (sucesso de Peter, Paul & Mary) e da clássica "Georgia on My Mind" (do repertório de Ray Charles). Os vocais encorpados do conjunto agradaram a plateia. Junto com os outros participantes do evento, o trio foi convidado a repetir seu show, no mesmo auditório, dois meses depois (mais exatamente em 27 de setembro, na *VI Jam Session*). Como Túlio não podia estar em São Paulo no dia da reapresentação, Arnaldo tocou com Rita e Suely. Nessa mesma noite também estreou o trio de *folk music* Tony, Ula e Kika, que Arnaldo veio a acompanhar algumas vezes.

Aberto o caminho, três semanas após a estreia do Túlio Trio, Toninho conseguiu incluir outro "conjunto de blues" no evento da *Folha*. Em 26 de julho, com Túlio no lugar de Serginho, o "novo" conjunto estreava na *IV Jam Session*, providencialmente rebatizado de Six Sided Jazz. Claro que Raphael, Arnaldo, Rita, Suely e Pastura não se converteram ao jazz num passe de mágica — maquiagem é a melhor palavra. A jogada de Toninho foi apresentar o sexteto roqueiro, incrementado pelo piano de Túlio, como um conjunto de blues. O que não foi exatamente mentira, pois "Bye Bye Blues" até fez parte do repertório. O rock ainda não era muito bem visto, mas o blues é um parente próximo demais do jazz para ser rejeitado em qualquer *jam session*.

A estratégia pé-ante-pé de Toninho acabou funcionando. Já em sua edição de 6 de agosto de 1965, a *Folha* anunciava discretamente, sob o

Vocais afinados: o Túlio Trio de Rita, Suely e, evidentemente, Túlio.

título *Música para jovens*, uma "audição de rock & roll" em seu auditório, com as participações dos conjuntos Six Sided Rockers, The Beatniks e The Fenders, da dupla Tony & Tommy, além do cantor Tommy Standen (que anos mais tarde conseguiu um relativo sucesso, sob a nova embalagem de Terry Winter, um falso cantor inglês). Toninho Peticov conseguiu não só produzir seu primeiro show de rock, do qual foi até o mestre de cerimônias, mas também se transformou no empresário do sexteto (que se divertia, nas internas, chamando-se de Six Sided Jazz Rockers) e dos Beatniks.

Enquanto as meninas levavam paralelamente os ensaios do Túlio Trio, o Six Sided Rockers começou a abrir seu espaço. A combinação de duas vozes femininas com duas masculinas soava como algo novo por aqui, época em que o conjunto vocal The Mamas and The Papas ainda nem tinha estourado nos EUA. O sexteto passou a ser requisitado. Em setembro, fez uma apresentação no Caetano de Campos, o colégio em que Arnaldo estudava, no centro da cidade. Logo depois participou do *Jovem Guarda* — o programa que tinha acabado de estrear, lançando o futuro "rei" Roberto Carlos, Erasmo Carlos, Wanderléa e outros membros da corte do iê-iê-iê nacional, na TV Record. Os Six Sided Rockers aproveitaram a ocasião para gravar um acetato com "This Diamond Ring" e "This Girl" (adaptação de "This Boy", dos Beatles), uma raridade, apesar da qualidade sonora precária. A gravação foi feita diretamente de um aparelho de televisão.

A participação no *Jovem Guarda* precedeu outras aparições na TV. Ainda na Record, tocaram no *Show em Si-monal* (apresentado pelo cantor Wilson Simonal), no *Show do Dia 7* e no programa *Papai Sabe Nada*, paródia da série americana de TV *Papai Sabe Tudo*, comandado pelo comediante Renato Corte Real. Já no tradicional *Almoço com as Estrelas*, que o casal Ayrton e Lolita Rodrigues apresentava na TV Tupi, tocaram "Help" em primeira mão, orgulhosos. Tinham conseguido gravá-la da BBC de Londres, captada através das ondas curtas, em meio a zilhões de ruídos e chiados do rádio. Foi uma dificuldade enorme distinguir a música no meio daquela barulheira toda.

Aliás, ter um repertório atualizado não era nada fácil naquela época. Os *hits* dos EUA ou da Inglaterra costumavam chegar ao país com pelo menos dois meses de atraso. Eram realmente outros tempos aqueles. Só mesmo um *showbiz* que ainda vivia sua era da inocência profissional poderia explicar o fato de conjuntos semiprofissionais, ou mesmo amadores, conseguirem espaços razoáveis na imprensa, nas rádios e nas televisões.

De repente, uma fatalidade. Num dia marcado para o ensaio do trio, Rita e Suely já estavam cansadas de esperar por Túlio, quando receberam a notícia: o pianista acabara de morrer em um acidente automobilístico na estrada, voltando de Sorocaba. O Túlio Trio não poderia terminar de modo mais trágico.

* * *

Rita e os rapazes mal tinham se refeito do choque causado pela morte de Túlio e, no início de outubro, sofreram outro baque: Suely ia se mudar do país. A garota ganhou uma bolsa para estudar nos Estados Unidos e sua família decidiu emigrar junto com ela. O Six Sided Rockers acabara de perder sua melhor voz.

Na verdade, Suely já tinha colocado as barbas do conjunto de molho. Três meses antes, foi convidada a se tornar sucessora de Celly Campello — a ex-rainha do rock nacional, que abandonara o trono e a carreira musical ao se casar, em 1962. Quem propôs o projeto a Suely foi o próprio irmão da cantora, Tony Campello, que fez o convite depois de ser acompanhado pelas Teenage, num compacto simples lançado pela Odeon, com "Pertinho do Mar" e "O Meu Bem Só Quer Chorar Perto de Mim". Tony argumentou que a garota preenchia todos os requisitos físicos e vocais para substituir Celly. Suely chegou até a fazer sessões de fotos e algumas gravações em estúdio. Porém, quando soube que tinha ganho a bolsa para os Estados Unidos, largou tudo e viajou.

O lugar de Suely no conjunto nem chegou a esfriar. Mogguy (apelido de Maria Olga Malheiros), colega de Rita no Liceu Pasteur, já acompanhava há meses os ensaios e foi logo convidada para assumir a vaga. Se ainda não fazia exatamente parte da turma, Mogguy estava bem próxima. Com um empurrãozinho de Rita, ela já tinha até namorado Toninho Peticov, durante algumas semanas. Embora não possuísse muito mais experiência musical do que a de frequentar o orfeão do Pasteur, Mogguy tinha um ótimo humor, era bonita e gostava de se exibir. O único problema é que às vezes ela desafinava, sem dar muita bola às broncas de Arnaldo, que vivia cobrando mais estudo de todos. Para salvar a situação, pelo menos o conjunto passara a contar também com os vocais de Serginho, incentivado a cantar por Raphael, durante um ensaio de "Ticket to Ride", dos Beatles.

Rita e Mogguy se conheceram no primeiro dia de aula do Colegial. Sentadas na mesma fileira de carteiras, foi só Mogguy rabiscar uma caricatura debochada da infeliz garota da frente, com um queixo mais pro-

Sexteto de cinco: o Six Sided Rockers de Raphael, Mogguy, Serginho,
Rita e Arnaldo, sem o baterista Pastura, em 1965.

"Audição de rock & roll": o Six Sided Rockers
em ação no auditório da *Folha de S. Paulo*.

nunciado que o normal, para que as duas trocassem o primeiro sorriso sacana. Perceberam logo que falavam a mesma língua e se uniram para atormentar a vida das colegas certinhas. Mais altas do que a média, as duas tinham um prazer especial em roubar a bola do jogo de queimada das meninas do ginásio e fazê-las correr pela quadra, dando pulos no ar, sem conseguirem resgatar a bola. Mas a molecagem predileta da dupla era mesmo o que elas chamavam de "afundar Dan-Top". Evidentemente, na cara de alguém.

Por essas e outras, Rita e Mogguy não assustavam apenas as coleguinhas do colégio, mas também os rapazes. Apesar de um evidente interesse mútuo, Raphael demorou alguns meses para perder o medo de Mogguy, até que finalmente os dois começassem a namorar.

* * *

Ser ou não ser *cover*? No início de 1966, os Six Sided Rockers mergulharam em sua primeira polêmica interna: deviam continuar tocando só músicas dos Beatles e outros conjuntos estrangeiros ou começar a escrever seu próprio repertório? Raphael e Rita achavam que já estava na hora de andar com as próprias pernas, mas Arnaldo e Sérgio ainda resistiam. Nessa época, os dois irmãos tinham até um conjunto com Reginaldo Agulha, outro guitarrista e vocalista da Pompeia, dedicado exclusivamente ao repertório beatle. Claro que também havia um pouco de ciúme na polêmica, mas Rita e Raphael não deixavam de ter razão.

Quando a discussão foi levantada, Raphael já tinha até feito sua primeira incursão nessa área. Deu uma *mãozinha* a Tobé para comporem "Suicida", um twist debochadamente macabro, que arrancou boas risadas dos dois enquanto a rabiscavam. Eles jamais poderiam imaginar que Arnaldo, dezesseis anos mais tarde, viveria uma aventura trágica como a imaginada nessa letra:

Cismei outro dia e quis me suicidar
Fui me atirar do Viaduto do Chá
A turma que passava não queria deixar
A vida pro meu lado estava má
Consciência pesada me mandava pular
Consciência pesada me mandava pular

Resolvi e então saltei
O carro que passava eu achatei

Minha cabeça se esfacelou
E o chofer lá de dentro gritou

O viaduto quebrou
Ou alguém louco ficou

Em cima da capota o meu corpo jazia
E pela minha face o sangue escorria
Chamaram o meu pai mas veio a minha tia
Levar pro necrotério ela queria

Pois eu já não vivia
Mais um inútil morria

No dia seguinte o enterro saía
Pra Quarta Parada ele se dirigia
Uma flor negra o meu caixão cobria
O túmulo frio a terra cobriu

Foi mais um que partiu
Fui enterrado com a camisa do meu tio

Era meia-noite quando eu quis sair
A cova era apertada para eu dormir
Eu era um fantasma e quis conversar
Com alguém que ali estava sentado a fumar

Era uma caveira vulgar
Não pode nem me assustar
(...)

Na verdade, Raphael e Tobé não tinham preocupações mórbidas. Simplesmente morriam de rir com aquelas imagens e letras que consideravam absurdas, mas que também carregavam uma certa dose de ironia em relação ao ser humano. Bem ao estilo Lennon & McCartney, apesar de ter feito grande parte da canção sozinho, Tobé quis que Raphael também a assinasse. Marcou assim o início de uma parceria que rendeu outras canções (dezenove anos mais tarde, Rita Lee utilizou a letra de "Suicida" como base para sua "Glória F", gravada no álbum *Rita e Roberto*).

Animado com o resultado da primeira canção, dias depois Raphael compôs uma melodia e pediu a Rita que fizesse a letra. Era uma balada que, musicalmente, tinha tudo para ser romântica, mas os dois decidiram seguir o tom mórbido de "Suicida". Foi assim que nasceu "Apocalipse":

Terei o mundo nas mãos (na hora que quiser)
E quero tudo acabar
O meu poder não será em vão (e tudo o que vier)
O mundo vai acabar

Todos tentam escapar
Mas é inútil viver
Tudo vai se aniquilar
E a humanidade perecer

Com um grito de terror
Não saberão pra onde ir
Mas só eu sei
Que o mundo vai sumir

Agora estou tão sozinho (e tudo terminado)
Sem ter alguém pra falar
E fico então meditando (se fiz algo de errado)
Em como o mundo acabar

Para escrevê-la, Rita se baseou em um episódio da série de TV *Além da Imaginação* (*Twilight Zone*), que narrava a história de um sujeito megalômano, arrependido após ver concretizado seus planos de destruir o mundo. Se já tinha fama de esquisita (graças, por exemplo, à sua coleção de casquinhas de ferida), com essa letra Rita ganhou mais alguns pontos.

* * *

"Vocês têm certeza mesmo de que querem gravar aquilo?"

Tobé quase não acreditou quando o compenetrado Toninho Peticov o procurou para autorizar a gravação de sua música pelo Six Sided Rockers. Ele e Raphael tinham feito "Suicida" meio na brincadeira, pensando em participar de um festival de música do Liceu Pasteur, mas nem chegaram a inscrevê-la no concurso. Ainda assim, como a canção era engraçada, às vezes a tocavam em festinhas.

A gravação aconteceu em maio de 1966, no estúdio da gravadora Continental, na rua Santo Antonio, no bairro do Bixiga. A letra de "Suicida" era enorme. Nem o próprio Tobé, convocado às pressas para ir ao estúdio, conseguiu lembrar a versão completa. Não houve outro jeito: o tempo do estúdio era curtíssimo e a canção foi gravada assim mesmo, sem a última estrofe, com Tobé fazendo uma "participação especial" no pandeiro. No lado B do compacto entrou "Apocalipse", a parceria de Raphael com Rita.

A temática de "Suicida" estava tão à frente dos casos de amor incompreendido e outras historinhas tatibitates cantadas pela grande maioria dos conjuntos do iê-iê-iê nacional da época, que até deixou intrigado um ocasional *voyeur* da gravação. O veterano Francisco Petrônio, cantor romântico e mestre de cerimônias dos chamados "bailes da saudade", estava de passagem pelo estúdio e parou para ouvir a música, perplexo, durante alguns minutos. O *coroa* saiu balançando a cabeça, dizendo a seus botões que a juventude estava mesmo perdida.

Durante as gravações, o conjunto decidiu mudar de nome. Alguém da gravadora argumentou que um nome em português seria melhor para vender o disco e o próprio conjunto. Primeiro, pensaram em apenas "traduzi-lo" para Os Seis. Depois, alguém sugeriu O Seis, até chegarem a O'Seis, que permitia um trocadilho com "ocêis", a contração acaipirada de "vocês". Claro que esse foi o escolhido.

Mal os seis roqueiros acabaram de gravar as duas faixas, já começaram os problemas. Ao ouvir as provas, todos ficaram descontentes com "Apocalipse": Pastura tinha atravessado o ritmo da bateria e os vocais saíram meio desafinados. Já a gravação de "Suicida", apesar de alguns probleminhas de mixagem, foi considerada OK, principalmente pelo bom solo de Serginho, que demonstrava a influência assimilada dos Ventures, cujos discos ele conhecia nota por nota. No entanto, a gravadora se recusou a refazer qualquer uma das duas faixas e veio o impasse.

O contrato proposto em 20 de maio de 1966 pela companhia Gravações Elétricas S.A. ao conjunto O'Seis, representado pelo empresário Antonio Peticov, dispunha que a faraônica cota do artista seria de 1,5% e que a companhia assumia o dever de produzir duas gravações do conjunto no período de um ano. Mas nem o fato de esse contrato jamais ter sido assinado impediu que o disco fosse lançado assim mesmo, à revelia do conjunto.

Segundo informações extraoficiais, apenas cerca de 300 cópias foram vendidas, distribuídas principalmente a lojas de Porto Alegre — ao que parece, um jeito de camuflar o lançamento ilegal. A capa do compacto foi inspirada na do álbum *With The Beatles*, o segundo do quarteto britânico. Mas o efeito sombreado sobre os rostos de Raphael, Arnaldo, Sérgio, Rita, Mogguy e Pastura nem chegou a ficar parecido com o original beatle. Para os integrantes do O'Seis, a excitação do primeiro disco acabou deixando uma frustração em dose dupla: visual e sonora.

* * *

O episódio da gravação do compacto contribuiu bastante para acirrar os ânimos. O O'Seis já ganhava até um dinheirinho razoável apresentando apenas quatro músicas nos *mingaus* dançantes do Círculo Militar, ou mesmo para participar de programas como o *Show em Si-monal* ou o *Corte Rayol Show*, na TV Record. O chato é que às vezes essas apresentações eram gravadas, mas acabavam não entrando no ar, cortadas na edição final do programa. Mais frustração.

Para Arnaldo, o problema maior estava no trabalho de Toninho Peticov. Não que o amigo fosse um empresário relapso ou folgado. Na medida do possível, ele continuava agendando apresentações, como fez para a *Noite da Juventude*, que aconteceu no auditório da *Folha*, em 11 de julho. O O'Seis não ganhou dinheiro algum, mas além de tocar ao lado de conjuntos mais experientes, como os Beatniks e o argentino The Beat Boys, ainda levou a vantagem de ter sua foto publicada no jornal com a legenda: "O'Seis, um dos bons conjuntos da música jovem".

A crítica de Arnaldo tinha fundamento. Toninho não possuía estrutura nem experiência suficientes para promover e representar o conjunto profissionalmente, a exemplo das fracassadas negociações do disco. Ele morava na Mooca, não tinha carro, estudava e ainda precisava se virar de várias maneiras para arranjar dinheiro, o que o impedia de se dedicar como deveria ao conjunto. No fundo, de empresário ou agente Toninho Peticov não tinha quase nada. Era mais um entusiasta do rock & roll querendo ajudar seus amigos.

Quando surgiu Asdrúbal Galvão, um tarimbado empresário que se mostrou interessado em investir na carreira do O'Seis, toda essa discussão veio à tona. Os garotos balançaram, formando-se logo duas tendências: Arnaldo argumentava que Bah (o apelido de Asdrúbal) tinha a malícia e os contatos necessários para introduzir o conjunto nos lugares certos; Raphael e Mogguy achavam que o mais importante era manter o grupo unido, conservar os amigos.

Bah se aproximou com o projeto da Koisanovah, tentativa de criar

Na cola dos Beatles: a frustrada capa do compacto do O'Seis e seu modelo, a capa do álbum *With The Beatles*, lançado em novembro de 1963.

um movimento poético-musical que já contava com as adesões da soprano Stella Maris e do então jovem compositor e escritor Jorge Mautner, autor do polêmico livro *Vigarista Jorge* e apresentado como "o profeta do Apocalipse". Nessa época, o O'Seis já começara a experimentar um novo filão musical, batizado de clássico-beat. A ideia era criar arranjos modernos de peças eruditas, usando os instrumentos comuns da música popular com destaque especial para a guitarra elétrica. Uma fusão que incomodava tanto os roqueiros como os eruditos, a começar pela própria dona Clarisse, que antes de colaborar com os filhos chegou a ficar meio chocada com a ideia.

"Se o Diogo Pacheco conseguiu algo de maravilhoso dando ao iê-iê-iê a estrutura da música clássica, por que, quando os recursos são maiores, não fazermos o inverso?" Assim Arnaldo defendia os novos arranjos do O'Seis para a "Ave Maria", de Schubert, e a "Marcha Turca", de Mozart, numa entrevista à *Folha de S. Paulo*, em 22 de agosto de 1966.

Um ano antes de os tropicalistas serem vaiados ao introduzirem a guitarra elétrica na música popular brasileira, Arnaldo colocava a primeira lenha nessa polêmica fogueira: "Se fosse possível o uso da guitarra de doze cordas no tempo de Bach, creio que ele teria usado a guitarra em vez do cravo, pois o som é o mesmo, com uma vantagem; o instrumento eletrificado oferece muito mais recursos que o mecânico".

Mas foi outra a polêmica que dividiu o Osseis (mais uma mutação de seu nome, que o conjunto chegou a adotar nessa época). Apesar de ser um sujeito inteligente e culto, uma espécie de beatnik, Bah não inspirava muita confiança. Durante os ensaios para o Festival de Koisanovah, apresentou ao conjunto um daqueles contratos estilo até-o-fim-da-vida, recheado de cláusulas que Raphael, Mogguy e Pastura acharam inaceitáveis. Na opinião dos três, seria quase um pacto com o diabo, que Arnaldo, Rita e Serginho se mostraram mais propensos a engolir, ansiosos para saírem de vez da condição de amadores.

Até que tudo correu bem durante os shows, que aconteceram na Urso Branco — uma cervejaria na avenida Santo Amaro, que mais tarde serviu de modelo para o Canecão carioca. Além de apresentar "Suicida" e suas experiências na linha *clássico-beat*, o Osseis também acompanhou as cantoras Stella Maris e Roberta, em alguns números. Serginho, que ainda não tinha completado os 15 anos, foi obrigado a tocar atrás da cortina, para não ter problemas com o Juizado de Menores. Difícil mesmo foi "perseguir" Jorge Mautner, que não conseguia encaixar sua apocalíptica "Os Marcianos Estão Aí" no ritmo.

Cadê o baterista?: O'Seis posa na sacada do prédio da *Folha de S. Paulo*, em 1966, mais uma vez sem Pastura.

Porém, logo após a temporada de shows, Arnaldo ligou para Raphael, com um tom de voz diferente, bastante sério. Comunicou que ele, Rita e Sérgio tinham decidido assinar o contrato com Bah, mas gostariam que Raphael também continuasse com eles. Porém, não queriam mais Mogguy nem Pastura no conjunto. Os argumentos para as demissões eram técnicos: o baterista sempre deixou claro que seu negócio era jazz e o conjunto precisava de alguém mais ligado ao rock; mais ou menos o que acontecia com Mogguy, que se recusava a estudar mais para suprir suas deficiências vocais. Os dois estavam demitidos.

Raphael achou a proposta de Arnaldo simplesmente absurda. Não compraria nem uma rifa de um empresário como Bah, quanto mais assinar aquele contrato espertalhão. Também não foi nada fácil, de repente, ver sua ascendência questionada. Tinha ganho até o apelido de "pai", pelo papel de liderança que desempenhava desde a fundação do Six Sided Rockers, mas agora Arnaldo estava falando como chefe. Raphael não viu outra solução: namorava Mogguy e era amigo de Pastura, portanto tinha que sair junto com eles. Foi o que fez, sem poder imaginar que estava jogando fora a possibilidade de ter se tornado o quarto mutante.

5.
O VELHO OESTE DO ROCK PAULISTA

Numa manhã ensolarada, no final do inverno de 1966, André sentiu que já estava pronto para enfrentar o duelo. Tinha chegado a hora de tirar a limpo quem era mesmo o *bom*. Passou logo cedo pela casa de João, seu amigo, e seguiu junto com ele para a zona oeste da cidade. João não queria perder por nada aquele desafio: o gatilho mais rápido do bairro do Brooklin contra o mais ágil da Pompeia.

Os dois nem precisaram tocar a campainha da casa da Venâncio Aires. Um quarteirão antes, na própria rua, encontraram alguém um tanto diferente do que imaginavam ser o famoso Serginho. Era um garoto gordinho, de cabelo comprido com franjinha beatle, calça Lee e tênis preto de basquetebol. Feitas as apresentações, o desafio não pareceu perturbá-lo nem um pouco. Com um sorriso maroto de quem já tinha visto aquela cena antes, Serginho convidou os dois a entrarem na casa. Ali estava sua arma mortal: uma Barera acústica, italiana, que fora adaptada por Cláudio César, seu irmão. Com um braço mais estreito, ela facilitava bastante as escalas para Serginho, que ainda tinha dedos relativamente pequenos.

Até que o duelo musical começou equilibrado, com os dois exibindo alguns truques e muita velocidade para intimidar o adversário. Mas quando Serginho sacou "Caravan", envenenando o arranjo dos Ventures para o antigo sucesso do *jazzman* Duke Ellington, André pediu água. Virou mais um na longa lista de derrotados pelo paladino roqueiro da Pompeia. Porém, como geralmente acontecia nessas ocasiões, também nasceu ali uma longa amizade.

(Duas décadas depois, André Geraissati homenageou o amigo Sérgio Dias com uma bela composição: "Com o Sol nas Mãos", incluída em seu álbum *79 89*, lançado pela WEA, em 1989.)

* * *

Os desafios e duelos musicais eram bastante frequentes na Pompeia dos anos 60. Naquela época os guitarristas se comportavam como pistoleiros do Velho Oeste norte-americano. Quando um deles começava a se tornar conhecido por suas façanhas sonoras, era obrigado a provar constantemente sua destreza nos improvisos contra os incrédulos desafiantes que surgiam de todos os cantos da cidade. Vencia o mais rápido, ou o mais sabido. A competição era o aditivo mais poderoso para a evolução musical dos roqueiros.

Serginho não deixava por menos: exibindo uma técnica surpreendente para um garoto da sua idade, chegava a tocar de costas para o adversário, com a maior cara-de-pau, só para não revelar alguma posição nova que tinha descoberto sozinho. Todos os truques eram válidos para *entortar* o desafiante, inclusive humilhá-lo com malabarismos.

Foi o que aconteceu com um garoto de Perdizes, Arnolpho Lima Filho, o Liminha. Guitarrista do The Smarts, um dos vários conjuntos amadores em que tocava em 1966, um dia Liminha ouviu um pedido engraçado da mãe de Rubinho e Élcio, respectivamente o baterista e o baixista dos Smarts:

"Eu queria que você desse uma lição num garoto. Ele toca bem, mas é muito convencido."

Confiante, Liminha não negou fogo. Armou-se com a sua Giannini e partiu para o desafio, marcado em terreno neutro. O adversário chegou com um enorme e estranho estojo de guitarra. Em vez do padrão tradicional de caixa, que acompanhava as formas arredondadas do instrumento, a de Serginho era quadrada.

Quando Liminha percebeu que se tratava de uma Fender importada, sua segurança de bom guitarrista começou a despencar. A sensação do garoto durante a disputa foi a de ser esmagado por um rolo compressor. Serginho fez misérias na guitarra, principalmente nos improvisos. O golpe de misericórdia veio quando ele começou a tocar com uma mão só, coçando a cabeça com a outra. Aí já era covardia.

Liminha foi à lona, mas o vencedor se mostrou bastante camarada. Serginho não só deu algumas dicas para o abatido adversário, como o convidou para ir até a Pompeia, naquela mesma noite, conhecer Cláudio César, o verdadeiro dono da preciosa Fender.

* * *

Desde que Cláudio César iniciou sua produção artesanal de guitarras, a oficina nos fundos da casa da Pompeia já vinha sendo frequentada por músicos profissionais e amadores. Porém, com o fim do O'Seis, Arnaldo, Rita e Sérgio passaram a ensaiar na Venâncio Aires, transformando rapidamente a casa em ponto de encontro dos roqueiros do bairro. Para estes, a casa dos Baptista passou a ser um programa mais interessante até do que o Dólar Furado, a pioneira lanchonete na esquina da rua Cotoxó com a rua Padre Chico, onde a maioria dos garotos da região comeu seu primeiro hambúrguer acompanhado pela infalível Coca-Cola. Foi ali também que vários deles curtiram o barato do primeiro *baseado*, ou se prepararam para a primeira viagem de LSD.

Até então, a garotada classe média baixa da vizinhança ainda via Cláudio César, Arnaldo e Sérgio como "burguesinhos" que estudavam em colégios grã-finos e tinham pais de hábitos sofisticados. Uma imagem com a qual os três irmãos corroboravam em parte, já que não perdiam a chance de se mostrarem mais cultos, ou até mais inteligentes que a média de seus colegas. "Eles pensam que têm um rei na barriga", ironizavam alguns. Mas essa relação de estranhamento começou a mudar. De repente, a partir do rock, todos estavam no mesmo barco.

Um dos primeiros garotos do bairro a frequentar a oficina de guitarras de Cláudio César foi Gilberto Kawabi, o Pataca. Um ano mais velho que Arnaldo, cabeludo e filho de um japonês motorista de táxi, Pataca chamava atenção por seus traços de mestiço. Morava na esquina da Venâncio Aires com a Cotoxó, a cerca de 30 metros dos Baptista. Além de ter um conhecimento literário que poucos garotos da redondeza possuíam, tocava bem guitarra e tinha uma discoteca recheada de Ventures e outras novidades. Foi um dos roqueiros pioneiros da Pompeia. Bom de briga, Pataca era também líder de uma gangue de quase cinquenta adolescentes, numa época em que a violência raramente ultrapassava meia dúzia de socos, um dente quebrado ou um nariz sangrando. Nada de armas ou drogas.

Apesar de não ter um lugar em casa para ensaiar, Pataca não se perturbava. Ligava seu Dual Showman (um clone do amplificador Fender) no meio do empório da mãe e *mandava brasa* na guitarra. Quando não tocava com Serginho ou algum outro amigo, ficava reproduzindo ou acompanhando discos dos Ventures, dos Beatles ou dos Yardbirds — este conjunto sua grande descoberta. Se um freguês entrasse no empório, não havia acordo possível. O sujeito tinha que esperar a música terminar ou então iria embora sem a mercadoria. O único problema desses ensaios no empório era o de alguém ser atingido por alguma lata de conservas, que às vezes caía das prateleiras graças à vibração das caixas acústicas. E quando a mãe se enchia do barulho e não havia outro lugar disponível, Pataca e outros roqueiros da turma tocavam na rua mesmo, em esquinas como a da Cotoxó com a Ministro Alves Ferreira.

Junto com Arnaldo, Pataca participou da "estreia profissional" de

Professor Pardal: Cláudio César trabalhando em sua oficina. À esquerda, pintada na parede, a silhueta de um dos Thunders.

Serginho. Numa tarde, em 1964, esse trio improvisado ganhou alguns trocados para tocar na seção de instrumentos e aparelhos musicais da Sears — a loja de departamentos que funcionava na avenida Antárctica, onde hoje se encontra o Shopping West Plaza. Os três nem tiveram tempo para dar um nome ao conjunto. Arnaldo andava ocupadíssimo com vários compromissos musicais e o trio não vingou.

Outro frequentador diário da oficina de Cláudio era Ismar da Silva Andrade, o Bororó, um crioulo fanático por guitarras que, por volta de 1968, veio a se tornar uma figura folclórica no bairro, graças à sua semelhança física com Jimi Hendrix. Bororó era uma espécie de *outsider* — até os amigos mais próximos sabiam muito pouco de sua vida. Tinha vivido em Bauru, no interior paulista, antes de se mudar para a Pompeia. Sem família, morava na pensão da dona Chica, ali perto, onde pagava o aluguel de um quartinho com todos os tipos de tarefas: lavava e passava roupa, fazia a limpeza nos quartos e servia as mesas. Quando acabava seu expediente na pensão, ia direto para a oficina de Cláudio César, para quem também fazia pequenos serviços, em troca de poder manusear as guitarras e aprender alguns rudimentos de eletrônica.

Bororó era até mais velho que Cláudio César, mas tinha a idade mental de um garotinho. Era capaz de vender sua própria guitarra por uma mixaria, só para deixar um amigo feliz. Nesse misto de ingenuidade e generosidade, invariavelmente se tornava alvo de gozações e peças pregadas pelos garotos. Nas sessões de hipnotismo conduzidas por Raphael, por exemplo, Bororó sempre servia de cobaia. Com o tempo, acabou se tornando uma espécie de escravo de Cláudio e, mais tarde, também de Arnaldo e Serginho, que lhe davam roupas e tênis usados em troca dos serviços e favores mais prosaicos. Porém, escravidão por escravidão, o bonachão Bororó preferia mesmo trabalhar perto das guitarras.

* * *

Enquanto os irmãos evoluíam rapidamente na música, Cláudio César também progredia a olhos vistos em suas experiências de artesão sonoro. No final de 1965, ele já exibia, orgulhoso, a primeira de suas criações: um inovador baixo elétrico, feito a pedido do cantor Erasmo Carlos para um músico de sua banda, chamado Raul.

O Supercontrabaixo — nome que recebeu de seu autor — era um baixo sólido, com um design aerodinâmico e espacial, que para muitos lembrava o Batmóvel, o carro do super-herói Batman. Entre várias inovações, esse instrumento possuía um apoio para o osso do quadril (se-

O Jimi Hendrix da Pompeia: Bororó (de camisa estampada) toca uma guitarra feita por Cláudio César, com Marinho, Fernando e Tibério, ou melhor, Os Barrocos.

Batbaixo: Cláudio César e seu Supercontrabaixo, com linhas aerodinâmicas que lembravam o Batmóvel.

gundo Cláudio, para que o músico não se cansasse ao tocá-lo de pé, um encaixe para o polegar, escala temperada com 24 trastos, um captador para processar cada corda separadamente (o que evitava roncos e isolava os harmônicos), toda a parte elétrica com circuitos transistorizados e ainda tarraxas metálicas fundidas pelo próprio autor.

Em outras palavras: Cláudio construíra um baixo elétrico que, se fosse lançado no início dos anos 90, ainda superaria em recursos um Fender, ou outro instrumento similar de renome no mercado internacional. Mas, nos ambiciosos planos do *luthier* da Pompeia, isso era só o começo.

6.
CATIVANDO O PEQUENO PRÍNCIPE

Foi uma verdadeira descoberta. A falta de Raphael, o "pai" musical do O'Seis, não chegou a desanimar Arnaldo, Rita e Serginho. Ao contrário, serviu para que a união do novo trio se concretizasse mais rapidamente. Com as decepções que cada um trazia dos conjuntos anteriores, essa formação revelou aos três um sabor especial. Nem mesmo Arnaldo e Serginho (então próximo de completar 15 anos) se conheciam muito bem musicalmente. No fundo, era como se os três estivessem se encontrando pela primeira vez. Rita levava aos ensaios discos de música popular norte-americana da coleção do pai; Arnaldo e Sérgio emprestavam o conhecimento que possuíam de harmonia clássica para estruturar os arranjos vocais. Ali começou a fase mais calma do conjunto. Nunca os irmãos Baptista e Rita Lee se sentiram tão unidos.

Claro que a mudança do sexteto para o trio trouxe alguns probleminhas. Em primeiro lugar, havia a necessidade de batizar o novo conjunto. Outra vez o deboche falou mais alto: escolheram O Konjunto. Foi com esse nome que o trio voltou a se apresentar na cervejaria Urso Branco, ao lado do pessoal da Koisanovah. Excluir uma das vozes femininas (a de Mogguy, no caso) ou mesmo uma guitarra (a de Raphael) dos arranjos originais do sexteto não era tão difícil, mas a bateria era mesmo um problema.

O jeito foi recorrer a Cláudio César que, no melhor estilo Professor Pardal, entrou em cena de baquetas na mão, com a fórmula $E = MC^2$ inscrita no bumbo da bateria. E não parou por aí. Aproveitou outra apresentação, dessa vez no Teatro João Caetano, para realizar uma experiência quase insólita para a época: instalou em uma das caixas da bateria um captador de guitarra que transmitia a vibração da esteira para uma câmara de eco. Assim, numa música mais lenta e cadenciada, podia usar a baqueta só uma vez sobre a caixa, deixando que o eco reproduzisse as batidas seguintes do compasso. Cláudio César chegou perto de inventar a bateria eletrônica, em 1966.

Com a colaboração de Bah, bem-relacionado no meio artístico, as coisas começaram a andar mais rápido. Um dia o empresário surgiu com uma novidade: tinha conseguido uma apresentação no *Jovem Guarda*, de Roberto Carlos. Para qualquer outro conjunto jovem da época seria o máximo, mas Rita, Arnaldo e Serginho definitivamente não faziam parte da legião de súditos do Rei. Cantavam quase somente em inglês e já começavam a usar roupas bem diferentes das modas lançadas pelo programa. Na verdade, achavam quase todos os cantores e conjuntos que frequentavam o *Jovem Guarda* meio velhos, ultrapassados, *quadrados* mesmo.

Rebatizados provisoriamente de Os Bruxos, os três já chegaram no Teatro Record com os narizes meio torcidos. Durante o ensaio, no domingo de manhã, Arnaldo e Sérgio exigiram algo bem diferente do padrão visual do programa. Queriam que os amplificadores de suas guitarras fossem colocados no palco, à vista da plateia, exatamente como se fazia em shows de rock nos EUA ou na Inglaterra, argumentaram. Mas a produção rejeitou a ideia e os três decidiram comprar a briga. Após um certo bate-boca, recolheram os instrumentos e desistiram da apresentação. Os garotos já tinham personalidade de sobra.

* * *

Se não deu certo com o Rei, por que não arriscar com o Pequeno Príncipe? Foi o que Bah deve ter pensado quando soube que o cantor Ronnie Von andava procurando músicos para seu novo programa na TV Record. Parecia uma ótima chance para os meninos. A estreia seria dali a duas ou três semanas e o elenco ainda nem fora definido. Ronnie andava preocupadíssimo com esse problema e se mostrou bastante interessado em conhecer o trio. Ainda mais quando soube que eles também eram beatlemaníacos e cantavam em inglês.

Aos 22 anos, Ronnie preparava-se para dar um importante passo em sua carreira. Após estourar nas paradas com a chorosa "Meu Bem" (versão de "Girl", outro *hit* da dupla Lennon & McCartney), apresentar o próprio programa de TV seria perfeito. Inclusive por causa da concorrência que estava se estabelecendo entre Roberto Carlos e ele.

Ronnie jura até hoje que nunca teve nada contra o Rei. Ao contrário, garante, gostava dele e ficava chateado com a rivalidade. O fato é que, na única vez em que o nome de Ronnie Von chegou a ser anunciado no *Jovem Guarda*, a vaia das fãs do Rei foi desanimadora. Por isso, Ronnie jamais se apresentou naquele programa.

Tempos depois, para apimentar mais ainda a rivalidade, correu nos bastidores da Record a história de que Roberto teria gravado a canção

"Querem Acabar Comigo" com a foto do concorrente bem à sua frente. A barra pesou mesmo.

Naquela época, os ídolos jovens locais eram caracterizados na TV por apelidos, como o Tremendão (Erasmo Carlos), a Ternurinha (Wanderléa), o Queijinho de Minas (Martinha) ou o Bidu (Jorge Ben). Curiosamente, Ronnie não herdou sua alcunha de algum empresário espertinho. A autora foi ninguém menos do que Hebe Camargo. Durante uma entrevista no programa da "madrinha", ao contar que gostava de aviação, Ronnie cometeu a imprudência de mencionar o nome do aviador e escritor Saint-Exupéry, autor de *O pequeno príncipe* — um livrinho infanto-juvenil que se tornou tão popular na época, a ponto de ser citado até como "livro de cabeceira" pelas candidatas dos tradicionais concursos de miss.

"É mesmo! O Pequeno Príncipe! Sabe que você é a cara dele?", alfinetou Hebe, com um daqueles trejeitos inconfundíveis.

"Mas ele é apenas um personagem", replicou o pobre Ronnie, tentando se defender da comparação incômoda.

"Ah, mas você é muito parecido com ele. É igualzinho ao Pequeno Príncipe! Que gracinha!", insistiu Hebe, nocauteando de vez o garoto. No dia seguinte, Ronnie já estava definitivamente carimbado como o Pequeno Príncipe, alcunha da qual levou anos para se livrar. Sorte da editora Agir, que na época vendeu outras dezenas de milhares de cópias do livro, impulsionada pela idolatria das fãs do cantor.

* * *

Bah armou o encontro com Ronnie Von em uma das reuniões que o casal Cynira e Walter Arruda (na época diretor artístico da TV Tupi) costumava promover aos domingos, em seu casarão, no bairro do Pacaembu. Era uma espécie de lanche, sempre no final da tarde, com a presença de músicos, cantores e compositores jovens — o dono da casa era completamente apaixonado por música. Rita e Ronnie nem precisaram bater um longo papo para descobrirem suas afinidades. Fora os Beatles, também adoravam Peter, Paul & Mary e música barroca. Aretusa, a esposa que Ronnie fazia o máximo para esconder de seu ciumento fã-clube, também simpatizou logo com a divertida loirinha.

Na noite seguinte, Arnaldo e Serginho foram com Rita ao apartamento do casal, na avenida Santo Amaro. De cara, os irmãos Baptista encontraram outra afinidade com o cantor: a mania por automóveis. Por seu lado, Ronnie ficou impressionado com as ideias musicais dos garotos, que já eram bastante críticos em relação à música jovem que se produzia no país. Em outras palavras, desciam a lenha em quase tudo que se ouvia no rádio e na televisão. Dias depois, por brincadeira, os quatro começaram a montar um arranjo vocal de "Five Hundred Miles", que deixou Ronnie excitado com o desempenho musical do trio. Nessa mesma noite, o cantor abriu o jogo, contando que tinha voltado da TV com um problemão para resolver. Seu programa ia estrear em pouco mais de uma semana, mas ele acabara de ser informado pela direção da Record que não poderia contar com nenhum artista do *Jovem Guarda*. Ou vice-versa: qualquer artista do elenco de seu programa estava proibido de se apresentar no de Roberto Carlos. Ronnie jamais chegou a saber o verdadeiro motivo da proibição, mas desconfiou que o veto partiu do próprio Rei. Porém, o que importava naquele momento é que ele precisava montar um elenco em um tempo mais curto do que uma saia da "Ternurinha" Wanderléa. Assim, convidou o trio para ser uma das atrações fixas do programa.

Paulinho Machado de Carvalho, o chefão da Record, queria um programa que alcançasse adolescentes e crianças, faixas de público que não eram diretamente atingidas pelo *Jovem Guarda*. Para dirigir o novo programa foi indicado Solano Ribeiro, produtor que já tinha uma boa experiência na área de musicais e, posteriormente, veio a se tornar um grande *expert* em festivais de MPB. Naquele momento, três equipes de produção disputavam os melhores programas da emissora. Na verdade, Solano pretendia dirigir o de Chico Buarque de Hollanda e sentiu-se desprestigiado com a indicação. Chegou a discutir a concepção do projeto e a acompanhar rapidamente a preparação do programa de estreia, mas logo desistiu. Passou então o comando para seu parceiro Alberto Helena Júnior, o jornalista que cuidava do roteiro e dos textos do programa.

O Pequeno Mundo de Ronnie Von foi escalado para ir ao ar nas tardes de domingo, exatamente antes do *Jovem Guarda*. A ideia de Ronnie e da produção era fazer algo mais sofisticado que o programa do Rei, incluindo também música clássica, com uma ambientação de contos de fadas e algumas pinceladas de fantasia. Só uma atração mais conhecida entrou no elenco fixo do programa: a dupla vocal Os Vips, que aceitou o desafio de ficar de fora do *Jovem Guarda*.

Na primeira reunião que fizeram com Ronnie para discutir sua participação no programa, Rita e os irmãos Baptista exibiram seus arranjos roqueiros para Schubert e Mozart. Sugeriram também sucessos do momento, como "Lady Jane" e "As Tears Go By", dos Rolling Stones, que originalmente já possuíam uma certa influência da música barroca. O único problema é que os três precisavam de um novo nome. Não gostavam muito de Os Bruxos, muito menos queriam usar novamente o infame O Konjunto. Durante aqueles dias de ensaio, tanto eles como Bah e Ronnie quebraram a cabeça para encontrar um nome mais apropriado. Mas não era nada fácil.

* * *

Foi durante um almoço no apartamento da avenida Santo Amaro, exatamente na véspera da estreia do programa, que Rita e Arnaldo ouviram de Ronnie Von uma nova sugestão. O cantor estava lendo *O império dos mutantes*, um livro de ficção científica do francês Stefan Wul (cuja novela *Oms en série* inspirou o conhecido desenho animado *O planeta selvagem*, de René Laloux, já nos anos 80). Ronnie andava tão impressionado com a história, que o produtor Alberto Helena — na época muito mais próximo da doutrina politizada do CPC (o Centro Popular de Cultura) do que de qualquer inclinação mística ou esotérica — já não aguentava mais ouvi-lo repetindo frases como "o mundo está em constante mutação" ou "somos todos mutantes".

"Vocês ainda estão procurando um nome para o conjunto dos meninos? Por que não Os Mutantes?"

A sugestão de Alberto Helena continha, evidentemente, uma certa dose de ironia. Mas Ronnie não só gostou do nome, como logo apresentou a ideia a Bah e ao trio. Fãs de ficção científica que eram (uma mania que Cláudio César, Raphael e Serginho cultivavam com mais intensidade ainda), Rita e Arnaldo sorriram satisfeitos ao ouvir a ideia. Enfim, tinham encontrado um nome perfeito.

Na verdade, qualquer um deles poderia ter pensado nesse nome antes. Arnaldo, por exemplo, até já conhecia a fantástica história de *La mort vivante*, de Stefan Wul, que Ronnie e algumas centenas de outros fãs de ficção científica no país leram na versão portuguesa, rebatizada *O império dos mutantes* (volume 107 da Coleção Argonauta, uma espécie de biblioteca básica de ficção científica, editada em Portugal). Só que Arnaldo tinha lido essa mesma obra na tradução brasileira, intitulada *A cadeia das 7* (volume 554 da Série Futurâmica). Esse livro chegou a fazer parte da gorda coleção de ficção científica de Raphael, que às vezes emprestava livros aos irmãos Baptista. Por sinal, esse volume jamais retornou às mãos do dono depois de sua passagem pela casa da Pompeia.

O enredo do livro de Wul seria perfeito para um filme dirigido por

Gênese mutante: as versões portuguesa e brasileira do livro de Stefan Wul, *Oms en série*, de 1957, que inspirou o nome do trio.

David Cronenberg. Após uma catástrofe atômica que deixou a Terra praticamente inabitável, os humanos sobreviventes se radicaram em Vênus. Muitos séculos depois, nesse planeta vive uma civilização adiantada, organizada sob um regime que lembra a Inquisição medieval, no qual a ciência é perseguida pelos clérigos dirigentes. Joachim, um biólogo idoso que se arrisca comprando livros científicos contrabandeados, é raptado e levado para a Terra. Martha, a bela líder dos contrabandistas, quer que o cientista gere clones de sua filha, que acabara de morrer. Ela oferece a Joachim um avançado laboratório, instalado na cordilheira dos Pireneus, em um castelo guardado por aranhas gigantes. Apaixonado por Martha, o biólogo consegue gerar sete irmãs gêmeas, que crescem rapidamente, são ultra-inteligentes e comunicam-se por telepatia. Uma tempestade radioativa desencadeia uma aterrorizante mutação que funde os corpos das meninas até transformá-las em uma massa viva de carne. Essa poderosa criatura, protótipo de uma nova raça, assume todas as formas que deseja e acaba absorvendo Joachim, Martha e todos os outros seres vivos do planeta. Na cena final, a Massa dirige-se a Marte e Vênus para absorver também o resto de vida do Universo.

Uma história impressionante que ajudou a batizar a primeira banda realmente original do rock brasileiro.

* * *

Em 15 de outubro de 1966, Os Mutantes fizeram sua primeira apresentação, exatamente na estreia de *O Pequeno Mundo de Ronnie Von*, na TV Record. O trio era a grande novidade musical do programa. De cara, já causou impacto com a versão para duas guitarras (Rita tocou a segunda) e baixo elétrico da "Marcha Turca" de Mozart.

Nas semanas seguintes, além de sucessos dos Rolling Stones e Peter, Paul & Mary, apresentaram também fugas de Bach, com arranjos para três vozes na linha dos Swingle Singers, que dona Clarisse, a mãe de Arnaldo e Sérgio, ensaiava pacientemente. Foi ela também que transcreveu o arranjo de "Eleanor Rigby", dos Beatles, interpretado pelo trio, Ronnie e um duplo quarteto de cordas, com regência do maestro Cyro Pereira. A garotada da plateia aplaudiu de pé, como se os quatro cabeludos britânicos estivessem ali no palco. Um delírio. Aliás, canções dos Beatles eram obrigatórias nos programas. Um deles chegou a ser inteiramente dedicado à música do quarteto de Liverpool.

Os cenários e textos do programa baseavam-se na atmosfera de contos de fadas, incluindo muitos castelos e lances de magia. Vários progra-

Palco encantado: os Mutantes em duas cenas do programa *O Pequeno Mundo de Ronnie Von*, fotografados pela fã Lúcia Turnbull.

mas foram ambientados a partir de histórias e lendas infantis, como Peter Pan ou obras dos irmãos Grimm. Ronnie costumava pedir atenção a seus espectadores infanto-juvenis. "Essas histórias camuflam um fundamento mágico", dizia o cantor-apresentador, que às vezes tratava sua plateia como "meus bruxos e minhas bruxinhas". Falava constantemente em duendes, gnomos, relacionamentos intergaláticos e interplanetários.

Além do forte apelo sobre a faixa infantil, o programa também acabava atraindo as mães e avós, que levavam suas crianças ao teatro e acabavam cativadas pelo tom meigo do Pequeno Príncipe do iê-iê-iê. Guardadas as devidas proporções, Ronnie Von antecipou a investida de Xuxa sobre a garotada e seus papais, que veio a acontecer décadas depois.

Outra atração fixa no elenco era a Fadinha, que ajudava o cantor na apresentação do programa, conversando com ele e lendo cartas dos espectadores. Essa personagem era interpretada por uma moreninha jovem e simpática, que sonhava com a carreira de modelo, chamada Sônia Braga. Fã de Ronnie, que a conheceu durante uma sessão de fotos para a revista *Intervalo*, na Editora Abril, Sônia ficou logo amiga de Rita. Por pouco, a futura atriz não virou uma mutante. Sua mãe, Zezé, confeccionou várias das roupas extravagantes que o conjunto veio a usar nos anos seguintes.

Na plateia do Teatro Record, toda semana uma garotinha de 13 anos ficava provocando Rita Lee. Sabendo que ela era fanática por Paul McCartney, a menina levava ao teatro algumas moderninhas revistas inglesas que seu pai trazia para casa. Na boca do palco, ela ficava exibindo fotos enormes do beatle baixista, só para atiçar o ciúme da vocalista dos Mutantes, que sempre acabava olhando e sorrindo. Rita só veio a saber o nome da pentelhinha alguns meses depois, numa festa na casa de Ronnie Von: Lúcia Turnbull.

Os Mutantes chamaram atenção desde a primeira semana e logo começaram a receber convites para se apresentarem em outros programas da emissora, como o de Hebe Camargo, o *Show do Dia 7* e o *Família Trapo* (com os comediantes Zeloni, Ronald Golias e Jô Soares). Mais constantes eram as aparições no *Astros do Disco*, uma espécie de *hit parade* apresentado por Randal Juliano, em que o conjunto interpretava sucessos ingleses e norte-americanos do momento.

Poucas semanas depois, com a saída de Alberto Helena, que decidiu retornar ao jornalismo, o programa de Ronnie Von passou a ser dirigido por Marcos César. A liberdade musical dos primeiros programas começou a diminuir. Apesar da ligação do cantor com os Mutantes, o

O Pequeno Príncipe e a Fadinha: Ronnie Von e a *starlet* Sônia Braga.

Iê-iê-iê barroco: Ronnie e seus Bruxos, incluindo o futuro mutante Dinho (à esquerda, no alto).

novo diretor não via com a mesma simpatia a presença fixa do trio no elenco.

"O programa, infelizmente, começou a ficar igual aos outros", criticava Rita, um mês após a estreia do conjunto, na primeira entrevista dos Mutantes para um veículo da grande imprensa (a *Folha de S. Paulo*, em 14 de novembro de 1966). "O Ronnie não manda mais nada, faz o que os diretores querem. Ele pretendia fazer um programa com música renascentista, bossa nova e tudo o mais, mas não deu certo."

Descontentes com a orientação mais conservadora que o programa assumiu, Rita, Arnaldo e Sérgio passaram a se apresentar mais raramente, até que no início do ano seguinte deixaram de vez o *Pequeno Mundo de Ronnie Von*. Como as sete irmãs criadas por Stefan Wul, os Mutantes tinham à frente um universo muito maior para ser conquistado.

Ménage a trois: a harmonia dos primeiros tempos, no bairro de Pompeia, apelidado de "Liverpool brasileira".

7.
A INVASÃO DAS GUITARRAS

Para desespero da vizinhança da Pompeia, em meados de 1967, quase diariamente havia barulho e música em alto volume no subsolo do casarão da família Baptista. Sem abandonarem o bom humor de sempre, Rita, Arnaldo e Serginho passaram a ensaiar com uma seriedade que até então eles mesmos não conheciam. De vez em quando, os amigos da turma eram convidados a ouvir o resultado dos ensaios e todos se transferiam para a sala de estar, no térreo. Nessas ocasiões os três exibiam pequenos shows, recheados por novos arranjos de canções dos Mamas and Papas, Peter, Paul & Mary, Beatles e outros *hits* do momento, além das primeiras e ainda tímidas composições próprias. As aparições do trio na TV serviram não só como experiência musical, mas também ajudaram a transição do conjunto semi-amador ao profissionalismo. Os Mutantes estavam se preparando para um grande salto.

Um salto, aliás, que agora dependia somente dos três, uma vez que o conjunto estava sem empresário. As previsões de Raphael e Mogguy, no episódio da separação do O'Seis, confirmaram-se de certo modo. Bah finalmente pôs as chamadas manguinhas de fora e ameaçou registrar o nome do conjunto como de sua propriedade. Mas os Mutantes foram mais rápidos no gatilho e deram um chega-pra-lá no espertalhão.

Além de transitar por vários programas da TV Record, o trio também começou a ser convidado a fazer aparições em outras emissoras. As mais frequentes eram no *Quadrado e Redondo*, o programa que Sérgio Galvão comandava na TV Bandeirantes. O elenco era bem eclético: entrava tanto o samba swingado de Jorge Ben como as baladas românticas de Vanusa e Antonio Marcos.

Num desses programas, com orquestra regida pelo maestro Chiquinho de Moraes, os Mutantes apresentaram "A Day in the Life", dos Beatles. Também cantando em inglês, acompanhavam os cantores Dave Gordon e, principalmente, Tim, o carioca Sebastião Rodrigues Maia, que só anos mais tarde veio a ficar conhecido como Tim Maia. Os três garotos achavam aquele *negão* simplesmente o máximo. Era daquele jeito que Arnaldo gostaria de cantar. Tim conheceu a fundo o *rhythm &*

blues, morando alguns anos nos EUA, mas acabou retornando deportado ao Brasil, depois de ser detido por porte de maconha. Toda vez que ele encontrava os Mutantes nos bastidores, seco por um *fuminho*, a pergunta era inevitável:

"Tem um *bauru* aí?"

* * *

Rita ficou bastante animada; Arnaldo e Serginho, nem tanto. Mas os três concordaram que não era a toda hora que se recebia um telefonema do respeitado Chiquinho de Moraes, diretor musical da TV Bandeirantes. Melhor ainda: o maestro não convocou o trio para um programa qualquer, mas sim para a gravação de uma canção concorrente do 3° Festival da Música Popular Brasileira da TV Record. O nome da canção era "Bom Dia", composta por um violonista e cantor da Bahia, chamado Gilberto Gil.

Dos três, só Rita sabia quem era Gil. Já o tinha visto no programa *O Fino da Bossa*, que Elis Regina conduzia na TV Record, e achava bacana o jeito meio bravo que aquele crioulo tinha de cantar. Já Arnaldo e principalmente Serginho não só desconheciam o sujeito, como tinham uma certa prevenção contra qualquer tipo de música popular brasileira. O negócio dos irmãos Baptista era rock. E, de preferência, cantado em inglês.

Rita tinha que dar duro para conseguir que Serginho e Arnaldo aceitassem mais a música brasileira. Se ela apresentasse no ensaio uma música de Ray Charles, de Peter, Paul & Mary, um blues ou mesmo um *gospel*, tudo bem. Mas se sugerisse a eles um João Gilberto ou um Juca Chaves, já vinha cara feia. Do Brasil, os irmãos Baptista não gostavam de quase nada. Mesmo assim, os dois foram perspicazes a ponto de perceberem que uma nova porta estava se abrindo para os Mutantes. Tiveram curiosidade suficiente para querer conhecer o que os esperava atrás dela.

Assim começou outro episódio até hoje mal contado. Exatamente como Rita e Arnaldo pensaram durante décadas que Ronnie Von foi o criador do nome Mutantes, os três sempre acharam que o maestro Chiquinho de Moraes foi o responsável pela aproximação do conjunto e Gilberto Gil. Não ficaram sabendo que a iniciativa de convocá-los para gravar "Bom Dia" partiu do próprio compositor baiano, seguindo a sugestão de outro maestro: Rogério Duprat.

Naquela época, Gil andava ligado nos Beatles. O compacto com "Strawberry Fields Forever" e "Penny Lane" tinha despertado seu interesse pelo rock dos quatro britânicos. Gil começou a ouvir os LPs anteriores do conjunto (*Rubber Soul* e *Revolver*), mas quando escutou o então novo *Sgt. Pepper's Lonely Hearts Club Band* ficou realmente impressionado. Viu nesse disco um novo caminho, não só para suas canções, mas para a própria música popular brasileira. Pensou que estava na hora de fazer uma música que soasse mais universal e Gil sabia que esse som passava necessariamente pelo rock e pela guitarra elétrica. Para tomar uma atitude como essa, o músico baiano precisaria de muita coragem. Sabia que iria comprar briga até mesmo com vários de seus amigos. Não ia ser nada fácil.

Formado em Administração de Empresas, Gil desembarcara dois anos antes em São Paulo, com um promissor emprego na Gessy Lever, trocado pouco tempo depois pela carreira de compositor, violonista e cantor. Suas canções de sotaque nordestino e temática social agradaram a cantora Elis Regina, que acabou gravando "Louvação". Foi um típico golpe do destino. O disco estava tocando na Rádio Record, no momento em que um incêndio se alastrou pela sede da emissora, no bairro do Aeroporto. O programador decidiu transformar a música em uma espécie de hino da recuperação da emissora e passou a tocá-la exaustivamente, durante os dias seguintes. Só foi preciso mais um empurrãozinho televisivo de Elis, em seu programa *O Fino da Bossa*, para que "Louvação" virasse sucesso nacional.

Meses depois, já em 1966, Gil se viu entre a cruz e a caldeirinha (ou melhor, entre a guitarra elétrica e o cavaquinho), quando foi praticamente obrigado a participar de uma polêmica passeata organizada pela produção do novo programa de Elis, rebatizado de *O Fino*. Ao retornar de uma longa viagem pela Europa, a cantora viu sua liderança de audiência ameaçada pelo crescimento de popularidade do "rei" Roberto Carlos e resolveu comprar a briga.

Há quem garanta que tudo não passou de um esperto golpe de marketing, orquestrado por Paulinho Machado de Carvalho, o diretor da Record. Naquela época, a emissora monopolizava as tendências musicais que se expressavam na TV através de três grupos principais. Elis, de certo modo, era a líder do setor da MPB, a música jovem politizada, descendente direta da bossa nova. Sua adversária direta passou a ser o iê-iê-iê, identificado com Roberto Carlos e seu elenco do *Jovem Guarda*. Havia ainda a chamada "velha guarda", defendida por veteranos como Elizeth Cardoso, Cyro Monteiro, Orlando Silva, Jacob do Bandolim e outros.

Gil não podia negar apoio à amiga que o ajudara tanto no início da carreira. E lá se foi ele, meio sem jeito, andando ao lado de Elis, Edu Lobo e outros inflamados cantores, compositores e músicos que frequentavam o programa da cantora. Houve também quem comparecesse apenas para dar uma olhadinha e sair logo, como o envergonhado Chico Buarque de Hollanda. A passeata saiu do Teatro Paramount rumo ao Largo de São Francisco. Nas faixas e palavras de ordem, os manifestantes supostamente defendiam a música brasileira não só contra a invasão da guitarra elétrica, que virou um símbolo do imperialismo norte-americano para a chamada "esquerda festiva", mas de qualquer música estrangeira. Uma perigosa xenofobia.

Quando o desfile passou em frente ao Hotel Danúbio, Caetano Veloso e Nara Leão, amigos de Gil que tinham se recusado a participar do ato, assistiam tudo de uma janela, bastante constrangidos com aquele passo em falso de seus colegas:

"Nara, eu acho isso muito esquisito..."

"Esquisito, Caetano? Isso aí é um horror! Parece manifestação do Partido Integralista! É fascismo mesmo!"

* * *

Mal soube da inclusão de sua canção "Domingo no Parque" entre as classificadas para o 3° Festival de Música Popular Brasileira da Record, Gil pensou no Quarteto Novo para acompanhá-lo. Na primeira tarde livre, marcou uma reunião com o conjunto no Canja, uma espécie de clube de jazz da época. Estavam todos lá: o violonista Théo de Barros, o flautista Hermeto Pascoal, o violonista Heraldo do Monte e o percussionista Airto Moreira.

"Eu quero uma coisa nova", foi logo dizendo o baiano.

Então Gil entoou os primeiros versos da canção, ao mesmo tempo que mostrava seus acordes básicos no violão.

"Junto com essa sonoridade nordestina e o lado jazzístico que vocês têm, eu quero colocar uma coisa na linha dos Beatles, uma coisa meio George Martin", resumiu.

O compositor nem teve tempo de explicar muito bem o que pretendia. Suas palavras soaram como uma inesperada blasfêmia no meio de uma seita religiosa. A resposta do quarteto foi curta e grossa: um sonoro "não". O mais chocado dos quatro músicos foi Airto, que por pouco não se benzeu com um sinal-da-cruz, só de imaginar a possibilidade de ser obrigado a tocar junto com guitarras elétricas.

Gil saiu dali deprimido, sem saber direito o que fazer. Lembrou então de falar com Rogério Duprat, o maestro que Júlio Medaglia lhe indicara para fazer o arranjo de orquestra para "Domingo no Parque". Medaglia já tinha até começado a escrevê-lo, mas foi obrigado a desistir, ao ser convocado para integrar o júri do festival. Garantiu a Gil, porém, que Duprat seria perfeito para o que ele estava querendo: alguém que possuía total capacidade de trazer elementos da música erudita para a popular. Em outras palavras, um maestro que tinha tudo para ser o seu George Martin.

"Calma, Gil. Eu conheço uns meninos muito bons, que costumam se apresentar na TV Bandeirantes. Eles se chamam Os Mutantes", lembrou Duprat, tranquilizando o novo parceiro.

No dia seguinte, Gil foi a uma das costumeiras noitadas musicais que Chiquinho de Moraes promovia em sua casa, no bairro de Chácara Flora, na zona sul. O maestro estava justamente terminando o arranjo de "Bom Dia", a outra música do baiano classificada para o festival da Record, que seria interpretada pela cantora Nana Caymmi, mulher de Gil naquela época. As gravações das canções concorrentes estavam sendo feitas a toque de caixa, para que a gravadora Philips tivesse tempo de lançar o LP ainda durante as eliminatórias. Foi nessa noite que Gil consultou o amigo:

"Chico, que tal a gente chamar os Mutantes para a gravação? Eles parecem ser bons..."

O maestro já conhecia o trio dos programas da TV Bandeirantes, mas nunca teria pensado neles para aquele arranjo. Com sua carreira musical vinculada ao samba e à bossa nova, mais especialmente à figura de Elis Regina, naquela época jamais passaria pela cabeça de Chiquinho chamar um conjunto de rock para gravar uma canção tão brasileira, como "Bom Dia". No entanto, o maestro achou a ideia inusitada, interessante mesmo. Não só aprovou a sugestão, como combinou com Gil que convocaria pessoalmente os "meninos" para o estúdio.

Já imaginando que o conjunto poderia ter problemas com as partituras do arranjo, Chiquinho marcou um encontro preliminar com os garotos em sua casa, na véspera da gravação. O receio tinha fundamento: como grande parte dos músicos da época, nenhum dos três Mutantes sabia ler cifras (os símbolos utilizados nas partituras de música popular que representam os acordes por meio de letras e números). Mesmo sabendo o quanto seria difícil para qualquer músico experiente automatizar as várias combinações de cifras de um dia para o outro, mais por desencargo de consciência, o maestro rabiscou num pedaço de papel as cifras mais comuns e ensinou seus significados a Serginho e Arnaldo.

O maestro estava um pouco preocupado. Um músico que não soubesse ler partitura, ou pelo menos cifras, era problema certo para qualquer sessão de gravação — como uma maçã podre que contamina todo um cesto de frutas. Os erros sucessivos na hora de gravar costumam irritar os músicos profissionais, que acabam perdendo a paciência. Logo começam as ironias e risadas, que deixam o pobre músico iletrado mais inseguro ainda. Nem mesmo o recurso de gravar partes separadas existia naquela época. O sistema de gravação ainda era baseado em dois canais, o que obrigava a se gravar todos os instrumentos de uma vez só, juntos.

Em outras palavras, Chiquinho sabia que ia ser um verdadeiro deus-nos-acuda. O máximo que poderia fazer era conversar com a orquestra antes que os Mutantes entrassem no estúdio e pedir compreensão. Apelou até mesmo para a conta bancária de cada músico. Como aquele trabalho era pago por hora, quanto mais demorassem a gravar a faixa, mais receberiam ao final da sessão, argumentou.

Iniciada a gravação, o maestro simplesmente não acreditou no que viu e ouviu. O primeiro *take* saiu perfeito, sem qualquer nota errada. "Eles devem ter decorado", pensou com sua batuta. Outro detalhe que chamou a atenção de Chiquinho foi o relaxamento dos Mutantes, que em nenhum momento demonstraram qualquer nervosismo, o que seria de se esperar entre novatos em um estúdio de gravação. Os três olhavam os outros músicos com uma grande dose de curiosidade, quase como se fossem alienígenas. Eles pareciam mesmo ter vindo de outro planeta, imaginou o regente.

Para surpresa do maestro, o trabalho de gravação seguiu sem problema algum, durando o mesmo tempo de qualquer outra sessão com profissionais. O mais incrível foi que os Mutantes não erraram nada. E mais: a cada novo *take*, Serginho e Arnaldo tocavam notas diferentes da vez anterior, sem escorregar na harmonia. Foi quase como se a guitarra e o baixo elétrico tivessem sido tocados por alguns dos craques dos estúdios da época, como Heraldo (do Monte), Boneca ou Poly.

"Muito bom, meninos. Foi ótimo vocês terem decorado", cumprimentou Chiquinho, contente.

"Não decoramos não, maestro. Só estudamos as cifras um pouco", responderam os garotos.

"Ah é? Não decoraram? Então vamos fazer um teste."

No mesmo instante, o maestro rabiscou uma sequência harmônica diferente da primeira. Só depois de ouvi-los acertar todos os acordes de novo, Chiquinho acreditou no que viu. Se até ali sentia apenas simpatia pelos garotos, daquele dia em diante o maestro passou a respeitá-los como músicos de verdade.

Não foi só Chiquinho de Moraes que ficou impressionado com os Mutantes. O mesmo aconteceu com Gil, apresentado a eles no estúdio pelo maestro. Na verdade, a ideia inicial do compositor foi convocá-los para gravar "Domingo no Parque", cujo arranjo orquestral, bem mais complexo e trabalhoso, ainda estava sendo finalizado por Rogério Duprat. Como a gravação de "Bom Dia" acabou acontecendo antes, Gil decidiu também incluir nela o trio, embora numa participação mais discreta. Sem que os Mutantes soubessem, esse rápido trabalho serviu como aquecimento para uma futura parceria. Terminada a gravação, Gil conversou um pouco com os três e abriu o jogo. Dedilhando o violão, mostrou "Domingo no Parque" e os convidou a se apresentarem junto com ele no festival.

Ao ouvirem a canção pela primeira vez, Arnaldo e Serginho não se ligaram muito naquele ritmo de afoxé, que até parecia música para acompanhar luta de capoeira. Rita se mostrou bem mais animada que os dois, mas os garotos acabaram se interessando pelas novidades harmônicas da canção. Convenceram-se de que poderia ser divertido tocá-la. No mínimo, valeria pela farra. O convite foi aceito ali mesmo no estúdio e comemorado com os três tocando juntos.

Poucos dias depois, Gil foi visitar os irmãos Baptista na Pompeia, quando conheceu Cláudio César e os pais dos garotos. Também fez uma visita social à família Jones, já preparando o terreno para enfrentar o pai de Rita. Não havia outro jeito: transformado em padrinho, teve que pedir a permissão do doutor Charles para que sua filhinha de 19 anos pudesse participar do festival. Afinal, era um evento noturno, num teatro infestado por estudantes universitários, músicos, artistas e outras categorias profissionais suspeitas. Mas o "sargentão" acabou dobrado pela prosódia do baiano.

Por seu lado, os Mutantes também começaram a frequentar o Hotel Danúbio, na avenida Brigadeiro Luís Antonio, onde Gil morava com Nana Caymmi. Ali os garotos conheceram outros colegas e amigos do padrinho, também hospedados no hotel, como o empresário Guilherme Araújo, o compositor Geraldo Vandré e o coreógrafo norte-americano Lennie Dale, sem falar em Torquato Neto, um poeta piauiense que, embora não fosse hóspede, frequentava quase todos os dias a sauna do hotel.

Também no Danúbio, os Mutantes reencontraram Caetano Veloso, o amigo de Gil que tinham visto durante a gravação de "Bom Dia", sen-

Padrinho: Gilberto Gil troca figurinhas com seus afilhados musicais.

tado timidamente num canto do estúdio. Apesar de já ter conquistado prêmios em festivais de MPB (quinto lugar no festival da TV Excelsior, com "Boa Palavra", e melhor letra por "Um Dia", no festival da TV Record, ambos em 1966), só há pouco tempo Caetano começara a ser tornar mais conhecido do grande público, graças às suas participações no *Esta Noite se Improvisa*. Líder de audiência, esse programa da TV Record promovia divertidas competições de memória musical entre cantores e compositores. Com uma facilidade muito grande para lembrar, a partir de uma simples palavra, letras inteiras de velhas canções dos repertórios de Carmen Miranda ou Orlando Silva, Caetano era um dos campeões desse programa. Geralmente disputava as finais com outros craques dessa modalidade, como os compositores Chico Buarque de Hollanda e Carlos Imperial.

Em 67, já cultivando uma cabeleira rebelde, o jovem compositor baiano media o crescimento de sua popularidade pelos presentinhos que recebia da plateia do *Esta Noite se Improvisa*. Enquanto seus adversários ganhavam flores e bombons das fãs, Caetano recebia dezenas de pentes. Logo percebeu que o caminho do sucesso passava não só pelo visual, mas também pela polêmica, pelo escândalo. O que naquele momento podia ser traduzido em cabelões, roupas extravagantes, guitarras elétricas e uma poética mais antenada com as transformações dos anos 60.

Muito antes de compor "Alegria, Alegria", a canção que também inscreveu no festival da Record desse ano, Caetano andava com a cabeça fervilhando, com preocupações musicais próximas às de Gil. Enquanto este encontrou nos Beatles um modelo para universalizar mais sua música, Caetano tinha afinado melhor seus ouvidos para a Jovem Guarda, graças às dicas de Maria Bethânia, sua irmã. Em algumas canções da dupla Roberto & Erasmo Carlos, como "Querem Acabar Comigo" ou "Quero que Vá Tudo Pro Inferno", Caetano encontrou uma violência poética que, de certo modo, sentia faltar em suas letras. Esse ingrediente, misturado com elementos da música brasileira tradicional de um Vicente Celestino ou de um Silvio Caldas, ou até mesmo do bolero e do tango, poderiam resultar em uma fórmula explosiva, calculou Caetano. Ele e Gil encontraram ingredientes diferentes para chegarem juntos a uma mesma receita musical.

* * *

Foi quase um caso de amor à primeira audição. Mal os Mutantes acabaram de gravar "Domingo no Parque" com Gilberto Gil, para a série de três LPs que a gravadora Philips estava preparando com as 36 canções concorrentes do festival da Record, já receberam no próprio estúdio um convite para gravarem seu primeiro álbum.

Na verdade, o produtor Manoel Barenbein conhecia o trio vagamente, através das aparições no *Quadrado e Redondo*, da TV Bandeirantes. Mas ao dirigir as sessões de gravação de "Bom Dia" e "Domingo no Parque", no antigo Estúdio Scatena (localizado em um prédio da rua Paula Souza, no centro da cidade, onde também funcionava a Rádio Bandeirantes), Barenbein foi fisgado pelo que viu e ouviu. Percebeu logo que os Mutantes seriam capazes de fazer um rock com uma feição mais brasileira, totalmente diferente de tudo o que existia até aquele momento no país. Ao contrário do iê-iê-iê, o rock primário e ingênuo que se ouvia nas rádios e televisões, Barenbein vislumbrou nos Mutantes não só qualidade musical, mas também a possibilidade da música jovem brasileira se aproximar mais de uma configuração de vanguarda.

Com uma invejável experiência no mundo do disco para alguém com apenas 25 anos, até então Barenbein tinha convivido e trabalhado tanto com o pessoal da Bossa Nova, como com a turma da Jovem Guarda. Naquela época, um problema andava constantemente passando por sua cabeça: como introduzir na música popular brasileira uma abordagem mais universal? A resposta a essa questão não demorou muito. Foi só ouvir duas músicas classificadas para o festival da Record: "Alegria, Alegria" e "Domingo no Parque".

No dia seguinte à gravação no Scatena, o animado Barenbein apresentou uma proposta a Alain Troussat, presidente da Philips. Disse ao executivo francês que uma nova corrente da música popular brasileira estava sendo inaugurada pelos Mutantes, principalmente depois que eles tinham se associado a Gilberto Gil. A gravadora devia se antecipar e contratá-los para gravar o primeiro disco.

"Acho que é um produto que vai funcionar. Eles têm futuro", apostou.

"Se você acredita, o problema é seu. Contrate os garotos."

Fechar o contrato foi fácil. Dificuldade mesmo Barenbein tinha para convencer o revisor de textos da gravadora a grafar corretamente seu nome. Decidido a "corrigi-lo" de acordo com as regras da língua portuguesa, o idiossincrático funcionário transformou o nome do produtor em "Manuel Barembeim", grafia encontrada nos créditos do LP *Tropicália ou Panis et Circensis* e vários outros discos produzidos por Barenbein nos meses seguintes. O sujeito era tão absurdamente apegado às normas da língua-pátria que conseguiu provocar um enorme bate-boca na empresa: estava decidido a rebatizar a TV Record como "Recorde".

* * *

Numa das visitas ao Hotel Danúbio, os Mutantes também reencontraram Rogério Duprat, o maestro que tinham conhecido pessoalmente um ano antes, ainda na época do O'Seis. Duprat e o produtor Solano Ribeiro (o mesmo que dirigiu o *Pequeno Mundo de Ronnie Von*, no início) se aproximaram do conjunto com um projeto diferente: pretendiam adaptar a música sertaneja aos ritmos do rock. Chegaram a fazer algumas experiências esparsas com o sexteto, mas tanto pela imaturidade como pela própria falta de interesse dos garotos naquele gênero, a ideia não vingou. O que não impediu Duprat e Solano de ficarem com uma boa impressão do conjunto. Na primeira oportunidade, um ano depois, o maestro indicou os Mutantes a Gilberto Gil.

Duprat era o parceiro que Gil precisava para ajudá-lo a encontrar seu "som universal". Colega de Júlio Medaglia e Damiano Cozzela, em cursos que frequentaram na Europa, ministrados pelos compositores contemporâneos Pierre Boulez e Karlheinz Stockhausen, Duprat já tinha trabalhado com música eletrônica, música serial e música aleatória até desembocar nos *happenings* propostos por John Cage. Daí em diante, não restava quase nada a fazer, além do chamado *desbunde*. Para fugir do tédio da repetição, a solução desse grupo de músicos vanguardistas foi mudar de língua, aproximarem-se da música popular. Duprat não tinha nada contra a MPB, mas pessoalmente não se interessava por ela. Achava-a séria, porém antiga, *careta*. Só alguém mais antenado com tudo o que acontecia no planeta poderia transformá-la.

O encontro com Gil e os Mutantes também foi revigorante para o maestro. Duprat tinha retornado a São Paulo, há quase um ano, sem saber exatamente o que fazer de sua carreira. Como duzentos e tantos outros profissionais de ensino, ele abriu mão de seu cargo de professor na Universidade de Brasília, transformada em praça de guerra ao ser invadida pelo Exército. O maestro estava com 34 anos e sentia necessidade de se aproximar de algo novo, alguma coisa que reacendesse seu interesse pela música.

Logo que Júlio Medaglia o colocou em contato com Gil, ao mesmo tempo que apresentou Caetano Veloso aos maestros Damiano Cozzella e Sandino Hohagen, todos perceberam que tinham um objetivo comum: queriam, como se diria hoje, chutar o pau da barraca.

* * *

De repente, tudo começou a acontecer ao mesmo tempo. Os Mutantes já estavam se preparando para o festival da Record, quando foram convidados a participar de um filme. Walter Hugo Khouri, o diretor do polêmico *Noite Vazia*, queria o conjunto em seu novo longa-metragem, *As Amorosas*, com Paulo José, Lilian Lemmertz e Anecy Rocha nos papéis principais.

Khouri conhecera os Mutantes em uma festa, na qual os viu tocando e cantando. Fanático por jazz, na verdade o cineasta paulista não gostava de rock, ainda mais se fosse barulhento. Mas achou interessantes os arranjos vocais do trio, sem falar no visual diferente de Rita, que tocava uma flauta doce. Quando Khouri falou sobre eles a Rogério Duprat (seu primo, que já tinha assinado as trilhas sonoras de três de seus filmes), a escolha foi aprovada na hora.

Os Mutantes cantaram e tocaram em duas sequências do filme. Essas cenas foram rodadas no final de setembro de 67, na boate Ponto de Encontro — um reduto *underground* paulistano, frequentado principalmente por jovens, que funcionava no segundo andar da então moderninha Galeria Metrópole, na avenida São Luís, no centro da cidade.

Um dos *habitués* dessa boate, na vida real, era Toninho Peticov, o primeiro empresário do O'Seis. Acostumado a encontrá-lo em *points* de artistas, como o restaurante Gigetto, Khouri acabou convidando o rapaz a fazer uma pequena ponta no filme. Escolheu Peticov não exatamente por seus dotes teatrais, mas por uma questão de verossimilhança. O cineasta não conhecia ninguém mais parecido com um hippie da geração *flower power* do que ele. Com flores pintadas no rosto, Peticov aparece a caráter no filme. Chega até a oferecer uma flor a Paulo José.

Já a participação dos Mutantes cresceu durante as filmagens. Impressionado com a beleza europeia de Rita, Khouri decidiu incluir dois longos closes da loirinha (que graças a aplicações de cebola e banhos de sol alterava o tom quase ruivo de seus cabelos). O cineasta insinuou também um flerte rápido entre ela e Paulo José, que não fazia parte do *script* original.

Quanto à música, Khouri queria algo diferente de seus trabalhos anteriores, dominados pelo jazz e pela bossa nova. Às vésperas da filmagem com os Mutantes, ele mesmo adaptou um poema de D. H. Lawrence. E com a ajuda de Duprat, transformou-o na canção "Misteriosas Rosas Brancas", que recebeu uma introdução de flauta doce, tocada por Rita. Outro número apresentado pelo trio, também rabiscado à última hora

Close-up: a beleza europeia da mutante impressionou o cineasta Walter Hugo Khouri, durante as filmagens de *As Amorosas*, à direita, fotogramas do filme.

Luz, câmera, ação: Paulo José e Anecy Rocha (de costas), com o trio ao fundo.

por Khouri e Duprat, foi "O Tigre do Inferno", um iê-iê-iê dissonante, com vocais bem agudos. Até mesmo a música incidental do filme, composta e orquestrada por Duprat, contou com boas doses de improvisação dos Mutantes, incluindo também o violoncelo do maestro e *woodblocks* (um instrumento de percussão) tocados pelo próprio Khouri.

No entanto, o que seria a estreia oficial dos Mutantes, em um trabalho profissional voltado para o público mais adulto, demorou muito a chegar aos cinemas. O filme de Khouri só entrou em cartaz um ano depois, época em que o trio já tinha deixado de ser apenas um promissor conjunto adolescente, para integrar a linha de frente da nova música popular brasileira.

* * *

Raphael ficou em dúvida. Quando Arnaldo o convidou mais uma vez a se juntar ao trio, especialmente para tocar "Domingo no Parque" na eliminatória do festival da Record, não respondeu sim nem não. Prometeu apenas que iria assistir ao ensaio dos três amigos com Gilberto Gil.

Não era exatamente uma esnobada. Passado o impacto da separação forçada do O'Seis, Raphael tocou durante um mês com Os Baobás, um conjunto de rock que também frequentava o programa de Ronnie Von. Mas logo veio a tentadora proposta de tocar com Os Tremendões, o conjunto acompanhante de Erasmo Carlos. Era a possibilidade de ganhar um dinheiro seguro e bem razoável todo fim de mês. Raphael acabou virando um tremendão. Assim, quando os Mutantes o chamaram de novo, Raphael até chegou a pensar que, musicalmente, a troca poderia ser interessante. Mas logo lembrou dos gordos NCr$ 1.200 fixos que recebia para tocar apenas três vezes por semana com Erasmo, enquanto seu amigo Régis ganhava NCr$ 800, dando duro como engenheiro *trainee* na Ford. Mais uma vez, os Tremendões venceram a parada.

"Acho que não vai dar. Sabe como é, agora eu tô com o Erasmo."

Raphael jamais acreditaria que os Mutantes iriam estourar na noite seguinte. Depois desse episódio, os velhos amigos até o convidaram mais uma vez, só que para tocar com eles como baixista contratado — convite educadamente recusado. Era tarde demais: Raphael perdera no último minuto a chance de ter se tornado mutante.

Depois dos Tremendões, Raphael ainda voltou a tocar com outra antiga parceira dos Six Sided Rockers: Suely Chagas, que retornou dos EUA, em 68. Juntos, formaram o conjunto Os Kanticus, que também incluía a guitarra do talentoso Lanny Gordin. Com sua voz privilegiada,

Os Tremendões: Raphael (segundo à esquerda) esnobou os Mutantes para acompanhar Erasmo Carlos, em 1967.

Os Kanticus: Raphael, com a Guitarra de Ouro (segundo à esquerda), e Suely, ex-Six Sided Rockers, no conjunto que já destacava o guitarrista Lanny Gordin (terceiro à esquerda).

Suely chegou a abrir shows dos Mutantes, lançando-se como cantora. Também participou de programas da TV Record e shows-desfiles promovidos pela Rhodia, mas acabou se desencantando com a carreira artística. Decidiu entrar na faculdade e se tornou dentista. Azar da MPB, que ficou sem uma bela voz.

* * *

Antes mesmo de sua noite de abertura, o 3° Festival da Música Popular Brasileira já vinha causando uma grande expectativa, tanto nos meios de comunicação, como entre os próprios músicos. A edição anterior revelara canções de alto nível, como "A Banda" (de Chico Buarque) e "Disparada" (de Geraldo Vandré e Théo de Barros), que terminaram o evento empatadas em primeiro lugar, além de "Ensaio Geral" (de Gilberto Gil, o quinto colocado) e "Um Dia." (de Caetano Veloso). Um ano depois, mais antenada com as transformações do mundo, a música brasileira começava a expressar uma atmosfera geral de polêmica, de mudança.

No dia da esperada eliminatória, 6 de outubro, uma sexta-feira, Rita estava tão excitada que quase trocou o palco do Teatro Record-Centro por uma maca no Hospital das Clínicas. Distraída, pensando nas roupas que os três iam usar à noite, escorregou na escada de casa e levou um tombo cinematográfico. Felizmente, só torceu a mão. Não teve outro jeito: à noite, foi obrigada a tocar seus pratos de metal com o punho enfaixado.

Já no ensaio da tarde podia-se sentir um clima bastante carregado entre os músicos e a equipe de produção do festival. Gil avisara os Mutantes que poderiam passar por momentos difíceis. Tinha quase certeza de que seriam vaiados quando entrassem no palco com o baixo e a guitarra elétrica — verdadeiro insulto para os puristas e nacionalistas. Além do mais, Gil e os Mutantes eram os primeiros a cometerem essa afronta em um festival de música popular brasileira. Caetano Veloso, que também seria acompanhado por um conjunto de rock, os argentinos Beat Boys, só foi escalado para a eliminatória seguinte.

O que Gil não disse aos Mutantes, para que eles não ficassem assustados, é que realmente estava com medo da apresentação. No dia da eliminatória, chegou mesmo a pensar em desistir. O festival já tinha começado a ser transmitido pela TV, direto do Teatro Record, quando Caetano encontrou o amigo enrolado em um cobertor, tremendo como se estivesse em estado febril, no seu quarto do Hotel Danúbio. Caetano teve que arrancá-lo da cama, com uma injeção de coragem.

Não era exatamente medo de uma reação negativa do público ou dos outros músicos, como já acontecera com o Quarteto Novo. Ao contrário de Caetano, que naquela época não gostava de ler jornais, Gil acompanhava atentamente a situação do país. Até por travar mais contato com gente da esquerda, Gil tinha mais consciência de que a conjuntura política brasileira era bastante explosiva. De certo modo, pressentiu que o tipo de provocação que ele e Caetano estavam preparando, ainda que apenas estética, poderia trazer consequências perigosas.

Já nessa noite, os Mutantes esboçaram o que logo se transformou em uma das marcas registradas do trio: o visual extravagante. Rita usou um vestido estampado e bem largo, que deixava seus joelhos à vista. Serginho trazia uma grande e esquisita capa preta sobre a roupa. Mais discreto, ainda com um bigodinho ralo de adolescente, Arnaldo vestia um paletó esporte, acompanhado da devida gravata — nada a ver com os *smokings* que a grande maioria dos artistas costumava usar nessas ocasiões.

Apesar das vaias que receberam da chamada *linha dura* da plateia, instalada no fundo da galeria do teatro, Gil e os Mutantes sorriram mais aliviados quando os aplausos sufocaram o barulho dos descontentes. Para compensar a rejeição às guitarras dos garotos, também estava no palco o brasileiríssimo berimbau do percussionista Dirceu. Sem esquecer todo o carisma popular de Gil, que encerrou o número abrindo os braços num gesto eufórico, tipicamente festivaleiro. Mais uma vez, as palmas superaram as vaias. A primeira batalha estava vencida.

Nos bastidores, o assunto era um só: a vaia. "Este festival de esquerda festiva vai atrasar a música brasileira dez anos", reclamava Carlos Imperial, compositor da marcha-rancho "Uma Dúzia de Rosas", recebida com uma vaia maior ainda que a dedicada a Gil e Mutantes, tão logo o nome de seu autor foi anunciado. Ronnie Von, intérprete dessa música, mal conseguiu se ouvir por causa do barulho. Outro "premiado" foi Jair Rodrigues, que precisou da intervenção do apresentador Blota Jr. para poder começar a cantar, tamanha a vaia ouvida ao ser anunciada a classificação de "Samba de Maria" (de Vinicius de Moraes e Francis Hime).

"'Combatente'! 'Combatente'! 'Combatente'!"

A galeria berrava, exigindo a canção de Walter Santos que Jair também defendera na eliminatória anterior, mas fora desclassificada pelo júri. O popular cantor, parceiro de Elis Regina, ficou perplexo com a primeira vaia de sua carreira.

Na terceira e última eliminatória, dia 14, a situação não foi diferente. A vaia inicial que Caetano Veloso recebeu por sua "Alegria, Alegria" também foi maior que as dirigidas a "Domingo no Parque". Bastou a apresentadora Sonia Ribeiro anunciar os cabeludos Beat Boys, os apupos começaram. Esperto, Caetano nem esperou que seu nome fosse anunciado. Já entrou no palco com cara de fera, num ágil contra-ataque à ala *linha dura* da plateia. Deu certo. As vaias diminuíram e a canção acabou agradando a maioria do público, apesar das guitarras elétricas e dos cabelões.

* * *

Se as eliminatórias já tinham sido quentes, a temperatura ferveu na noite de 21 de outubro de 67, data escolhida para a finalíssima do festival. Até o instante em que as cortinas do Teatro Record-Centro se abriram, às 21h45, as previsões da imprensa tendiam a apontar "Domingo no Parque", "Alegria, Alegria" e "Ponteio" (de Edu Lobo e Capinan) entre as primeiras colocadas. Por fora, corria "Gabriela" (de Maranhão), uma das favoritas do público.

"Domingo no Parque" foi a quarta canção apresentada, logo depois de Caetano e os Beat Boys terem arrancado gritos de "já ganhou", com "Alegria, Alegria". Dessa vez Rita surgiu com um vestidinho azul, que mais uma vez deixava de fora seus joelhos. A novidade era um pequeno coração que ela havia desenhado na bochecha esquerda (curtição hippie que, na semana seguinte, já tinha virado moda entre as jovens mais ligadas, depois de render comentários e reportagens em revistas). Já os Baptista, numa evidente gozação, trocaram de roupa: Arnaldo trazia sobre a roupa a mesma capa esquisita que o irmão usara na eliminatória; Sérgio, com um sóbrio paletó e gravata, não precisou de mais nada além de sua guitarra para provocar os *quadrados* nacionalistas. Gil e os Mutantes encontraram uma plateia mais dividida. Uma boa parte aplaudiu, mas outra vaiou com vontade. Porém, mais confiantes do que na eliminatória, enfrentando as vaias com sorrisos, os quatro conseguiram conquistar a maioria do público. Ainda mais quando o cantor levantou novamente os braços, vitorioso, no final da música. Saíram bastante aplaudidos, vendo cartazes de apoio a Gil serem levantados no fundo do teatro.

Porém, o clímax da noite acabou acontecendo durante a apresentação de Sérgio Ricardo. Mal foi anunciado o nome do autor e intérprete de "Beto Bom de Bola", as vaias voltaram com força. Nem a intervenção do apresentador Blota Jr., muito menos os pedidos de "calma" do compositor, serviram para diminuir o barulho. "Eu não canto debaixo de vaia", ameaçou Sérgio Ricardo, mas foi obrigado a introduzir a canção com as vaias bastante audíveis. No meio do número, ainda parou a música e tentou dialogar com a plateia, sem sucesso. Até que sua indignação explodiu da maneira mais inesperada: "Vocês ganharam! Isso é o Brasil subdesenvolvido! Vocês são uns animais!", gritou no microfone.

Vermelho de raiva, o cantor espatifou seu violão contra um banquinho de madeira e, para desespero de Blota Jr., que ainda tentou impedi-lo, atirou o instrumento na plateia, antes de sair do palco. Um ato de revolta, que deixou público, músicos e a produção do evento variando entre a perplexidade e o escândalo. Por pouco o festival não terminou ali mesmo. Porém, após a desclassificação de Sérgio Ricardo (decidida, sem consulta ao júri por Paulinho Machado de Carvalho, diretor da TV Record), a entrada de Edu Lobo e Marília Medalha, para cantarem a vibrante "Ponteio", amenizou um pouco os ânimos, com a plateia aplaudindo bastante a dupla.

Isso não impediu que as vaias voltassem mais fortes ainda durante a apresentação das canções vencedoras. Uma das favoritas nas prévias, "Alegria, Alegria", de Caetano, ficou apenas com o quarto lugar. O terceiro prêmio foi para Chico Buarque de Hollanda e sua "Roda Viva". Quem levou a Viola de Ouro e o Sabiá de Ouro foi mesmo Edu Lobo, com "Ponteio".

Quase sufocado pelos beijos de Nana Caymmi, Gil retornou ao palco empurrado por alguém da produção, para cantar novamente com os Mutantes. Eleita segunda colocada, "Domingo no Parque" ganhou o troféu Sabiá de Prata mais um prêmio de NCr$ 16.000. Nada mau, sem contar a boa surpresa que o compositor teve ao se aproximar do microfone:

"O Rogério? É o melhor arranjo? Vocês deram?"

Gil tentava entender o que os membros do júri, instalados no fosso à frente do palco, estavam lhe dizendo. Mas a vaia era tão forte que o compositor nem conseguiu anunciar que Rogério Duprat havia ganho o prêmio de melhor arranjo, categoria criada minutos antes pelos jurados. Depois de algumas tentativas, a voz do compositor foi encoberta pela orquestra, que atacou a introdução da música por ordem do maestro. A vaia seguiu furiosa durante toda a canção, mas Gil e os Mutantes, eufóricos com o resultado, nem deram bola aos esquerdistas e conservadores que se uniram na reação barulhenta.

Naquela noite ofuscada parcialmente por um violão quebrado, em meio a um festival de vaias, as guitarras elétricas dos futuros tropicalistas deixaram o impacto e as primeiras marcas oficiais de sua novidade.

Encontro tropicalista: com Gal Costa, Tom Zé, Guilherme Araújo
(abraçando Rita) e Gilberto Gil.

8.
TRÊS ROQUEIROS TROPICALISTAS

No início de 68, o apartamento 212 do Hotel Danúbio já tinha se transformado em um laboratório do que veio a ser a ala musical do Tropicalismo. Era ali que Gilberto Gil e Caetano Veloso costumavam se encontrar quase todas as tardes, junto com o poeta Torquato Neto, o compositor e cantor Tom Zé, a cantora Gal Costa (que ainda era chamada pelos amigos de Gracinha), o maestro Rogério Duprat, os Mutantes e os Beat Boys, entre outros eventuais adeptos e simpatizantes do grupo. Espalhados pelo sofá, ou sentados no chão em volta de uma mesinha retangular, uns mostravam aos outros suas últimas canções, tocavam, cantavam, ofereciam e recebiam palpites, discutiam e planejavam seus próximos passos musicais.

Gil e Caetano perceberam logo que a contribuição dos Mutantes em "Domingo no Parque" não fora a de um mero conjunto acompanhante. O trio trazia informações novas, que interferiram diretamente no futuro grupo tropicalista. Rita, Arnaldo e Serginho tinham um jeito diferente de se vestir, de falar e de se comportar. Pareciam jovens ingleses da geração Beatles. Essa era uma diferença básica: ao contrário dos baianos, que olhavam o universo do rock de fora, os Mutantes passavam a impressão de viverem dentro daquele mundo. Um universo que os competentes Beat Boys também conheciam muito bem, mas sem o carisma dos Mutantes.

Arnaldo, que possuía uma ambição intelectual maior, sentia mais o desnível cultural do trio em relação aos baianos. Os Mutantes não tinham lido os mesmos livros que eles, não receberam uma formação cultural tão ampla, além de serem mais jovens — Rita e Arnaldo tinham seis anos a menos que Gil e Caetano. Dos três, só Rita chegara à universidade. Começou a frequentar o curso de Comunicações da Universidade de São Paulo (na mesma classe da futura atriz Regina Duarte), mas o abandonou para se dedicar mais ao conjunto. Pela mesma razão, Arnaldo só cursou o colégio do Mackenzie até o segundo ano do clássico; Serginho desistiu ainda no ginásio.

Para Gil e Caetano, porém, esses detalhes não chegavam a incomodar. Ao contrário, a vivacidade adolescente e a alegria iconoclasta dos

Mutantes, invariavelmente com milhares de ideias nas cabeças, provocavam, incitavam os baianos. Tudo podia ser motivo de blague, de piada, de gozação. Os garotos traziam um modo debochado de fazer humor, muito diferente da atitude mais compenetrada dos músicos da bossa nova e da chamada MPB. Os três também mandavam às favas o conceito tradicional de elegância, até então apoiado no paletó, camisa, calça e sapato, ou mesmo no *smoking*, quase um uniforme nos programas e festivais de música da TV. Para os Mutantes tudo era válido: usar gravata com tênis e calça de veludo até as mais bizarras fantasias e adereços.

Gil, que ainda vivia atormentado pelas reações negativas dos colegas da área musical a seu novo trabalho, aprendeu com Serginho algo muito importante. Aos 16 anos, naquela época, o garotão tocava tudo o que lhe desse na cabeça: Mozart, Beatles, Bach ou Rolling Stones, sem dar a mínima atenção ao que os outros músicos iriam pensar. O que importava era o seu prazer de tocar ou cantar. No fundo, era com essa liberdade que Gil sonhava. Queria afugentar de vez o fantasma de sua aceitação pelos mestres e colegas da música. Obviamente, os Mutantes também aprenderam muito durante a convivência quase diária com os baianos. Cantar em português, algo que os garotos raramente faziam, foi só a primeira das várias lições.

Numa das tardes passadas no Hotel Danúbio, em meio a um descontraído bate-papo sobre poesia, os três mutantes foram informados pela primeira vez da existência de dois estranhos seres literários: a onomatopeia (palavra cuja pronúncia imita o som natural da coisa que significa) e a aliteração (a repetição de um mesmo som em diversas palavras de uma ou mais frases).

"Como é que é isso? Bacana, hein? Ah, então vâmo fazê também!"

Animados com a descoberta, Arnaldo e Serginho pediram ao pai que os ajudasse a adaptar para o português a letra de "Once Was a Time I Thought" (de John Phillips), canção do repertório dos Mamas and Papas. Embora não creditado, o também poeta doutor César foi o verdadeiro responsável pela sonora e burilada versão da música, batizada como "Tempo no Tempo" e que veio a ser incluída no primeiro LP dos Mutantes. O resultado foi um soturno festival de aliterações:

> *Há sempre um tempo no tempo / Que o corpo do homem apodrece / Sua alma cansada penada se afunda no chão / E o bruxo do luxo baixado o capucho / Chorando no nicho capacho do lixo / Caprichos não mais voltarão* (...)

* * *

Manoel Barenbein ficou um tanto perplexo ao ver Rita Lee entrar no estúdio, trazendo na mão uma bomba de Flit (um inseticida muito popular na época, que era usado com um vaporizador primitivo, pré-embalagem aerosol). Durante alguns minutos, o produtor da Philips até conseguiu fingir que tudo corria normal. Stélio Carlini, o técnico de som, já estava completando os preparativos para iniciar a gravação de "Le Premier Bonheur du Jour", quando Barenbein viu aquele objeto bizarro sendo colocado junto com os instrumentos do conjunto. O produtor não conseguiu segurar mais a curiosidade e quis saber o que eles pretendiam com aquela geringonça.

Muito simples: a ideia dos Mutantes era usar o ruído da bomba para substituir o som do chimbau da bateria, durante a gravação. O maestro Rogério Duprat não só adorou a proposta, como sugeriu encher a bomba com água, em vez de usá-la vazia, porque dessa forma o som podia ficar mais encorpado. Acabaram descobrindo que a água também alterava a sonoridade do inusitado instrumento — o som ideal era mesmo produzido com a bomba cheia de inseticida. Difícil foi ficar no estúdio após a sessão de dedetização sonora.

Essa foi só a primeira de uma série de aparentes maluquices que viraram hábito sempre que os Mutantes entravam em um estúdio. Mal começou a gravar o primeiro disco do trio, Barenbein teve certeza de que acertara totalmente ao apostar no talento dos garotos. Atrás da imagem daqueles adolescentes brincalhões, o produtor encontrou um grupo equilibrado e bastante profissional, que se divertia desafiando os clichês e as regras estabelecidas na música.

A descontração no estúdio costumava ser total. Para a gravação de "Panis et Circensis" (a composição de Gilberto Gil e Caetano Veloso, que abre o disco e também foi incluída no álbum-manifesto *Tropicália ou Panis et Circensis*), todo o pessoal do estúdio foi convocado para simular a ambientação do jantar que encerra a faixa. É a voz do próprio Barenbein que aparece pedindo pão e salada entre ruídos de talheres, pratos e copos, com a cafona valsa "Danúbio Azul" de fundo musical. Já durante a gravação de "Pega a Voga, Cabeludo" (a divertida embolada roqueira que fez parte do segundo LP de Gil, também gravado nessa época com a participação dos Mutantes), Barenbein foi transformado em alvo das gozações da turma:

"Manoel, me dá um Kri-Kri", alfinetou Rita, num trocadilho es-

Superman: o maestro Rogério Duprat, super-herói dos arranjos tropicalistas.

Em estúdio: a liberdade de criação era total durante as primeiras gravações do trio.

pontâneo com o nome de um chocolate e a atitude sempre exigente do produtor.

Foi a deixa para que Gil inventasse um refrão, logo acoplado à melodia de "Pobre Menina" (o sucesso de Leno e Lilian, uma ingênua dupla do elenco do programa *Jovem Guarda*):

"Ê Manoel, para de encher", brincou o baiano, parodiando uma frase que Barenbein costumava usar quando alguém exagerava nas gozações ou nas brincadeiras.

Curtições bem-humoradas como essas não eram nada comuns naquele tempo, nos meios da geralmente sisuda música popular brasileira. Essa atitude irreverente conquistou logo Duprat, que com toda sua experiência acumulada na área da música contemporânea, ou mesmo organizando *happenings* à John Cage, ajudava a coordenar e realizar as divertidas ideias dos garotos.

Lançado no final de junho de 68, *Os Mutantes*, primeiro LP do trio, era recheado de curtições musicais e extramusicais. A começar da vinheta com o prefixo do popular jornal radiofônico *Repórter Esso*, que abre o disco. Em "Ave Gengis Khan", o doutor César Baptista parece estar cantando em russo, já que a fita gravada com seus vocais foi reproduzida de trás para a frente. Em "Panis et Circensis", o som da gravação vai sendo distorcido até sumir por alguns segundos, dando a impressão ao ouvinte de que seu toca-discos parou. A intenção dos garotos era a de que alguma vítima mais ingênua chegasse a tentar ligar seu aparelho de novo. Um *happening* com gosto de molecagem.

Apesar de não constar dos créditos do álbum, na faixa "A Minha Menina" foi o próprio Jorge Ben (Jor), autor da canção, que tocou violão, cantou e imitou Chacrinha, o apresentador de TV e ídolo dos tropicalistas:

"Tosse! Todo mundo tossindo!"

Por pouco os Mutantes não ficaram sem essa música no disco. Depois de ouvir várias desculpas, já na véspera da gravação, os três foram cedinho ao apartamento do Bidu, na praça da República, para cobrar a prometida canção. Ainda sonolento, o compositor deixou no quarto uma de suas várias musas daquela época e foi receber a turminha na sala. Folheando o jornal, Jorge parou de repente, olhou para os garotos como se tivesse uma lâmpada acesa sobre a cabeça e soltou o mote:

"Ela é minha menina... e eu sou o menino dela..."

Em poucos minutos, ali mesmo nasceu um dos inúmeros sucessos da carreira do Bidu.

Já na faixa "Bat Macumba", aparece o dedo inventivo do irmão Cláudio César, que criou um impressionante efeito para a guitarra de Serginho. Era uma engenhoca digna do apelido "Professor Pardal": Cláudio acoplou um potenciômetro sem trava a um motorzinho de máquina de costura, cujo ronco era transformado em som através de um capacitor, gerando harmônicos e *overtones* estranhos. O inventor fez questão de batizar ele mesmo sua criatura sonora. Chamou-a de Inferno Verde.

Por essas e outras maluquices musicais, que eram experimentadas às gargalhadas nos estúdios, Duprat e os Mutantes não se largaram mais. A irreverente parceria continuou no LP *A Banda Tropicalista do Duprat*, que chegou às lojas pouco depois do álbum do trio, em agosto de 68. O maestro gravou esse disco meio a contragosto, pressionado pela Philips, para aproveitar a onda da nascente Tropicália. Era um trabalho de música popular orquestral, gênero que, nas raras vezes que foi praticado no país, ficou relegado ao ostracismo — esse álbum, por sinal, nunca mais foi relançado desde então.

Os Mutantes participaram em três faixas, colaborando também com ideias nos arranjos. Rita, a mais interessada pela música brasileira, sentiu um gostinho muito especial em gravar as divertidas "Canção Pra Inglês Ver" (de Lamartine Babo) e "Chiquita Bacana" (de João de Barro e Alberto Ribeiro), reunidas em um medley.

Por seu lado, os irmãos Baptista homenagearam seu conjunto favorito, recriando "Lady Madonna" (de Lennon & McCartney) em uma versão que não tinha nada de papel carbono. O trio gravou ainda "The Rain, The Park and Other Things", sucesso do grupo familiar The Cowsills, que inspirou a série de TV *The Partridge Family*.

Nessa época, Duprat já frequentava com regularidade a casa dos irmãos Baptista, assim como o trio também ia bastante à sua residência, no bairro de Vila Olimpia, na zona sul. Meio cansado de toda sua erudição, naquele momento Duprat queria mesmo brincar com apenas dois ou três acordes, fazendo uma música mais simples em termos de harmonia, mas ainda experimental e muito bem-humorada. Dinheiro era a última de suas preocupações. O maestro chegou mesmo a participar de trabalhos sem ganhar nem um centavo, só pelo gosto de fazer música com os Mutantes. A cada nova experiência conjunta, ele podia sentir a rápida evolução dos garotos. Essa foi uma das últimas oportunidades em sua carreira que Duprat pôde fazer o que realmente gostava.

* * *

Estreia promissora: o cartaz de divulgação do primeiro LP do trio, *Os Mutantes*, lançado em 1968.

Arnaldo e Sérgio nem desconfiaram na época, mas receberam uma secreta mãozinha do pai para aumentar as vendas de seus discos e divulgar mais a imagem dos Mutantes. Numa tarde, Tibério, um dos garotos da vizinhança que viviam na oficina de Cláudio, foi chamado num canto pelo doutor César. Pedindo segredo absoluto, o dono da casa fez ao garoto uma proposta um tanto esquisita:

"Está vendo este dinheiro, Tibério? É para você e seus amiguinhos comerem na lanchonete, desde que vocês me façam um favorzinho. Com este outro dinheiro, vocês vão sair por aí, entrando nas lojas e comprando discos dos meninos", explicou.

Animado com à possibilidade de comer um hambúrguer e tomar uma Coca-Cola na Dólar Furado, a lanchonete do bairro que quase não frequentava por simples falta de dinheiro, Tibério não pensou duas vezes. Ele e Bororó foram na hora a várias lojas da região e voltaram carregados de discos — entregues ao doutor César e depois escondidos no porão da casa.

Nas semanas seguintes, os dois garotos ganharam mais dinheiro para repetir a tarefa. Passaram também a comprar revistas e jornais com reportagens sobre o conjunto, que eram escondidos junto com os discos. Quando não os encontravam, em algumas lojas e bancas, faziam a encomenda e voltavam dias depois para buscar os produtos. O doutor César encontrou uma forma esperta — e nada ortodoxa — de chamar a atenção dos lojistas para os Mutantes. Era um marketeiro *avant la lettre.*

* * *

O bate-papo estava especialmente animado naquela noite. Sentados em uma das mesas do restaurante Alpino, no Jardim de Alah, rindo e falando quase aos gritos, o jornalista Nelson Motta, o produtor de cinema Luís Carlos Barreto e os cineastas Glauber Rocha, Gustavo Dahl, Cacá Diegues e Arnaldo Jabor divertiam-se imaginando uma grande festa. Planejavam um alucinado banquete à Oswald de Andrade, no qual seriam devoradas "antropofagicamente", é claro, as manifestações artísticas que melhor representavam o "delírio brasileiro" naquele momento.

Até que foi fácil preparar o cardápio de um festim cultural tão extravagante. Os colegas de copo e papo não precisaram discutir muito para elegerem *O Rei da Vela* (a peça de Oswald, montada pelo Teatro Oficina), *Terra em Transe* (o filme de Glauber) e as novas canções de Caetano Veloso, Gilberto Gil e seus parceiros. Definida a seleção, surgiu uma polêmica: o que todas aquelas manifestações tinham em comum? Só poderia ser o "tropicalismo"...

Naquela mesma semana, em sua coluna no jornal carioca *Última Hora*, Nelson Motta lançou o termo que logo se alastrou pela imprensa, pelas rádios e televisões, denominando enfim a mais nova corrente da música popular brasileira. O rótulo realmente colou. Poucos dias depois da publicação do artigo de Nelson, Torquato Neto escreveu um irônico manifesto do anunciado movimento, intitulado *Tropicalismo para Principiantes*:

"... Tropicalismo. O que é? Assumir completamente tudo o que a vida dos trópicos pode dar, sem preconceitos de ordem estética, sem cogitar de cafonice ou mau gosto, apenas vivendo a tropicalidade e o novo universo que ela encerra, ainda desconhecido. Eis o que é", definia Torquato. E, mais adiante, perguntava: "Como adorar Godard e *Pierrot le Fou* e não aceitar 'Superbacana'? Como achar Fellini genial e não gostar do Zé do Caixão?".

O movimento estava oficialmente lançado. Pouco depois, em uma entrevista a Augusto de Campos (publicada no livro *Balanço da Bossa*), Caetano dava sua definição pessoal da nova tendência:

"Que é o Tropicalismo? Um movimento musical ou um comportamento vital, ou ambos?", perguntou o poeta concretista.

"Ambos", respondeu Caetano. "E mais ainda: uma moda. Acho bacana tomar isso que a gente está querendo fazer como Tropicalismo. Topar esse nome e andar um pouco com ele. Acho bacana. O Tropicalismo é um neo-Antropofagismo."

Inicialmente, tanto Caetano como Gil não tinham a pretensão de organizar um movimento estético. Os dois estavam ansiosos, antes de tudo, por encontrar uma abertura para a música popular brasileira, que naquele momento parecia ter esquecido uma das lições mais importantes da bossa nova: a compreensão de que a música produzida no país sempre contou com elementos da música internacional.

Quando os baianos exibiram as novidades de "Domingo no Parque" e "Alegria, Alegria", no ano anterior, a xenofobia e o regionalismo exacerbado já vinham se fortalecendo no cenário musical brasileiro. O samba de morro, a música nordestina e sertaneja, ou mesmo as canções de protesto, eram defendidos pela corrente mais nacionalista como gêneros "genuínos", como a música brasileira "pura". Paralelamente à MPB de altíssima qualidade produzida por compositores como Chico Buarque e Edu Lobo, aprofundava-se a radicalização dos adeptos da canção de protesto, como Geraldo Vandré, que rechaçavam qualquer influência estrangeira na música brasileira.

Apesar do tom "oswaldiano" de sua definição de tropicalismo, pelo menos inicialmente Caetano não foi influenciado pela antropofagia modernista. Uma semana antes de assistir à montagem de *O Rei da Vela*, seu primeiro contato com a obra de Oswald de Andrade, já tinha composto a canção-manifesto do futuro movimento, batizada de "Tropicália" (título emprestado de um projeto ambiental do artista plástico Hélio Oiticica, exposto no Museu de Arte Moderna do Rio, em abril de 1967):

> *Sobre a cabeça os aviões / Sob os meus pés os caminhões / Aponta contra os chapadões / Meu nariz / Eu organizo o movimento / Eu oriento o carnaval / Eu inauguro o monumento / No planalto central do país / Viva a bossa-sa-sa / Viva a palhoça-ça-ça-ça-ça!* (...)

Logo depois de assistir à peça, Caetano ganhou de presente de Augusto de Campos uma antologia de poemas e textos do escritor modernista. Se já ficara bastante impressionado com o espetáculo de Zé Celso Martinez Corrêa (que na época também reconhecia ter sido "violentamente influenciado" por *Terra em Transe*, de Glauber), Caetano tomou um susto ao ler o livro. Encontrou ali uma forma de violência poética bem próxima da que estava tentando alcançar em suas novas canções.

Junto com o deboche e a irreverência de Oswald, Caetano identificou também um exemplo de como enfrentar a estagnação e a seriedade que tinham se instalado em certos setores da música popular brasileira. A bossa nova se institucionalizara e já era tempo de procurar algo que permitisse à música brasileira respirar novamente ares de liberdade. Estava na hora de criar "uma linguagem mais cruel, mais realista em relação ao homem", concordava Gilberto Gil.

Da teoria eles passaram rapidamente à pratica. Nada melhor para apresentar e divulgar o novo movimento do que um disco-manifesto. Em maio de 68, o estado-maior tropicalista entrou no estúdio RGE para a gravação do LP *Tropicália ou Panis et Circensis*. Como já acontecera com os discos individuais de Caetano, Gil e Mutantes gravados nessa época, a produção ficou novamente a cargo de Manoel Barenbein, representante das ideias tropicalistas na cúpula da Philips.

A capa do álbum já dizia quase tudo. Parodiando a pose fotográfica de uma "respeitável" família brasileira, os tropicalistas aparecem unidos no jardim de inverno de uma mansão, decorada por plantas tropicais. Gil e Caetano mostram os retratos emoldurados de Capinan e Nara Leão; os Mutantes empunham suas guitarras elétricas; Tom Zé carrega uma valise de couro; Duprat segura um urinol como se fosse uma xícara de chá.

No disco, aplicado às 12 faixas, surgia o projeto poético-musical da Tropicália. A cafonice (estética do mau gosto) e os ritmos musicais nativos eram fundidos ao que havia de mais avançado e moderno na arte da época, como a música pop, a poesia concreta e o *happening*. Apesar de "Tropicália" (a canção de Caetano) não fazer parte desse álbum, não faltou uma eufórica canção-manifesto:

"*Um poeta desfolha a bandeira / e a manhã tropical se inicia / resplandente candente fagueira / num calor girassol com alegria / na geleia geral brasileira / que o Jornal do Brasil anuncia*", festejava "Geleia Geral" (de Gil e Torquato Neto), com sua mistura de baião e rock. Essa faixa desenhava um retrato alegórico do país, que prosseguia em "Parque Industrial" (de Tom Zé). "*Retocai o céu de anil / bandeirolas no cordão / grande festa em toda a nação / despertai com orações / o avanço industrial / vem trazer nossa redenção*", ironizava a letra.

A linguagem "mais cruel e realista" perseguida por Gil e Caetano também concretizou-se com perfeição na parceria de "Lindoneia". O ritmo dolente de bolero e a voz delicada de Nara Leão contrasta com as imagens violentas da letra: "*Despedaçados atropelados / cachorros mortos nas ruas / policiais vigiando / o sol batendo nas frutas / sangrando*". Mais forte ainda é o efeito de "Coração Materno", a antiga canção-dramalhão de Vicente Celestino, que recebe uma releitura cool e distanciada de Caetano, contrastada pelo tom melodramático do arranjo orquestral de Rogério Duprat.

Sempre aberto às sugestões dos músicos participantes, o trabalho de Duprat foi fundamental. Em seus arranjos, o maestro usou efeitos sonoros (tiros de canhão, em "Miserere Nobis"; sirenes, em "Mamãe Coragem") e citações inusitadas (*O Guarani*, de Carlos Gomes, em "Geleia Geral"; o Hino Nacional, em "Parque Industrial"; o hino da Internacional Comunista, em "Enquanto Seu Lobo Não Vem"), que criaram um irreverente contraponto às letras e melodias das canções do disco.

Além de aparecerem sozinhos na canção "Panis et Circensis", os Mutantes colaboraram em outras quatro faixas do disco-manifesto: "Miserere Nobis" (de Gil e Capinan), "Parque Industrial", "Bat Macumba" (de Gil e Caetano) e "Hino ao Senhor do Bonfim da Bahia" (de João Antonio Wanderley).

A essa altura, depois de terem participado dos discos de Gil, Caetano e Duprat, o conjunto funcionava como uma espécie de espinha dorsal do grupo tropicalista, convocado com frequência por seus adeptos a acompanhá-los em shows e programas de TV. Principalmente Duprat, Gil e Caetano sabiam muito bem quanto o intercâmbio musical que estabeleceram com os Mutantes era valioso para todos. Não foi à toa que o LP *Caetano Veloso*, lançado no início daquele ano, terminava com um elogio escancarado, pronunciado pelo próprio autor:

"Os Mutantes são demais!"

Arnaldo, Rita e Sérgio perceberam logo que tropicalismo era apenas um rótulo, usado momentaneamente para englobar várias personalidades e tendências musicais. Além da confusão dos festivais e das aparições em programas de TV e shows, o que os interessava era a possibilidade de descobrir, experimentar coisas novas, através das parcerias com os baianos e Duprat. Numa declaração à revista *Realidade*, Arnaldo foi bastante claro:

"É mais fácil dizer a um repórter a palavra tropicalismo do que explicar, com detalhes, o que queremos fazer. Tenho a impressão de que a principal característica do *nosso* tropicalismo é a ironia que introduzimos em todas as formas musicais acabadas. Essa ironia as embeleza. E nós, Mutantes, queremos fazer uma música, acima de tudo, bela e alegre."

* * *

Em julho de 68, lá estavam os Mutantes sendo vaiados de novo, dessa vez sem a companhia do "padrinho" Gilberto Gil. Era o Festival Nacional da Música Popular Brasileira, organizado pela TV Excelsior. Não podendo contar com o poderoso elenco de cantores e compositores contratados com exclusividade pela TV Record, a emissora não teve outra alternativa. Ofereceu uma colher de chá aos "valores jovens", montando um evento de repercussão bem menor que o de sua concorrente.

Para os Mutantes, participar desse festival era uma boa chance de começar a andar com as próprias pernas, após quase um ano vivendo na sombra dos baianos. Nessa época, os três já estavam sendo empresariados por Guilherme Araújo, mas achavam que ele não investia o suficiente na carreira solo do conjunto. Sentiam-se tratados como meros coadjuvantes, embora tivessem certeza de que poderiam voar muito mais alto.

Guilherme era a mola propulsora do marketing do grupo tropicalista. Diferente da maioria dos empresários e agentes da época, ele trabalhava realmente como um produtor. Dava palpites, imaginava temas para novas canções, armava parcerias e sabia como articular e vender a imagem de seus contratados. Chegava mesmo a sugerir as roupas e os cabelos que Caetano e Gal Costa deviam usar. No entanto, os Mutantes começaram a perceber que, de certo modo, Guilherme usava dois pesos e duas medidas com seus artistas. Tinham exatamente a mesma queixa dos Beat Boys, que meses depois acabaram rompendo com o empresário, cansados de serem tratados como simples conjunto acompanhante dos baianos.

"Mágica", uma ciranda temperada com rock, foi a canção inscrita pelos Mutantes nesse festival. Era uma das primeiras composições coletivas do trio, com letra de Rita e Arnaldo, melodia de Serginho e arranjo de Rogério Duprat. Para interpretá-la, os três convocaram o próprio Duprat, tocando seu violoncelo eletrificado (Cláudio César instalou um captador no instrumento), e Liminha (na época, guitarrista dos Baobás, conjunto que estava acompanhando Caetano Veloso), no violão de 12 cordas.

O resultado não poderia ter sido melhor. Da terceira eliminatória, que aconteceu dia 7 de julho, no auditório da TV Excelsior, na rua Nestor Pestana, o trio já saiu como o vencedor... em vaias:

"Fora! Isto é um festival de música brasileira!", gritaram, entre outras coisas, da plateia.

Quando "Mágica" foi anunciada como finalista, as vaias e os gritos que já tinham sido ouvidos durante a primeira apresentação dos Mutantes se multiplicaram. Era difícil saber o que mais chocara a ala conservadora do público: as guitarras elétricas e a mistura de cantiga de roda com rock, ou as roupas extravagantes do trio. Rita, a responsável pelo visual do conjunto, já começara a perceber que, quanto maior a esculhambação, maior era o impacto. Tocando sua harpa-de-mão, ela entrou no palco com um vestido curtinho; Sérgio usou um boné de couro no estilo dos anões da Branca de Neve; Arnaldo, um chapéu de palha caipira.

"Júri incompetente! Fora! Anula!"

Berrando na plateia, dois rapazes por pouco não invadiram o palco. Entre os nove acusados de incompetência crítica estavam o radialista Fausto Canova, o maestro Sandino Hohagen e o músico Wilson Sandoli. Mesmo sem se ouvirem direito, tamanha era a vaia, os Mutantes conseguiram chegar até o fim da música, divertindo-se muito com toda aquela bagunça. Houve até quem achasse que a vaia dedicada ao trio superou a que levou Sérgio Ricardo a quebrar seu violão um ano antes, no festival da Record. Mas, em vez de reagir às vaias, os garotos apenas sorriam, contentes.

Nos bastidores, logo depois de saber que haviam sido classificados para a final, Rita comentou o resultado com um repórter do *Jornal da*

Ciranda roqueira: com Liminha (à frente), defendendo "Mágica",
no festival da TV Excelsior.

Tarde. Explicou que os Mutantes não tinham entrado no festival para vencer:

"Nós esperávamos menos do júri. Tínhamos pensado que eles fossem menos inteligentes. Quisemos mostrar o que é e o que pode ser a música brasileira, sem as coisas horrorosas que estão fazendo por aí."

Sair do auditório não foi nada fácil naquela noite. Na porta, um grupo de fãs mais exaltados vaiava e xingava os jurados. Também esperavam a passagem dos Mutantes, que acabaram escapando pela saída de automóveis, na lateral do auditório. Alguns torcedores até ameaçavam com violência física. Aos berros, a baixinha Telé, conhecida líder de torcidas em outros festivais, prometeu levar ovos podres para a final paulista, no domingo seguinte. Na certa, pensando em preparar uma pouco apetitosa omelete nas cabeças de Rita, Arnaldo e Serginho.

"Esses Mutantes deviam é ir tomar banho. Eles são uns trogloditas!", gritava a fanática chefe de torcida.

Uma semana depois, no mesmo auditório da TV Excelsior, fantasiados de feiticeiros com longos vestidos azuis e chapelões pontudos, os Mutantes foram tão vaiados quanto na eliminatória do festival. Não ficaram entre os cinco escolhidos para a finalíssima nacional, mas já tinham atingido seu objetivo: quanto mais provocavam polêmica, mais ficavam conhecidos. Vaia era sinal de sucesso.

* * *

A radical Telé era injusta chamando os Mutantes de trogloditas, mas que os garotos tinham um lado meio vândalo, não havia dúvida. Uma das diversões prediletas do trio, especialmente de Sérgio, consistia em andar de carro espirrando óleo em desconhecidos, como se tivesse saído de um desenho animado do Pica-Pau. Uma noite, depois de deixarem Rita na Vila Mariana, os irmãos Baptista estavam voltando para casa, a bordo de seu Fairlane verde-metálico, modelo 1960, pela avenida Paulista. Ao ver um casal de japoneses esperando o ônibus, quase na esquina com a rua Augusta, Sérgio deu o sinal de alerta:

"Pearl Harbor", gritou, apontando a vítima.

Já com uma motolia carregada de óleo na mão, Sérgio chamou o sujeito, como se fosse perguntar algo. Quando ele se aproximou do carro, foi literalmente crivado de óleo, dos pés à cabeça. E como o surpreso nipônico não esboçou qualquer reação, os dois espíritos de porco não ficaram contentes. Deram uma volta na quadra e repetiram toda a cena de pastelão:

"Não! De novo não!"

O infeliz mal teve tempo de gritar, antes de ser novamente lavado com o óleo. Só que dessa vez, o japonês perdeu a paciência. Como um samurai enfurecido, saiu correndo pela avenida, tentando alcançar o Fairlane. Mas nem assim os garotos tiveram pena da vítima. Arnaldo fazia questão de diminuir a velocidade até que o sujeito chegasse bem perto do carro, para só então acelerar de novo. Pura molecagem com requintes de maldade.

* * *

"Está na hora do Tropicalismo! Tropicalismo é discurso! Tropicalismo é o Chacrinha! Tropicalismo é homenagem! Tropicalismo é demagogia!"

Com seu inconfundível jeitão gaiato, sentado no chão do palco da Som de Cristal, o ator Grande Otelo era o mestre de cerimônias perfeito para inaugurar oficialmente uma grande festa tropicalista. A popular gafieira, instalada na rua Rego Freitas, no centro de São Paulo, já estava praticamente lotada por volta das 23h30 daquele 23 de agosto, uma sexta-feira. Era a noite da badalada gravação de *Tropicália ou Panis et Circensis*, o primeiro programa tropicalista que Gilberto Gil e Caetano Veloso comandaram na TV brasileira.

Na plateia, os quase 2 mil convidados estavam longe de formar uma massa homogênea. Estudantes, inclusive com livros embaixo do braço, misturavam-se a executivos de terno e gravata e grã-finas bem-vestidas. Dezenas de rapazes usando calções e camisetas do Corinthians e do Palmeiras formavam um cenário vivo para gente de televisão, teatro e cinema.

Enfeitado com tropicais ramos de coqueiros, o salão foi forrado por faixas com frases *nonsense*, como "Quem Te Viu Quem Te Vê", "E Agora, José?", "Vai Que É Mole", "Deixa Comigo" ou "Não Faltará Pescado na Semana Santa". Em uma paródia quase explícita da *Santa Ceia* de Da Vinci, bananas, abacaxis, melancias e outras frutas tropicais decoravam uma grande mesa para a ceia que seria servida após a gravação.

Um dos dois palcos da gafieira foi tomado pelos convidados; no outro, a *crooner* Hermely tentava entreter a plateia com um repertório variado, de sambas a canções francesas. O clima era realmente festivo. O maestro Rogério Duprat, um dos primeiros tropicalistas a aparecerem no salão, chegou a ser aplaudido e carregado nos ombros pelo comediante Jô Soares e pelo produtor Roberto Palmari.

Já passava da meia-noite quando chegou uma notícia bastante desagradável. O cantor Vicente Celestino, um dos convidados especiais do programa, tinha morrido há pouco mais de uma hora, a alguns quarteirões dali, no Hotel Normandie. Era uma trágica ironia: à tarde, o compositor de "Coração Materno" havia participado do ensaio, junto com outras cantoras da velha guarda, como Dalva de Oliveira, Aracy de Almeida, Dircinha e Linda Batista.

Até a chegada de Caetano, já à 1h15 da madrugada do sábado, a notícia tomou conta das conversas na gafieira, junto com o boato de que o programa poderia ser suspenso. Mas Caetano confirmou que tudo correria conforme o planejado, após ouvir pessoalmente da viúva, Gilda de Abreu, que Celestino jamais permitiria que o programa fosse suspenso. Pouco depois chegaram Gil e os Mutantes, seguidos por Nara Leão, Aracy de Almeida e as irmãs Batista. A gravação já poderia começar.

"Tropicalismo é 'às margens plácidas'! É assistir ao *Direito de Nascer*! Tropicalismo é uma bênção dos céus! Está inaugurado o Tropicalismo na televisão brasileira!"

Era a deixa de Grande Otelo para que todo o elenco cantasse a carnavalesca "Chiquita Bacana", seguida por "Tropicália", a canção-manifesto de Caetano. Até mesmo o "velho guerreiro" Chacrinha participou do programa, que foi exibido só um mês depois pela TV Globo, contando ainda no elenco com Gal Costa, Maria Bethânia e Jorge Ben.

Na mesma noite em que morreu um dos baluartes da mais tradicional e melancólica música popular brasileira, os tropicalistas marcavam com uma grande festa sua entrada oficial nos lares brasileiros via televisão. O destino dificilmente poderia soar mais simbólico.

Avacalhação em *black-tie*: parodiando o uniforme oficial dos musicais de TV, com máscaras, o trio canta "Dom Quixote" no festival da Record, em 1968.

9. PERIGO NA ESQUINA

Tudo indicava que seria uma esculhambação em dose dupla. Em setembro de 68, os Mutantes se preparavam para participar do 3° Festival Internacional da Canção, o popular FIC, em duas frentes. Iam defender "Caminhante Noturno", de Arnaldo e Rita, incluída entre as 24 concorrentes da fase paulista do evento (também tinham inscrito "Aleluia, Aleluia", que não foi classificada). Ao mesmo tempo, aceitaram acompanhar Caetano Veloso em "É Proibido Proibir", canção escalada para a mesma eliminatória, no dia 12. Os garotos já andavam incomodados com o papel de coadjuvantes que sentiam estar desempenhando na trupe tropicalista. Assim, definiram uma estratégia de ação: tentar atrair mais atenção para o trabalho próprio do conjunto, sem abandonar as colaborações com os baianos.

Com o tempo, os três "afilhados" de Gilberto Gil também se aproximaram mais dos outros tropicalistas. Rita, Arnaldo e Serginho frequentavam diariamente os apartamentos que Caetano e Guilherme Araújo alugaram no prédio de esquina da avenida São Luís com a Ipiranga. Recém-casado, Caetano morava com Dedé Gadelha, no 20° andar; Guilherme vivia no 18°. Após a mudança dos amigos, Gil ainda permaneceu algum tempo no Hotel Danúbio, até conseguir um apartamento próximo ao deles, na continuação da avenida São Luís, junto ao Colégio Caetano de Campos.

Não fosse a insistência de Guilherme, Caetano jamais pensaria em inscrever "É Proibido Proibir" no FIC. Tinha composto essa canção algumas semanas antes, também por sugestão do empresário. A ideia surgiu quando Guilherme folheava uma revista *Manchete*, que trazia uma reportagem especial sobre as barricadas estudantis em Paris.

"Caetano, olhe que coisas lindas eles picharam nas paredes: 'É proibido proibir'. Esta frase é linda!"

Caetano concordou, mas só depois de muita insistência de Guilherme acabou fazendo uma canção com o slogan do movimento francês. No entanto, mal ficou pronta, ela foi engavetada. O compositor achou sua música meio primária. Também não gostava da ideia de repetir uma frase feita em uma letra de canção, apesar de achá-la engraçada. "Aquela música não tem interesse algum", respondeu a Guilherme, quando este sugeriu que a inscrevesse no festival, semanas depois.

Mais tarde, porém, Caetano voltou a pensar no assunto. Foi quando teve a ideia de transformar a dita cuja em uma peça experimental. Planejou acrescentar uma introdução atonal e terminá-la com uma espécie de *happening*, incluindo um poema de Fernando Pessoa. Dessa forma, "É Proibido Proibir" seria apenas o pretexto para uma provocação musical.

Caetano já tinha começado a trabalhar na canção com os Mutantes e Rogério Duprat, a quem pediu que estruturasse o arranjo, quando soube que Gil também estava ensaiando com os Beat Boys uma nova composição para o FIC, chamada "Questão de Ordem". Um ano depois do impacto de "Domingo no Parque" e "Alegria, Alegria" no festival da Record, os dois baianos pareciam ter decidido trocar de parceiros, em mais uma curtição tropicalista. Mas eles garantem que foi mero acaso.

* * *

Pelo clima agressivo da eliminatória, já era possível prever uma verdadeira guerra na final paulista do FIC. Perto das vaias e alguns tomates que receberam junto com Caetano, durante a primeira apresentação de "É Proibido Proibir", os Mutantes até podiam pensar que "Caminhante Noturno" não desagradou a maioria das 1.200 pessoas que lotavam o Teatro da Universidade Católica (o TUCA), naquele 12 de setembro, uma quinta-feira. Nem mesmo as fantasias de urso que Rita escolheu para Serginho e Arnaldo irritaram tanto a ala mais conservadora da plateia como a exibição de Caetano.

Do vestuário extravagante à surpresa do *happening* final, tudo em "É Proibido Proibir" parecia planejado para provocar o público. Criadas por Regina Boni (a *marchand* paulista, que na época era dona da butique Ao Dromedário Elegante, na rua Bela Cintra), todas as roupas foram feitas de plástico brilhante. Caetano entrou no palco com uma camisa verde-limão e uma espécie de colete prateado, além de um enorme colar de dentes pendurado no pescoço; Rita estava com um vestidinho cor-de-rosa; Arnaldo e Serginho com capas alaranjadas. Não bastasse a "zoeira" instrumental (termo que o próprio maestro Duprat usou informalmente no ensaio, para se referir à introdução atonal que escrevera), a plateia ainda foi surpreendida pela bizarra aparição de Johnny Dandurand, um genuíno hippie norte-americano fugido do serviço militar em seu país, que a partir de uma senha em inglês de Caetano, entrou em cena gesticulando e berrando palavras incompreensíveis.

"Fora! Fora! Fora!", reagiu com raiva boa parte da plateia.

Mas tudo que aconteceu naquela noite foi fichinha perto do que se viu e ouviu três dias depois, no mesmo TUCA, durante a final paulista do *mesmo* FIC. Ao serem chamados ao palco, para interpretarem "Caminhante Noturno", os Mutantes já foram recebidos com uma vaia poderosa. Cada vez mais abusados, Arnaldo e Serginho surgiram com enormes becas de festa de formatura; Rita com um inacreditável vestido de noiva. E tome mais vaia.

Maior ainda foi a dose de apupos e berros com que a plateia reagiu a "É Proibido Proibir", apresentada pelo autor e os Mutantes com as mesmas roupas de plástico da eliminatória. Mas o grande escândalo da noite aconteceu somente após o anúncio das seis finalistas. Entre elas o júri incluiu a canção de Caetano, deixando de fora tanto "Caminhante Noturno" como "Questão de Ordem" (de Gil).

Caetano não ficou nem um pouco contente com o resultado do júri. De certo modo, acabou gostando mais da música de Gil do que da sua. Se os Beatles ainda eram uma referência considerável no arranjo de "É Proibido Proibir", "Questão de Ordem" já era decerto inspirada em Jimi Hendrix, o novo deus da guitarra elétrica, praticamente desconhecido no Brasil (o próprio Serginho ainda não tinha se convertido à genialidade desse *bluesman* e roqueiro norte-americano). Acompanhado pelos Beat Boys, Gil utilizou um tratamento musical bastante radical para a época, baseado em uma espécie de canto falado e acordes de blues mais modernos. Nem o pessoal mais *por dentro* do pop entendeu direito.

Quando foram convocados a reapresentar "É Proibido Proibir", Caetano e os Mutantes não esperavam que a rejeição do público do TUCA fosse tão violenta. Do palco, era possível ver nas primeiras filas da plateia os rostos das pessoas, algumas até conhecidas, vaiando e gritando com expressões de raiva, de ódio. Muita gente parecia estar ali apenas para vaiar.

Enquanto o número não começava, Serginho e Arnaldo divertiam-se com a confusão, imitando com seus instrumentos os sons dos gritos e assobios da plateia. Caetano também não deixou por menos. Para acirrar mais as provocações, entrou rebolando de maneira lasciva — uma dança erótica que parecia imitar o movimento de uma relação sexual. Isso ajudou a irritar mais ainda os adversários dos tropicalistas, que sem parar de vaiar e gritar viraram-se de costas para o palco.

"É Proibido Proibir": papéis, ovos e tomates, na conturbada eliminatória paulista do Festival Internacional da Canção, em setembro de 1968, ao lado de Caetano Veloso.

Os Mutantes já estavam tocando a introdução da música quando começaram a cair sobre o palco os primeiros ovos, tomates e bolas de papel. Os três não tiveram dúvidas: também viraram de costas para os agressores e continuaram a tocar. Foi nesse momento que a adrenalina bateu forte em Caetano. Ele tinha planejado declamar um poema de Fernando Pessoa e fazer uma menção à atriz Cacilda Becker, no final da música, mas sua indignação acabou explodindo num longo discurso em forma de *happening*:

"Mas é isso que é a juventude que diz que quer tomar o poder? Vocês têm coragem de aplaudir, este ano, uma música, um tipo de música que vocês não teriam coragem de aplaudir no ano passado! São a mesma juventude que vão sempre, sempre, matar amanhã o velhote inimigo que morreu ontem! Vocês não estão entendendo nada, nada, nada, absolutamente nada..."

Enquanto a chuva de bolas de papel, tomates e ovos continuava a cair sobre Caetano e os Mutantes, Gil entrou no palco para apoiar os amigos. Abraçou Caetano, sorrindo, mesmo quando as vaias já tinham começado a se transformar em xingamentos e ofensas.

"Vocês estão por fora! Vocês não dão pra entender. Mas que juventude é essa? Que juventude é essa? Vocês jamais conterão ninguém. Vocês são iguais sabem a quem? São iguais sabem a quem? Tem som no microfone? Vocês são iguais sabem a quem? Àqueles que foram na *Roda Viva* e espancaram os atores! Vocês não diferem em nada deles, vocês não diferem em nada!"

Gil chegou a ser atingido na perna por um pedaço de madeira atirado em Caetano. Mas não se irritou. Pegou um dos tomates no chão, arrancou um pedaço com os dentes e devolveu o resto à plateia, em tom de deboche.

Já Caetano, cada vez mais indignado, prosseguia seu discurso: "Ninguém nunca me ouviu falar assim. Entendeu? Eu só queria dizer isso, baby. Sabe como é? Nós, eu e ele [Gil], tivemos coragem de entrar em todas as estruturas e sair de todas. E vocês? Se vocês forem... se vocês, em política, forem como são em estética, estamos feitos! Me desclassifiquem junto com o Gil! Junto com ele, tá entendendo? E quanto a vocês... O júri é muito simpático, mas é incompetente. Deus está solto!". Caetano ainda voltou a cantar alguns versos da canção, quase aos berros. Até que interrompeu a música com um irritado "chega!" e saiu do palco. Os Mutantes saíram logo atrás dele, abraçados com Gil, rindo muito.

"Não temos culpa se eles não querem ser jovens. É isso mesmo, querem que a gente cante sambinhas. Mas não tenho raiva deles não, eles estão embotados pela burrice que uma coisa chamada Partido Comunista resolveu pôr nas cabeças deles", desabafou Gil, logo depois, ao repórter do *Jornal da Tarde*.

Já nos bastidores, ainda um tanto alterado, dizendo aos amigos que nunca mais participaria de um festival, Caetano foi cumprimentado e abraçado por Lennie Dale. O coreógrafo tinha se divertido muito, especialmente quando Caetano inventou aquela dança erótica que mais parecia uma cópula.

"Baby, eu adorei! Ainda mais vendo você enrabar toda aquela gente virada de costas..."

* * *

Caetano não cedeu. Augusto Marzagão, o coordenador geral do FIC, chegou a telefonar para o apartamento do compositor, pedindo que ele reconsiderasse sua decisão de abandonar o festival. Mas Caetano se manteve fiel ao indignado discurso que fez no TUCA. Embora curioso por saber como seria a reação da plateia carioca à sua música, confirmou a autodesclassificação de "É Proibido Proibir". Melhor para os Mutantes, que acabaram sendo convocados a substituir Caetano na fase final do festival, no Maracanãzinho. Certos de que não teriam qualquer chance de vitória, lá se foram os três para o Rio de Janeiro. Seria mais uma ótima chance de divulgar a música do trio para todo o país. E também de curtir uma boa farra.

A recepção não foi das melhores. Mal chegaram ao Rio, já souberam de um abaixo-assinado que estava circulando entre jornalistas, compositores e músicos participantes do FIC. Entre as assinaturas, constavam as de César Costa Filho, Geraldo Vandré, Sérgio Cabral e Beth Carvalho. O documento protestava contra a decisão arbitrária de Augusto Marzagão, que definiu a indicação dos Mutantes à final. Claro que não se tratava de uma discordância meramente legal. Com o documento, a ala mais conservadora e xenófoba da MPB estava manifestando mais uma vez sua rejeição oficial às guitarras e à irreverência dos Mutantes.

Tudo indicava que o trio veria novamente o velho filme de vaias, ovos e tomates, na semifinal do dia 26 de setembro, no Maracanãzinho. As roupas do conjunto certamente ajudaram a atrair as primeiras vaias: Rita tocou seus pratos de metal usando um vestido longo rosa, com uma singela tiara nos cabelos; Arnaldo entrou de casaca e cartola preta, da qual saíam duas tranças de cabelo postiço à moda indígena; Serginho também lembrava um índio, com uma fita hippie na testa, segurando seu cabelo, e um berrante casaco estampado.

No entanto, a vibração dos três no palco, mais o criativo arranjo de Rogério Duprat e os sorrisos de alguns jurados e músicos da orquestra ajudaram a reverter as expectativas. As vaias de alguns grupos isolados foram sufocadas pelos aplausos da maioria da plateia, que chegou a pedir bis e até a bater palmas em pé. No dia seguinte, os jornais reconheciam o inesperado sucesso de "Caminhante Noturno":

"Os Mutantes *abafaram* no Maracanãzinho", dizia a *Folha de S. Paulo*, apontando Rita, Arnaldo e Serginho como "os heróis da primeira noite do 3° Festival Internacional da Canção".

"Eles foram a grande surpresa, o grande sucesso da primeira noite do festival", afirmava o *Jornal da Tarde*.

Radiantes com um sucesso que não esperavam, os três divertiram-se bastante no Rio de Janeiro, enquanto esperavam a sequência do festival. Compraram pistolinhas de água e passavam horas brincando como crianças. Molhavam não apenas turistas e pedestres na rua, mas também seus concorrentes, durante os ensaios do festival. A noite, com as luzes apagadas, penduravam-se nas janelas do quarto do hotel em que estavam hospedados, em Copacabana, e ficavam berrando todos os absurdos que lhes viessem à cabeça. Coisa de moleques.

Com essas e outras, os três também contribuíam para a imagem de malucos e garotões irresponsáveis que tinham entre a mídia da época, o que acabava deixando em segundo plano as inovações musicais do conjunto. Além disso, na hora das entrevistas, os três divertiam-se inventando pequenos absurdos para os repórteres. Claro que as publicações mais voltadas para a fofoca adoravam. O título de uma reportagem da revista *Intervalo*, especializada em vasculhar a vida pessoal dos artistas de TV, não poderia ser mais informativo:

"É Rita quem corta as unhas do pé do amigo Arnaldo."

Mas os três quase não se incomodavam com esse tipo de bobagem. Ao contrário, seguiam a linha do "falem mal, mas falem de mim". Atitude que Arnaldo sintetizou em uma entrevista à *Folha da Tarde*:

"Ninguém entende a gente e isso é ótimo."

* * *

Na final nacional do FIC, três dias depois da semifinal, a situação já era bem mais difícil. A absoluta maioria das 20 mil pessoas que lotavam o Maracanãzinho estava ruidosamente a favor de "Caminhando (Pra

Não Dizer que Não Falei de Flores)", a canção de protesto de Geraldo Vandré. Nervosismo, porém, era a última coisa que passaria pelas cabeças dos Mutantes. Quem os viu nos bastidores, lambendo distraidamente enormes pirulitos coloridos, tinha absoluta certeza disso.

A ocasião exigia uma performance muito especial e os três não deixaram por menos. Rita fez uma visita ao guarda-roupa da TV Globo e lá encontrou as roupas bizarras que precisava para causar o máximo de impacto. Surgiu no palco toda de branco, de véu e grinalda, com um vestido de noiva que já tinha sido usado antes pela atriz Leila Diniz. Serginho entrou de toureiro, com a mesma fita hippie-indígena da apresentação anterior na testa. Arnaldo foi fantasiado de arlequim, inclusive com um penacho azul na cabeça. E para completar a série de provocações, uma sacada multimídia *avant la lettre*: além de seus tradicionais pratos de metal, Rita também levou ao palco um gravador cassete. A ideia era responder às esperadas vaias com a gravação do polêmico discurso de Caetano, em "É Proibido Proibir".

"O que é isso, meu Deus? Essa menina vestida de noiva?!"

Assistindo à transmissão do FIC pela televisão, a pobre dona Romilda tomou um susto enorme. Simplesmente não queria acreditar em mais aquela travessura da filha. Angustiada com as vaias e toda a confusão típica dos festivais, a religiosa mãe das irmãs Lee Jones repetia seu ritual sempre que torcia por Rita. Acendia velas e chegava até a rezar, em frente ao aparelho de TV, pelo sucesso dos Mutantes.

"Virgínia, reza comigo", implorava quase chorando a ajuda da filha, que fazia o máximo para não estourar em gargalhadas, ao ver as maluquices aprontadas pela irmã.

Naquela noite, porém, as preces de dona Romilda devem ter ajudado. Apesar das vaias que os Mutantes receberam, elas significaram muito pouco perto do verdadeiro tumulto que se ouviu durante o anúncio da vitória de "Sabiá" (de Tom Jobim e Chico Buarque de Hollanda). A vaia era tão violenta que até o próprio Geraldo Vandré, favorito do público e eleito segundo colocado pelo júri, saiu em defesa dos colegas:

"Gente, por favor, um minuto só. Vocês não me ajudam desrespeitando Jobim e Chico. A vida não se resume a festivais."

Além de não serem os campeões em vaias da noite, os Mutantes também tiveram a surpresa de ganhar o prêmio de melhor interpretação. Classificada em sexto lugar pelo júri, "Caminhante Noturno" rendeu ainda o Troféu André Kostelanetz ao maestro Rogério Duprat, como o melhor arranjador do festival.

Deboche: provocando as vaias da *linha dura* durante a apresentação de "Caminhante Noturno", na eliminatória do FIC, em São Paulo.

Apesar de ter visto suas preces serem atendidas, naquela noite a mãe de Rita nem teve condições de agradecer devidamente a seus santos. Cada vez que lembrava da filha vestida de noiva, num deboche que deliciou as câmeras da televisão, a pobre dona Romilda começava a passar mal.

* * *

"Sinceramente, eu não sei mais o que devo cantar. O que é que está acontecendo? Pra onde vai a música popular brasileira?"

Desorientada, a cantora Elis Regina desabafou com os amigos que a acompanhavam na mesa, entre um palavrão e outro. O motivo mais imediato do desconforto da "Pimentinha" estava bem ali à sua frente, no palco da boate, embalado em roupas de plástico. Ao lado dos sorridentes Mutantes, Caetano Veloso cantava "Saudosismo", uma canção que tinha composto poucos dias antes. A letra carregava uma ironia fina, que incomodava não só Elis mas todos os adeptos mais renitentes da bossa nova:

> *Eu, você, nós dois / Já temos um passado, meu amor / Um violão guardado, aquela flor / E outras mumunhas mais / Eu, você, João / Girando na vitrola sem parar / E o mundo dissonante que nós dois / Tentamos inventar* (...)

Os tropicalistas tinham escolhido a boate carioca Sucata (na avenida Borges de Medeiros, na Lagoa) para tirarem mais uma casquinha da caretice de seus detratores e do próprio FIC. Ao mesmo tempo que o festival realizava sua última fase, trazendo ao Rio de Janeiro algumas estrelas do segundo time da música internacional (como a francesa Françoise Hardy, a holandesa Liesbeth List e a inglesa Anita Harris), Gil, Caetano e Mutantes exibiram ao público carioca, com algumas provocações e muita polêmica, suas canções desclassificadas no evento. A ideia, segundo definição do próprio Caetano, era fazer "um festival marginal".

No pequeno palco da boate, aconteceu de tudo durante a temporada do show, que começava bem tarde, por volta da 1h30 da madrugada. Caetano dançava, rebolava, dava cambalhotas, plantava bananeira e até mesmo cantava deitado no chão. Os arranjos das músicas incluíam muitos berros, ruídos e distorções das guitarras dos Mutantes. Para ajudar na gritaria e nos *happenings*, também entrava no palco Johnny Dandurand, o tresloucado hippie que irritara os torcedores mais conservadores do FIC, durante a apresentação de "É Proibido Proibir". Sentadas nas mesas, algumas bastante excitadas, outras escandalizadas, as pessoas da plateia acabavam participando também. Até mesmo com corinhos de "bicha!, bicha!". Muitos artistas e intelectuais frequentaram a boate todas as noites da temporada. A turma do Cinema Novo, que possuía uma visão bem mais cosmopolita da cultura brasileira, adorou o show. Glauber Rocha, Leon Hirszman, Cacá Diegues e Arnaldo Jabor estavam entre os mais eufóricos. Surpreendente foi a reação da cantora Wanda Sá, sócia registrada da bossa nova, que apareceu no camarim dos tropicalistas chorando, emocionada com o que acabara de ver e ouvir.

A boataria já era grande naquela época. Governado pelos militares, o país vivia assustado por notícias diárias de conflitos estudantis com a polícia, rumores de golpes e de atentados terroristas. Sem darem muita bola para a situação política, os três Mutantes se divertiam com todas as loucuras que aconteciam no palco. Mas ficaram com medo, quando sentiram a barra mais pesada nos bastidores. Uma noite chegaram a sair da Sucata pelos fundos, ao ouvirem boatos de que a polícia estaria esperando todo o elenco do show lá fora. Subiram no carro e saíram voando, olhando para trás.

O diz-que-diz-que cresceu durante a temporada, até que um juiz de Direito assistiu ao show e saiu bastante indignado. Foi logo tomar satisfações com o proprietário da boate, Ricardo Amaral, e o produtor do show, Guilherme Araújo. Além de suspeitar que ouvira um trecho do Hino Nacional, tocado pela guitarra de Serginho, o juiz ficou escandalizado com as provocações do cenário. Ao lado de uma faixa com a frase "Yes, nós temos bananas", aparecia uma obra de Hélio Oiticica. Era uma espécie de bandeira, com a inscrição "seja marginal, seja herói" sob a imagem do cadáver do bandido Cara de Cavalo (uma folclórica figura do mundo policial da época). Não contente com as explicações do proprietário e do produtor, o juiz mandou fechar a Sucata, interrompendo a temporada do show, que nunca mais chegou a ser apresentado.

O caso se transformou rapidamente em um apetitoso prato para os "defensores da ordem" e nacionalistas de plantão. Na mesma TV Record que revelou as primeiras manifestações musicais do Tropicalismo, o apresentador Randal Juliano denunciou a suposta "baderna" dos baianos na Sucata, durante seu programa *Guerra É Guerra*. Ao comentar um recorte de jornal que noticiava os incidentes na boate, Randal referendou no ar a versão de que Gil, Caetano e Mutantes faziam no show uma paródia do Hino Nacional Brasileiro (na verdade, durante o espetáculo, Sérgio tocava um trecho de um hino nacional, só que o da França, mais conhecido como "A Marselhesa"). Essa atitude do apresentador de TV não era novidade para os Mutantes. Os garotos acostumaram-se a ouvir suas ironias de nacionalista radical todas as vezes que cantavam *covers* de músicas estrangeiras no programa *Astros do Disco*, que ele também comandava na Record.

A ira patriótica do apresentador não se resumiu ao discurso que fez na TV. Segundo o jornalista Zuenir Ventura, Randal também teria repetido suas críticas pelo rádio, transformando o episódio em uma verdadeira campanha contra os tropicalistas. Foi tiro e queda: para os setores mais reacionários do regime militar, a atitude do apresentador soou como delação de um crime. Alguns dias mais tarde, Randal Juliano foi intimado a depor na sede do 2° Exército. Depois de repetir seus pronunciamentos pela mídia, assinou uma denúncia formal, confirmando um suposto fato que, na verdade, nem chegou a presenciar. Essa atitude leviana, junto com a enorme boataria (corriam também as versões de que Caetano teria se enrolado na bandeira brasileira ou mesmo pisado e ateado fogo a ela) acabaram contribuindo para a prisão dos baianos, dois meses depois.

* * *

Enquanto o circo não pegou fogo de vez, os tropicalistas ocuparam todos os espaços que puderam nos meios de comunicação. Em meados de outubro de 68, Guilherme Araújo acabou fechando com Fernando Faro, diretor musical da TV Tupi, o contrato para um programa semanal do grupo. Paulinho Machado de Carvalho, o chefão da Record, também estava interessado no projeto, mas teve receio de investir mais pesado na trupe dos baianos. Pensou em fazer um ou dois programas experimentais, para testar o ibope dos tropicalistas antes de propor a eles um contrato de exclusividade. Acabou passado para trás pela concorrente.

O programa *Divino Maravilhoso* já nasceu como uma mina prestes a explodir. Fernando Faro era o diretor, Antonio Abujamra cuidava da produção e Cassiano Gabus Mendes era o responsável pela direção de TV, mas a concepção geral ficava mesmo por conta de Caetano e Gil. Os dois praticamente inventavam tudo no próprio dia da gravação, sempre às segundas-feiras, poucas horas antes de ir ao ar, no auditório da TV Tupi, no bairro do Sumaré. Era uma verdadeira farra.

"Uma hora de total loucura", resumiu uma reportagem da *Folha da Tarde*, publicada dois dias após a estreia do programa, que aconteceu em 28 de outubro. Só uma parte da linha de frente do Tropicalismo participou da primeira gravação: Gil, Caetano, Mutantes e Gal Costa, além do convidado Jorge Ben. Como cenário, quatro painéis em alto relevo exibiam imagens de uma grande boca, seios e dentaduras, pintadas em cores primárias e berrantes. "Divino, maravilhoso", repetiam várias pichações nas paredes laterais do palco.

Caetano e os Mutantes abriram o programa justamente com uma parceria dos quatro, composta para o primeiro disco do conjunto: a tropicalista "Trem Fantasma". Arnaldo e Serginho vestiam capas escuras sobre as roupas brancas. Rita estava com um vestido salmão em estilo vitoriano. Sem camisa, com o peito nu, Caetano usava uma japona militar preta, enfeitada com galões.

"Este é o som livre. É mutante, não pode parar", disse Caetano, logo no início do programa, como se estivesse apresentando ao público não só seus parceiros, mas dando também uma prévia do que viria nas semanas seguintes.

Para não perder o costume, os Mutantes foram a espinha dorsal do programa de estreia. Sozinhos, cantaram "A Minha Menina" e "Panis et Circensis". Tocaram "Miserere Nobis", com Gil e Jorge Ben. Acompanharam Caetano em "Baby", repetindo toda a gritaria delirante que incomodou boa parte da plateia durante os shows na Sucata. Depois, trocaram as guitarras por uma bateria de latas amassadas, na irreverente "A Luta Contra a Lata ou a Falência do Café", comandada por Gil.

O deboche já era total em "Bat Macumba", penúltimo número do programa. Gil gargalhava, dançando e rodopiando no palco; Caetano se atirou no chão e plantou bananeira. Ainda deitado no chão, enquanto as guitarras dos Mutantes gemiam no mais alto volume, Caetano atacou "É Proibido Proibir", encerrando o programa mais anárquico que a TV brasileira já produzira até aquele dia.

Nos bastidores, os técnicos da Tupi estavam perplexos. Como é que dona Dalva (a funcionária do Departamento de Polícia Federal, responsável pela censura), que havia assistido ao ensaio do programa à tarde, não cortara nada daquela maluquice toda?

A linha anárquica e debochada do programa se manteve. Além da participação de outros tropicalistas, como Nara Leão, Tom Zé e Torquato Neto, nas semanas seguintes o elenco também foi aberto a convidados, como o sambista Paulinho da Viola, o então principiante Jards Macalé ou mesmo o veterano Cyro Monteiro. A cada semana o visual era modificado, com muitos *happenings* acontecendo frente às três câmeras de TV. Antes da gravação, Rita costumava passar pela Casa dos Artistas, na alameda Itu. Era ali que alugava as roupas bizarras e as fantasias que ela, Arnaldo e Serginho usavam em suas apresentações.

Divino Maravilhoso: com Gil, Caetano e Gal, na estreia do programa tropicalista, em outubro de 1968, na TV Tupi.

Menestrel convidado: rodeado pelos tropicalistas, o cantor Juca Chaves, em aparição no *Divino Maravilhoso*.

Anarquia: Caetano chegou a plantar bananeira, no primeiro programa da série *Divino Maravilhoso*.

As provocações aumentaram nos programas seguintes. Para um deles, Caetano planejou como cenário uma grande jaula, que ocupou o palco quase inteiro. Dentro das grades (construídas com madeira), o elenco do programa representou uma espécie de banquete de mendigos, ou melhor, de *hippies*, graças aos cabelões e roupas em cores berrantes de todos. Cantando e tocando violão, dentro de uma gaiola pendurada no teto, aparecia Jorge Ben. O *gran finale* daquela noite ficou por conta de Caetano, que quebrou as grades da jaula, cantando "Um Leão Está Solto nas Ruas" — o sucesso de Roberto Carlos.

Em outro programa, Gil decidiu ambientar "Miserere Nobis" (letra de Capinan) com uma espécie de quadro vivo. Posando de Jesus Cristo, ele e seus "apóstolos" apareciam sentados a uma grande mesa, repleta de bananas, abacaxis, melancias e pedaços de bacalhau, que no melhor estilo Chacrinha eram atirados à plateia, no final do número. Não foi à toa que, desde a estreia do *Divino Maravilhoso*, a Tupi recebia cartas indignadas de pais de família e prefeitos de cidades interioranas, protestando contra as "agressões" do programa.

* * *

Rita achava muito engraçado aquele sujeito franzino e sempre irônico, cujo sotaque trazido da pequena cidade de Irará, no Recôncavo baiano, misturava-se com um linguajar rebuscado. Naquela época, os papos de Tom Zé (o apelido do compositor Antonio José Santana Martins) eram quase sempre tão alucinados, que Rita chegava a imaginar que ele também puxava um fuminho, como ela, Arnaldo e Gil já faziam juntos, de vez em quando. Mas, na verdade, Tom Zé não precisava de aditivos para seus delírios poético-musicais. Aquele era mesmo o seu jeito natural.

Os Mutantes conheceram Tom Zé durante os encontros do grupo baiano, no Hotel Danúbio, ainda em 67. Passaram a vê-lo com mais frequência após a eclosão do Tropicalismo, geralmente no apartamento de Caetano, na avenida São Luís, mas sem qualquer proximidade maior. Entre os Mutantes e o compositor baiano havia um razoável hiato de gerações. Se ele, então com 31 anos, costumava chamar de "meninos" Gil e Caetano que estavam com 25, o que dizer de Rita e Arnaldo que só tinham 19 anos? Mesmo quando a conversa era puramente musical, a língua falada pelo baiano era diferente. O culto Tom Zé tinha estudado música contemporânea com Walter Smetak e Ernst Widmer, na tradicional Escola de Música da Bahia, em Salvador. Já os Mutantes eram quase autodidatas e fanáticos por rock. Definitivamente, viviam em universos bem diversos.

Nada disso impediu, porém, que algumas semanas antes do festival da Record de 68, Guilherme Araújo entregasse uma letra de Tom Zé a Rita, para que ela tentasse fazer a música. A canção se chamava "Astronauta Libertado" e tinha agradado Caetano e Gil, alguns meses antes, quando os dois a ouviram pela primeira vez. Mas o idiossincrático autor achou que a música "não prestava". Dias depois, Caetano e Tom Zé, que nunca haviam composto nada juntos, passaram uma noite toda tentando fazer uma nova melodia para a canção. Acabaram desistindo, porque nada agradava a Tom Zé. O "Astronauta" foi devidamente confinado a uma gaveta.

Um dia, já às vésperas do festival, Guilherme Araújo colocou uma fita na mão de Tom Zé:

"Taí sua música", disse o empresário, com um sorriso de vitória.

"Que diabo é esse?", perguntou Tom Zé, mais desentendido ainda ao ler o título "2001" escrito na fita.

O baiano teve uma boa surpresa. Na gravação, ouviu Rita Lee cantando sua quase esquecida canção com nova melodia, acompanhada apenas por uma guitarra elétrica. Tom Zé adorou a ideia da garota: a letra, que falava de astronautas, naves espaciais e galáxias, ganhou ritmo e sotaque caipira de moda de viola misturados com rock. Uma música bem paulista, como pretendia Rita. Já o novo título foi emprestado do então recém-lançado filme de Stanley Kubrick, *2001, Uma Odisseia no Espaço*, que Rita, deslumbrada pelo assunto, já assistira várias vezes.

Resumindo: a canção era um verdadeiro achado tropicalista, elogiada também poucos dias depois pelo poeta Augusto de Campos, assim que a ouviu. Mas a surpresa de Tom Zé foi dupla. Guilherme Araújo o avisou que já inscrevera a nova canção no 4° Festival da Record. Acabara de nascer ali a conexão Tom Zé-Mutantes.

Além de "2001", que iam defender no festival, os Mutantes também inscreveram "Dom Quixote", a primeira composição de Arnaldo e Rita (mais uma vez com participação fundamental, e não creditada, do doutor César Baptista, na letra) que enfrentou problemas com a censura. Os garotos quase não acreditaram quando, uma semana antes do início do evento da Record, souberam que a canção não tinha passado pelo crivo do chefe do Serviço de Censura de Diversões Públicas do Departamento de Polícia Federal, em Brasília. O coronel Aloysio Muhlethaler de Souza foi o responsável pelos "cortes". Para ele, os versos "*dia há de che-*

gar / e a vida há de parar / para o Sancho descer / pro Quixote vencer" tentavam transmitir nas entrelinhas que uma revolução estaria tentando derrubar o governo do país. Os Mutantes não sabiam se riam ou choravam dessa acusação. Outro corte foi aplicado ao verso "*armadura e espada a rifar*". O coronel pressentiu ali uma crítica ao exército brasileiro.

"Não e não. A armadura e a espada são de Dom Quixote mesmo", ainda tentou argumentar a indignada Rita, discutindo com dona Judith de Castro Lima, encarregada da censura em São Paulo. Mas não houve acordo. Os versos "pro Quixote vencer" e "armadura e espada a rifar" estavam mesmo censurados. Rita e Arnaldo ainda chegaram a pensar em alterações na letra, mas decidiram apenas deixar de cantar os versos proibidos.

Longe de desanimá-los, o incidente com a censura só estimulou mais os Mutantes. Até mesmo porque já estavam preparando uma novidade sonora para aquele festival. Cláudio César teve a ideia de usar o Theremin, um esquisito instrumento eletrônico, inventado por um russo homônimo, em 1928. Essa engenhoca ficou esquecida durante décadas, até voltar a ser utilizada na década de 60, para a criação de efeitos sonoros em filmes de ficção científica. Cláudio viu um diagrama em uma revista norte-americana e a partir dele construiu sua versão do Theremin.

Para uma canção como "2001", era um instrumento literalmente feito sob encomenda. De uma caixa retangular de madeira saíam duas antenas em forma de losango, que produziam uma espécie de apito ao detectarem a aproximação das mãos de Rita; com uma ela controlava o volume; com a outra alterava os graves e agudos (tecnicamente, o sinal de áudio é provocado por dois osciladores de alta frequência). Além disso, o Theremin tinha a cara dos Mutantes. Não bastassem os estranhos sons eletrônicos que produzia, ainda trazia um enorme apelo cênico: para tocá-lo, Rita exibia uma vistosa coreografia com as mãos e o corpo.

No entanto, a esquisita geringonça também tinha seus inconvenientes. Como um Frankenstein sonoro que se rebelava contra seu criador, às vezes o Theremin disparava por conta própria — dependendo do grau de umidade do ar ou do local em que estivesse instalado. Por essas e outras, logo depois do festival Rita foi perdendo o estímulo para usá-lo. Tantos eram os cuidados necessários para fazer o Theremin funcionar direito, ou mesmo para evitar que ele assobiasse fora de hora, que Rita o substituiu por um prático apito.

* * *

Para não perder o costume, os três capricharam no visual. Na noite de apresentação das canções concorrentes, dia 13 de novembro, no Teatro Record-Centro, os Mutantes entraram no palco vestidos a caráter para interpretar "Dom Quixote": Arnaldo usou uma armadura prateada com o respectivo elmo, que mal o deixavam tocar direito seu baixo elétrico; Rita entrou de Dulcineia; e Serginho foi fantasiado de Chacrinha (roupa, aliás, emprestada pelo próprio apresentador de TV), com buzina e tudo. Claro que não faltaram as esperadas vaias, mas os Mutantes também foram aplaudidos por boa parte do público.

Na semana seguinte, a revista *Veja* ironizava a principal tendência do evento. "Um festival ligado na tomada", apontava a manchete. Um ano após o escândalo provocado pelas guitarras e roupas extravagantes dos tropicalistas em "Domingo no Parque" e "Alegria, Alegria", o mesmo festival parecia ter se convertido a tudo o que a *linha dura* rejeitara. Boa parte dos arranjos das canções utilizavam guitarras elétricas, sem falar na legião de fantasias e roupas extravagantes que tomou o palco do Teatro Record, praticamente enterrando o *smoking* como traje oficial do evento. "Música? Foi um festival de fantasias", alfinetava o *Jornal da Tarde*.

Mas nem isso impediu que os Mutantes sobressaíssem. Fora a atração particular do Theremin, em "2001" o trio contou ainda com três reforços especiais: o acordeom e a viola caipira da dupla Gil e Jiló (na verdade Gilberto Gil e Liminha, também vestidos e maquiados a caráter) e a bateria de Dinho (que vinha ensaiando e se apresentando com o conjunto há alguns meses). Já em "Dom Quixote", o arranjo orquestral de Rogério Duprat também incluía o deboche do grupo Anteontem 53 e 1/2 (nome escolhido a dedo para gozar conjuntos participantes daquele mesmo festival, como o Momento 4 e o Canto 4), tocando queixada de burro, berimbau e outras percussões típicas da "genuína" MPB.

Duprat também aprontou uma das suas. Na partitura de "Dom Quixote", o maestro fez questão de escrever uma pausa com a duração de oito compassos (o que significava quase 20 segundos de silêncio dos músicos). Apesar de o maestro continuar regendo a orquestra durante essa passagem, o público e, principalmente, os telespectadores pensaram que os microfones do palco tinham pifado.

Outra provocação que quase fez o diretor de TV arrancar os próprios cabelos foi o visual que os Mutantes escolheram para cantarem "2001" na primeira eliminatória, dia 18 de novembro. Como a produção vivia recomendando aos artistas que não usassem certas cores de roupa,

"Dom Quixote": misturando os personagens de Cervantes com Chacrinha, no festival da TV Record, em novembro de 1968.

Sabotagem: vestidos e maquiados de branco para sacanear o diretor de TV, na apresentação de "2001", com Liminha, Gil e o estranho Theremin.

como o branco (por problemas de imagem da velha transmissão em preto-e-branco), os três não tiveram dúvida. Entraram em cena parecendo fantasmas, não só inteiramente vestidos de branco, mas também com os cabelos e rostos cobertos de pó de arroz branco. Por algumas gargalhadas, eles não perdoavam nada.

Com tantas esculhambações e provocações, ao eleger "2001" como quarta colocada (à frente de "Dia da Graça", de Sérgio Ricardo, e "Benvinda", de Chico Buarque de Hollanda, quinto e sexto colocados), o júri surpreendeu até mesmo os Mutantes, que não esperavam estar entre os vencedores. Por sinal, o reconhecimento de que a música do conjunto estava muito adiante de qualquer um de seus imitadores não veio apenas do júri oficial e de boa parte da plateia, mas também, curiosamente, de uma velha adversária dos Mutantes e dos tropicalistas: a temida Telé, que chegou a ser flagrada aplaudindo "2001":

"Foi uma fabricação em massa de tropicalismo. Ninguém quis reconhecer as inovações do baianos, e agora todos procuram imitá-los: nas roupas, nos sons, nas palavras. Mas imitam mal", criticou a chefe de torcida, num súbito acesso de lucidez.

Claro que a mudança de atitude da velha inimiga, ao lado de uma boa parte da plateia que um ano antes os vaiou junto com Gil, não passou em branco:

"Imagina, até a Telé aplaudiu a gente! Ainda bem que sobra o Vandré, que nos ataca sempre. Os outros aceitaram porque não tinham outra alternativa", ironizou Rita, anunciando antes mesmo do final do evento que o conjunto não participaria mais de festivais.

Ao final das contas, os resultados do júri na finalíssima de 9 de dezembro foram excelentes para os tropicalistas. Além da vitória consagradora de Tom Zé, com "São São Paulo, Meu Amor", uma irônica e ambígua declaração de amor à capital paulista, o terceiro lugar ficou com "Divino Maravilhoso" (de Gil e Caetano), interpretada com garra e alguns gritos primais por Gal Costa, usando uma túnica brilhante cheia de espelhinhos e cabelo *black power*. A letra era uma vibrante imagem da atmosfera que dominava o país:

> *Atenção / Ao dobrar uma esquina / Uma alegria / Atenção menina / Você vem / Quantos anos você tem / Atenção / Precisa ter olhos firmes / Para este sol / Para esta escuridão / Atenção / Tudo é perigoso / Tudo é divino maravilhoso / Atenção para o refrão: uau!* (...)

"Nós emplacamos todas. Agora, na Bahia, nas praças públicas de Irará, Ituaçu e Santo Amaro da Purificação, vão fazer discursos e comícios em nossa homenagem", festejava Gilberto Gil, nos bastidores.

A parceria com Rita e o bom resultado das apresentações no festival estreitaram a ligação dos Mutantes com Tom Zé. Logo após o evento, quando os garotos já preparavam seu segundo LP, a mão foi invertida. Sérgio e Arnaldo é que ofereceram a primeira parte da futura "Qualquer Bobagem" ao baiano, para que ele a terminasse. Os quatro chegaram a planejar outras parcerias, que os desencontros acabaram impedindo de acontecer. Porém, para um compositor que teve tão poucos parceiros como Tom Zé, as duas canções com os Mutantes foram quase um recorde em sua carreira. Nos anos seguintes, sempre que o encontrava casualmente, Rita brincava:

"Olha aí, o meu parceiro do futuro..."

* * *

As provocações fizeram parte da natureza do programa *Divino Maravilhoso* desde sua estreia na TV Tupi, mas nada se comparou ao impacto de uma cena exibida na antevéspera do Natal de 68 — justamente no último programa feito por Caetano e Gil. Aproveitando a data religiosa para aplicar uma solene bofetada na caretice da "família burguesa de classe média", Caetano cantou a marchinha natalina "Boas Festas", uma pequena e amarga obra-prima do baiano Assis Valente, apontando um revólver engatilhado para a própria cabeça:

> *Anoiteceu / O sino gemeu / A gente ficou / Feliz a rezar / (...) / Já faz tempo que pedi / Mas o meu Papai Noel não vem / Com certeza já morreu / Ou então felicidade / É brinquedo que não tem (...)*

Foi uma cena agressiva, brutal mesmo, inspirada no filme *Terra em Transe*, de Glauber Rocha. No entanto, a imagem hiperdramática de um suicida, cantando uma canção que envenenava o chamado "espírito natalino", revelava também a essência da poesia de Assis Valente. Além de ser negro e bissexual, o compositor baiano realmente se suicidou — em 1958, aos 47 anos de idade — depois de duas tentativas frustradas, ingerindo uma garrafa de guaraná com formicida. O diretor de TV fez o que podia, na edição das imagens, para que o revólver que Caetano encostou no ouvido não aparecesse no vídeo. Uma cena tão forte certamente não perturbaria apenas a suposta alegria familiar na proximidade do Natal. Nessa época, os Mutantes e os baianos entravam no prédio da Tupi, para a gravação, conscientes de que poderiam ser presos, ou até mesmo sofrerem algum atentado, a qualquer momento. Todos se divertiam muito participando do programa, mas já o faziam com uma boa dose de medo. Sabiam que o auditório vinha sendo frequentado por policiais à paisana e que, mais dia menos dia, poderiam ter problemas.

A atmosfera do país era bastante pesada, principalmente depois de 13 de dezembro, quando o governo militar do general Costa e Silva contra-atacou a onda de contestação que tomava o país com o repressivo Ato Institucional n° 5. Foi o início de uma série de prisões, atos de censura, cassações políticas e o fechamento do Congresso, que também resultou na prisão de Gil e Caetano. Isso veio a acontecer em 27 de dezembro, ironicamente, o mesmo dia em que três astronautas norte-americanos regressavam à Terra na cápsula da nave espacial Apollo 8, após seu histórico voo à Lua.

Caetano e Gil foram detidos no edifício da avenida São Luís e levados em uma perua Veraneio da Polícia Federal até o Rio de Janeiro. Durante quase dois meses, separados um do outro, ficaram presos em dois quartéis da Vila Militar, no bairro de Deodoro, onde também estavam detidos outros intelectuais, como o poeta Ferreira Gullar, o escritor Antonio Callado e o jornalista Paulo Francis.

Pelo receio de que as fitas dos programas anteriores caíssem nas mãos da polícia e pudessem piorar mais a situação de Caetano e Gil, todas as gravações foram apagadas. Tom Zé ainda continuou coordenando e apresentando o *Divino Maravilhoso* nas duas semanas seguintes à prisão dos amigos, à espera de que eles fossem libertados logo. Porém, o programa foi tirado do ar antes que isso acontecesse.

Durante os dois meses de existência do programa, não só Caetano e Gil como outros tropicalistas já vinham anunciando a dissolução do movimento, afirmando que não teria sentido conservar por mais tempo aquela estética. Além de terem feito um enterro simbólico em um dos programas, Gil, Capinan e Torquato Neto chegaram a esboçar um especial para ser exibido na TV Globo: *Vida, Paixão e Banana do Tropicalismo*, com direção de Zé Celso Martinez Corrêa, que anunciaria oficialmente a morte do movimento. Mas esse programa, que seria bancado pela Shell e pela Rhodia, nem chegou a ser produzido, por desistência dos patrocinadores. A prisão dos baianos e o fim do *Divino Maravilhoso* funcionaram como o enterro oficial da Tropicália.

Romeu e Julieta: o casal Arnaldo e Rita, em momento romântico, nos bastidores do FIC de 1968; atrás, o baterista Dinho.

10.
ALGO MAIS

Deu certo. Mal saíram da agitação do festival da Record, satisfeitos com o sucesso de "2001", os Mutantes viram recompensado seu esforço para investir mais na carreira do grupo. De cara, receberam o Troféu Imprensa como o melhor conjunto musical de 1968. Depois, foram convidados por sua gravadora, a Philips, a se apresentarem no influente MIDEM (o Mercado Internacional de Discos e Editores Musicais), uma espécie de feira musical realizada anualmente em Cannes, na França, onde os executivos de gravadoras e produtores de vários continentes fazem negócios e mostram seus novos lançamentos na área. A comitiva brasileira escalada para a edição de janeiro de 69 também incluiria Gilberto Gil, Elis Regina, Chico Buarque de Hollanda e Edu Lobo. Pela primeira vez, os Mutantes teriam a chance de exibir sua música no exterior.

Arnaldo, Rita e Sérgio estavam excitadíssimos durante todo aquele mês de dezembro. Além das participações semanais no programa *Divino Maravilhoso*, tiveram que acelerar as gravações do segundo LP, por causa da viagem já marcada para a Europa. Como ainda só tinham quatro faixas prontas ("Mágica", "Dom Quixote", "2001" e "Caminhante Noturno", todas apresentadas em festivais daquele ano), o jeito foi se trancarem durante dez dias no Estúdio Scatena, para terminarem a gravação a toque de caixa.

Felizmente, o próprio conceito do álbum contribuiu para que a pressa não comprometesse o resultado final. Mais experientes do que na época do disco de estreia, cujo trabalho de estúdio durou um mês e meio, os Mutantes sentiam a segurança necessária para assumirem riscos maiores. Junto com o produtor Manoel Barenbein, definiram que em vez do tradicional acompanhamento de orquestra o conjunto deveria tocar mais no disco. Além dos originais arranjos de Rogério Duprat, dessa vez os Mutantes também tiveram à disposição o *know-how* de três técnicos de som: Stélio Carlini, João Kibelkstis e José Carlos Teixeira.

Uma evidente mudança — ou melhor, mutação — já aparecia no repertório escolhido. No primeiro LP, quatro faixas traziam a assinatura de Caetano Veloso, sendo duas em parceria com Gilberto Gil e uma com o próprio conjunto. No novo disco, o único baiano que contribuiu como parceiro do trio foi Tom Zé (em "2001" e "Qualquer Bobagem"). De quatro canções que os Mutantes assinaram no álbum de estreia (sem contar a versão "Tempo no Tempo"), o número de composições próprias cresceu para nove. Sem dúvida, era um trabalho com muito mais personalidade.

A boa dose de humor, que já havia recheado o primeiro disco, voltou com peso ainda maior. A começar de "Dom Quixote", a primeira faixa, com arranjo orquestral que inclui na introdução uma citação da ópera *Aida*, de Verdi, e termina em tom de deboche escancarado. Logo após uma menção a Chacrinha e sua barulhenta buzina ("palmas para o Dom Quixote que ele merece!"), um violino citando "Disparada" (a canção de Geraldo Vandré, desafeto assumido dos tropicalistas) é seguido por gostosas gargalhadas de Arnaldo e Sérgio.

Diferente do que pode parecer, não são os Mutantes que cantam como uma dupla sertaneja, na futurista moda de viola "2001". Na verdade, para essa gravação foram requisitados dois genuínos especialistas no gênero: Zé do Rancho e Mariazinha, acompanhados por suas respectivas viola e sanfona. Já "Caminhante Noturno" fechava o disco misturando vaias, a voz distorcida de um aparente robô ("Perigo! Perigo! Rota de colisão! É proibido proibir!) e o coro de uma plateia (a do FIC) aos berros de "bicha! bicha!".

Provocativa também era a inclusão no disco de "Algo Mais", um *jingle* que o trio acabara de compor para uma campanha da Shell. Naquela época, as músicas feitas para publicidade ainda eram vistas como uma atividade inferior e mercenária, que nada teria a ver com a verdadeira "arte musical". Mas os Mutantes não deram a mínima para esse preconceito. Fizeram a canção com a mesma atitude e compromisso musical que tinham com qualquer outra peça de seu repertório.

Prevendo polêmica, a Philips acabou incluindo na contracapa do LP um texto do jornalista Nelson Motta, que defendia a atitude contemporânea dos garotos:

"Com raro sentido de invenção e liberdade eles compuseram um *jingle* para a Shell. É preciso ter coragem de ouvir claro e saber com certeza que aquele som é novo, limpo, inventivo e livre. Mas ainda há gente que tem arrepios ao ouvir a palavra *jingle* e se horroriza com a ideia de ganhar dinheiro com música, embora ganhe muito dinheiro com música. Quem vive numa sociedade de consumo tem duas alternativas: ou participa ou é devorado por ela. Não há saída fora desta opção. O *jingle* dos

Mutantes, que prefiro chamar simplesmente de 'música', é melhor, infinitamente melhor, que a maioria das canções que andam pelas praças e paradas. Por que não gravá-lo em disco?"

Outro detalhe que chamava atenção nesse novo álbum era o aprofundamento das pesquisas sonoras esboçadas no primeiro, novamente com a participação essencial de Cláudio César, então já citado na imprensa como "o mutante que não aparece". Entre vários experimentos, Cláudio foi o responsável, por exemplo, pelos sons eletrônicos do bizarro Theremin, que Rita tocava na introdução de "Banho de Lua", ou ainda pela eletrificação de uma harpa e do próprio violoncelo de Rogério Duprat, em "Mágica".

Mais impressionantes ainda eram os efeitos utilizados na soturna "Dia 36", parceria de Sérgio com o norte-americano Johnny Dandurand. Ao construir seu primeiro pedal *wah-wah* (um aparelho para distorcer o som da guitarra, cujo efeito foi popularizado por Jimi Hendrix), bastante usado por Sérgio em "Mágica", Cláudio conseguiu ir além dos similares estrangeiros. Por derivação, acabou criando o *wooh-wooh*, um pedal para ser utilizado na região mais grave da guitarra ou até mesmo com um baixo elétrico. Foi esse aparelho que permitiu a Sérgio, na gravação de "Dia 36", fazer a guitarra soar como se estivesse vomitando.

Graças a efeitos desse tipo, não havia um guitarrista na época que não tivesse a curiosidade de saber como funcionavam os pedais de Sérgio, o que permitia a ele se divertir com os xeretas. Durante os shows do trio, cada vez que um curioso mais afoito se aproximava do palco e chegava a mexer no pedal, encontrava embaixo dele uma fita crepe com a mensagem: "Gostou, bicão?".

Em uma reportagem por ocasião do lançamento do disco, na última semana de fevereiro de 69, a revista *Veja* recorreu à opinião do maestro Júlio Medaglia para abalizar o novo trabalho dos Mutantes:

"Enquanto os Beatles lançam um álbum bem comportado, de rock açucarado, com lindos efeitos de cordas e cravos, três jovens brasileiros, com a média de vinte anos de idade, surgem com um novo LP e conseguem, através do humor e da total desmistificação, ampliar efetivamente os limites da música."

Uma observação bastante pertinente, mas que não significava que os garotos tivessem abandonado a influência dos Beatles. Ela continuava evidente, tanto na canção "Rita Lee", cuja harmonia foi inspirada em "Ob-La-Di, Ob-La-Da", assim como nas intervenções de trompete que aparecem no arranjo de "Qualquer Bobagem", lembrando "Penny Lane". Por outro lado, "Mágica" terminava com a citação escancarada do conhecido refrão de "Satisfaction", grande *hit* dos Rolling Stones. Já a versão mutante da ingênua "Banho de Lua", antigo sucesso da cantora Celly Campelo, destacava o solo distorcido da guitarra de Serginho, bem mais próximo de Hendrix do que dos Beatles.

Na verdade, os Mutantes já começavam a encarar sua idolatria *beatle* com mais humor. Em entrevistas sobre o novo disco, diziam que o longo acorde final da guitarra, sustentado durante 20 segundos em "Fuga nº 2", teria dois segundos a mais que o acorde final do piano de "A Day in the Life", o mais longo conhecido até então. Esse inusitado recorde em extensão de acorde musical, supostamente digno do *Guinness Book*, era apenas uma piada interna que acabou virando uma forma de gozar a imprensa. Piada, aliás, engolida como fato verdadeiro até pela respeitável *Veja*, que não se deu ao trabalho de usar um cronômetro para a checagem da proeza — o referido acorde da música dos Beatles, incluída no álbum *Sgt. Pepper's Lonely Hearts Club Band*, dura de fato 42 segundos. Duração duas vezes maior que a do acorde de "Fuga nº 2", mas bem menor que a duração das gargalhadas de Duprat e dos garotos, ao verem a piada ser transformada em uma façanha musical.

A imagem da irreverente apresentação do conjunto no FIC — com Rita vestida de noiva, Arnaldo fantasiado de arlequim e Sérgio de toureiro — foi escolhida para a capa do álbum, intitulado apenas *Mutantes*. Porém, por pouco o disco não foi batizado como *O Sexto Dedo*. Esse era o nome de um filme de ficção científica que inspirou a estranha foto da contracapa, que trazia os três mutantes transformados em misteriosos seres alienígenas — sem cabelos, com as cabeças repletas de veias salientes, orelhas pontiagudas e seis dedos nas mãos.

Responsáveis pela ideia, os três também ajudaram na maquiagem. Num supermercado, compraram bolas de plástico que, cortadas ao meio, serviram para cobrir os cabelos, além de barbantes para simular as veias. Após a sessão de fotos, que aconteceu no quarto de vestir da casa da fotógrafa Cynira Arruda, os três não resistiram à tentação de mais uma travessura. Ainda maquiados, subiram no jipe de Rita e foram passear pela rua Augusta, divertindo-se com os sustos que pregaram em várias vítimas.

* * *

Na reduzida ficha técnica que o segundo LP dos Mutantes trazia em sua contracapa, um toque de humor apontava a participação de um ba-

O Sexto Dedo: por pouco não foi esse o título do segundo LP do trio, inspirado no filme homônimo de ficção científica. O nome não vingou, mas a sessão de fotos com Cynira Arruda sim.

terista que só mais tarde veio a se tornar membro do conjunto: "*Sir* Ronaldo du Rancharia". Apesar de já estar ensaiando com Arnaldo, Sérgio e Rita há cerca de seis meses, participando tanto em festivais como em shows e programas de TV, Dinho (o apelido familiar de Ronaldo Poliseli Leme) ainda era considerado apenas um músico acompanhante.

Com seu sotaque carregado, típico do interior de São Paulo, o bonachão baterista logo conquistou a simpatia dos Mutantes. Dinho nasceu em Campo Grande, Mato Grosso, em 22 de julho de 1948. Seu pai era gerente de banco e, por isso, a família foi obrigada a morar em vários lugares, antes de se estabelecer na paulista Rancharia, uma pequena cidade que vive de pecuária e agricultura (localizada a 555 km da capital, a oeste do Estado), da qual Dinho só saiu com 16 anos. Bastou revelar esse detalhe, para que o baterista logo se tornasse um dos alvos favoritos das gozações do trio.

Arnaldo era o que mais se divertia com as origens de Dinho. Até mesmo durante a viagem que o conjunto fez à França, meses depois, a gozação não parou. Bastava serem apresentados a algum francês, para que Arnaldo logo perguntasse ao coitado se já tinha ouvido falar da "famosa" cidade de Rancharia. Sem entender nada, a vítima geralmente fazia uma careta, obrigada então a ouvir tudo o que estaria perdendo até aquele dia por não conhecer a verdadeira maravilha instalada no interior de São Paulo, de onde saíra o célebre *Sir* Ronaldo I.

Foi justamente em Rancharia que Dinho se envolveu com a música, ainda bem garoto. Tudo começou no dia em que foi ver seu irmão mais velho, Nado (Reginaldo Leme, hoje um conhecido jornalista especializado em automobilismo), fazer barulho com um conjuntinho da cidade. Porém, em vez das guitarras, Dinho se amarrou na bateria. Dias depois já estava perseguindo o baterista do mesmo conjunto, bem mais velho que ele, para que o ensinasse a usar as baquetas. Acabou aprendendo até a tocar mambo. Dali ao primeiro conjunto com outros garotos da sua idade, batizado Os Delfins, foi um pulo. Aos 14 anos, Dinho já estava fazendo bailes em Pirapozinho (SP), Apucarana e algumas outras cidades do Paraná. Tocava um pouco de tudo: rock & roll, bossa nova, sambas, boleros, ou qualquer outro som necessário para preencher as cinco horas do baile. Ansioso por aprender o mais que pudesse, nas horas vagas ainda viajava até Martinópolis (SP), só para poder tocar bossa nova com um pianista muito bom no gênero.

Dessa época uma noite ficou especialmente gravada na memória de Dinho. Durante um show dos Incríveis, lá mesmo em Rancharia, subiu no palco para dar uma *canja* e acabou quebrando uma das baquetas de Netinho, que anos depois ainda se lembrava da cena.

Em 65, Dinho se mudou de vez para São Paulo e entrou em um conservatório musical, no bairro de Pinheiros. Aplicado, um mês e meio depois virou o professor de bateria da escola, mesmo sem saber ler música — conseguia se virar muito bem graças ao ouvido e à boa memória que possuía. Chegou a ter 24 alunos e, obrigado a criar exercícios para que eles praticassem em casa, desenvolveu bastante sua técnica. Também fez bailes com os Fine Rockers, até ser convidado a tocar com um conjunto novo, formado especialmente para acompanhar um cantor jovem que acabara de estourar nas paradas de sucesso: Ronnie Von. Batizado como Os Bruxos, esse conjunto tocava com o cantor em seu programa na TV Record.

Foi no apartamento de Ronnie, na avenida Santo Amaro, no final de 66, que Dinho conheceu os Mutantes. A aproximação com os três, no entanto, só veio a acontecer mais de um ano depois. No início de 68, Dinho já tinha aposentado sua vassourinha de bruxo e ganhava a vida dando aulas, enquanto cursava Administração de Empresas, na Fundação Getúlio Vargas. Até que um músico conhecido (de Rancharia, é claro) o indicou para fazer uma turnê com Jorge Ben, incluindo programas de TV e algumas gravações. Foi assim que Dinho veio a conhecer o empresário Guilherme Araújo, que o convidou a acompanhar outros contratados seus.

Pouco tempo depois, Dinho já tinha tocado com quase todos os integrantes do grupo tropicalista, principalmente na TV. No dia em que recebeu um telefonema de Arnaldo, perguntando se ele aceitaria ensaiar com os Mutantes, Dinho não pensou duas vezes. Muito menos imaginou que seria batizado *Sir* Ronaldo I du Rancharia.

* * *

"Foi a primeira vez em minha vida que eu defendi um negro."

Meio sem jeito, contando à filha como fora seu depoimento na Polícia Federal, o doutor Charles Jones confessou ter quebrado uma de suas arraigadas convicções de branco sulista norte-americano. Intimado a depor, alguns dias depois que Gil e Caetano foram detidos, o pai de Rita esqueceu o preconceito racial, tão comum na região onde nascera, e defendeu o padrinho musical da filha.

Desde o dia em que Gil esteve em sua casa, pedindo permissão para que Rita pudesse acompanhá-lo no festival da Record, doutor Charles passou a respeitar aquele negro de fala mansa, muito inteligente e educado.

Arnaldo e Rita imaginaram que também seriam chamados a depor, ou até detidos, mas nada disso acabou acontecendo. Nem mesmo se soube a razão. Na época, dizia-se apenas que os Mutantes eram tão jovens ainda que a imagem do Exército poderia ficar arranhada se os prendesse. Além disso, a ligação do pai dos garotos com Adhemar de Barros também deve ter sido levada em conta pelos militares.

Porém, o esforço ético do doutor Charles, defendendo Gil na polícia, não adiantou muito. No dia 14 de janeiro de 69, data do voo que levaria os Mutantes e Gil para a França, ele ainda não tinha aparecido. Nem mesmo se sabia onde Gil e Caetano estavam detidos, muito menos quando seriam libertados. O jeito era viajar sem ele.

A pedido de André Midani, da Philips, o produtor Solano Ribeiro viajou com o resto do elenco, para coordenar os shows dos brasileiros no MIDEM. Chico Buarque, Elis Regina e Edu Lobo já estavam na Europa. Além dos Mutantes, do baterista Dinho, de Rogério Duprat e Guilherme Araújo, também embarcou no mesmo voo Toninho Peticov, que resolvera aproveitar a companhia dos velhos amigos para conhecer a Europa e os EUA. A ocasião serviu para reatarem as relações, estremecidas desde o episódio da separação do O'Seis.

No final de 67, Peticov tinha aberto com dois sócios uma loja especializada em pôsteres, na rua Augusta, entre a alameda Franca e a Itu. Passou quatro meses morando no próprio local, pintando e cuidando da decoração, totalmente psicodélica. Foi observando capas de discos de rock da época, como as dos LPs *Fifth Dimension*, dos Byrds, ou *Disraeli Gears*, do Cream, que Peticov vislumbrou um novo caminho para seus cartazes e pinturas.

Na fachada da loja, havia um enorme painel pintado por Alain Voss (que mais tarde veio a criar capas de discos para os Mutantes) e a inauguração contou com o iê-iê-iê e o rock & roll ao vivo dos Beatniks e do Made in Brasil (outro pioneiro conjunto da Pompeia) dos quais Peticov também chegou a ser empresário.

Um mês mais tarde, quando a Poster Shop já tinha se transformado em um badalado *point*, impulsionada pela crescente mania dos pôsteres, Peticov recebeu um solene chega-pra-lá dos sócios. Com os US$ 4.000 que recebeu como indenização, meses depois, ficou na dúvida entre duas possibilidades: comprar metade de um posto de gasolina na rua Oratório, na Mooca, e se dedicar a ganhar dinheiro, ou investir em cultura pessoal e viajar para a Europa. Quando soube da turnê dos Mutantes, já tinha se decidido. E com a econômica oferta de dividir o quarto com Dinho, resolveu começar sua viagem por Cannes, junto com os amigos.

Embora preocupados com a prisão de Gil e Caetano, os Mutantes acabaram entrando no espírito "o show tem que continuar". Afinal, aquela era a primeira vez que sairiam do país. E estavam bastante excitados com a possibilidade de conhecerem a Inglaterra dos Beatles e os Estados Unidos de Jimi Hendrix. O melhor era deixar para trás as mazelas do Brasil e se divertirem, aproveitando ao máximo a viagem. Arnaldo e Rita, especialmente, estavam excitadíssimos. Pela primeira vez, teriam a chance de dormir juntos em um quarto de hotel.

Arnaldo aprontou das suas logo no avião. Bem ao estilo *nerd*, fez todo o tipo de gracinhas, deixando seus companheiros de viagem, especialmente Rita, envergonhados. O clímax do show de barbaridades veio com um saquinho para desarranjos estomacais. Arnaldo começou a gritar que estava passando mal e, quando toda a tripulação já olhava assustada para ele, fingiu vomitar até a alma, em convulsões intermináveis. Depois, não bastasse o constrangimento geral, ainda fingiu que estava engolindo de volta todo o produto do vômito, com ruídos de prazer. *Disgusting*, diria qualquer britânico.

Já na França, os garotos acabaram relaxando. Apesar de ficarem meio preocupados com os sucessivos adiamentos dos ensaios para o show no MIDEM, provocados pela confusa organização do evento, decidiram aproveitar as horas de folga para conhecer a famosa Côte-d'Azur.

Graças a uma dessas mudanças de última hora, Sérgio enfrentou seu primeiro sufoco na França. Depois de ajudar um sujeito a carregar os instrumentos do conjunto até uma caminhonete, o simpático francês (algo realmente raro) resolveu mostrar um pouco da cidade ao brasileiro, para passar o tempo. A cada praia, castelo ou ponto turístico que o sujeito apontava, junto com detalhadas explicações sobre o local, o sorriso de Sérgio ia se tornando mais e mais pálido. O garoto simplesmente não conseguia entender patavina do que o francês falava. Desesperado, tentava lembrar alguma coisa que havia aprendido na escola. Mas o máximo que vinha à sua cabeça eram palavras soltas, como *crayon*, *table* ou *chien*, que não tinham absolutamente nada a ver com aquelas paisagens. O jeito foi repetir muitos *oui oui* e manter o sorriso bobão até o final do passeio.

* * *

Cerca de cinco mil pessoas, entre produtores, empresários, artistas, jornalistas e os inevitáveis caçadores de autógrafos, frequentaram a ensolarada Cannes, durante aquela semana de janeiro. O grande atrativo do MIDEM, além do contato imediato com executivos do disco, era a transmissão direta dos shows pela TV para toda a Europa e, posteriormente, para os EUA. Foi desse modo que Elis Regina chegou ao palco do respeitado Olympia de Paris, no ano anterior, ou ainda que as composições de Edu Lobo começaram a se tornar conhecidas no cenário europeu. O MIDEM era uma vistosa porta de entrada para qualquer artista que pretendesse se lançar no mercado internacional.

O plano inicial consistia em que todos os brasileiros se apresentariam em uma única noite. Às vésperas do evento, porém, a direção do MIDEM resolveu mudar tudo: Elis e Edu foram escalados para a abertura, no dia 18; os shows de Chico Buarque e Mutantes foram transferidos para o dia 20. Esta, por sinal, era a mesma noite que tinha como última atração o Brasil 66 de Sérgio Mendes — então já representando os EUA, onde se radicou com sucesso, em 1965. Outro brasileiro presente no MIDEM era o "rei" Roberto Carlos, que foi a Cannes apenas para receber um troféu, como o campeão em vendas de discos na América do Sul, no ano anterior.

Os Mutantes foram a quarta atração apresentada naquela segunda-feira, noite que reuniu dez nomes, em um programa bastante eclético. Na verdade, com exceção da atração final de cada noite, os artistas e conjuntos não exibiam shows completos, mas apenas rápidos *sets* com a média de dois ou três números cada um. Quem se apresentou primeiro foi o trio grego Aphrodite's Child (que anos depois revelou o cantor Demis Roussos e o tecladista Vangelis), seguido pela desconhecida cantora húngara Jou Jana. Tímido como sempre, Chico Buarque entrou na sequência. Entre outras, cantou seu sucesso "A Banda", acompanhando-se ao violão.

Anunciados pelo mestre de cerimônias Jean Pierre Aumont, como "a vanguarda musical do Brasil", os Mutantes surgiram no palco do Palácio dos Festivais com as mesmas fantasias do FIC. Rita entrou vestida de noiva, com seus dois pratinhos de metal na mão; Arnaldo estava fantasiado de arlequim; Sérgio, de toureiro, empunhava uma nova e vistosa guitarra que Cláudio César acabara de construir e testar, na véspera do embarque.

"Caminhante Noturno" e "Bat Macumba" abriram o pequeno show, fechado com "Dom Quixote". Os músicos da orquestra que acompanhou o conjunto brasileiro — entediados de tocar as mesmas baladinhas e canções românticas de sempre — quase não acreditaram ao se depararem com as partituras dos irreverentes arranjos de Duprat. Os sorrisos de vários deles deixaram evidentes o prazer que sentiram ao poder fugir por alguns minutos da banalidade.

O maestro francês Paul Mauriat demonstrou ter faro musical, ao dizer no Brasil, quatro meses antes do MIDEM, que os Mutantes eram os brasileiros que mais chances teriam de fazer sucesso na Europa entre os que participaram do FIC. Claro que a repercussão da performance dos brasileiros em Cannes não pôde ser avaliada na hora, somente a partir dos aplausos do público, que de fato não foram eufóricos.

Formada principalmente por produtores e executivos de gravadoras, a plateia do MIDEM não estava ali para se divertir, mas antes de tudo para fazer negócios. Assistindo a alguns shows, a própria Rita foi repreendida por executivos desconhecidos, irritados ao vê-la assobiar para os artistas dos quais gostara. A razão das broncas era puramente comercial: uma resposta mais excitada do público poderia aumentar o cartaz do sujeito e, portanto, inflacionar possíveis negociações e contratos.

No entanto, as reações positivas ao show dos Mutantes começaram naquela mesma noite, através de convites para apresentações em Paris e Lisboa. Além disso, um diretor da Rádio e Televisão Francesa declarou que considerava os garotos brasileiros "excepcionais". No dia seguinte, foi a vez do *Nice Matin*, o jornal diário de maior circulação no sul da França, fazer um rasgado elogio ao conjunto:

"É preciso ouvi-los para acreditar que os Beatles não estão sozinhos na vanguarda da moderna música popular."

Mais eufórico ainda foi o artigo de Philippe Koechlin, no *Nouvel Observateur*, algumas semanas depois, anunciando uma aparição do conjunto brasileiro na TV francesa:

"Os Mutantes são maravilhosos: 20 anos, nascidos em São Paulo, ignoram tudo sobre a França, vestem-se com roupas coloridas e extravagantes e trocam o samba pela corrente *tropicalista*. Atenção: o ritmo do jazz, as harmonias lancinantes do blues, o material eletrônico da música pop, as cores folclóricas do Brasil, tudo isso se concentra nos Mutantes, com uma guitarra de pedal *wah-wah* e uma menina surpreendente. Uma tendência nova, novas ideias, vida nova. Eles serão vistos na televisão francesa — *Forum Musique* — no dia 29 de março. E depois, com ou sem a nossa ajuda, estes mutantes se tornarão grandes."

Como costuma acontecer nessas ocasiões, a imprensa brasileira fez coro com os elogios dos estrangeiros. Até então tratados com ironias e preconceitos por boa parte da mídia nacional, pela primeira vez os Mutantes foram enaltecidos como verdadeiros representantes da música popular brasileira. Afinal, a Europa havia se curvado frente aos "nossos" garotos...

"Os Mutantes vão invadir a Europa e mostrar que são dos melhores", exultava o *Jornal da Tarde*, ao reproduzir na íntegra o texto elogioso do *Nouvel Observateur*.

"Nossos Beatles brasileiros", orgulhava-se *A Gazeta*, em sua primeira página, ao anunciar o retorno ao país dos heróis.

"Os Beatles brasileiros impõem-se aos franceses", festejou a revista *Fatos e Fotos*, afirmando que, apesar do sucesso de Elis, Chico e Edu, os Mutantes haviam sido "a atração máxima do Brasil no festival".

Resumindo: aquele mesmo filme que a cultura brasileira já estava cansada de assistir, mas continua em cartaz até hoje. Aqui, geralmente, santo de casa só faz milagre com o passaporte carimbado.

* * *

Parecia cena de filme dos irmãos Marx. Dinho apontava alguém no outro lado da rua, ou perguntava alguma coisa absurda, só para distrair a atenção do porteiro. O baterista usava os mais descarados truques de comédia-pastelão para que Toninho Peticov, seu hóspede clandestino no hotel em Cannes, passasse sorrateiramente pela porta e entrasse no quarto, sem ser notado. O ex-empresário do O'Seis planejava ficar mais tempo na Europa e não tinha muitos dólares no bolso. O jeito era economizar o quanto pudesse.

Dinho quase não acreditou quando, numa tarde, ouviu Toninho gritar e bater na porta do quarto:

"Abre aí, Dinho! O Dom Um Romão e o Raul de Souza estão aqui comigo!"

Dinho era fã de carteirinha de ambos, o baterista e o trombonista, talentosos músicos da geração da bossa nova, que estavam vivendo nos EUA. Para que Dinho se sentisse em frente à santíssima trindade da música instrumental brasileira, na sua opinião, só ficou faltando mesmo Edison Machado, o baterista do Bossa Três, seu grande ídolo.

O encontro foi comemorado a caráter. Os quatro seguiram logo depois para a praia, onde Peticov acendeu um enorme cigarro de haxixe, devidamente socializado. Conversaram e riram bastante, doidões, durante horas. Algum tempo depois daquela tarde divertida, Dinho acabou batizando de "dom um" o ritmo latino, meio abolerado, sobre o qual tanto ele como Sérgio adoravam improvisar, nos momentos de curtição. Essa mesma levada deu um sabor todo especial a "Ando Meio Desligado", que veio a ser um dos grandes sucessos dos Mutantes.

* * *

Terminado o MIDEM, chegou enfim a parte mais esperada da viagem. Ainda em clima de comemoração, Rogério Duprat, Solano Ribeiro e esposa decidiram continuar acompanhando os Mutantes, em um pequeno giro pela Europa. O grau de encanto dos garotos com as belezas do velho continente podia ser medido por uma pérola poética de Rita:

"Puxa, aqui você percebe que os cartões-postais existem!"

Partindo de Cannes, logicamente, o primeiro cartão-postal visitado pelo grupo incluía a Torre Eiffel e o Arco do Triunfo. Os garotos passearam bastante por Paris, mas sem muita empatia, principalmente em relação aos franceses. Excitação só mesmo quando deram de cara com uma passeata, da qual acabaram participando — com direito a uma bomba lançada pela polícia, que explodiu bem perto de todos. Até que foi divertido, mas os Mutantes saíram do país pensando que os jovens franceses eram muito carrancudos, sérios demais.

No fundo, os três não viam a hora de chegar à Inglaterra, próxima parada no roteiro. Claro que o primeiro programa escolhido pelos beatlemaníacos foi conhecer o prédio da Apple, a gravadora de seus maiores ídolos. Rita, a mais fanática, não deixou por menos: lambeu literalmente a maçaneta da porta da gravadora. Afinal, pensou, aquela peça de metal já tinha sido tocada inúmeras vezes pelas mãos de John, George, Ringo e, principalmente, de Paul, seu príncipe encantado da adolescência.

O sonho de Rita, Sérgio e Arnaldo só não se realizou inteiramente porque, apesar das horas que passaram no lugar, não deram sorte de encontrar qualquer um dos Beatles. Ainda assim, diversão foi o que não faltou em Londres. Os Mutantes caíram de boca no *underground*, passeando entre os hippies que perambulavam pela Portobello Road, assistindo shows de rock na Round House, ou mesmo cantando em uma estação do metrô em troca de moedas. Rita, a única interessada em moda, achou bem *pra frente* aquelas garotas usando minissaias do tamanho de sainhas de tênis. Só ficou meio decepcionada com o tamanho da badalada Carnaby Street, bem menor que a paulista rua Augusta.

Uma das coisas que mais chamaram a atenção dos garotos era a liberdade que qualquer um tinha de andar pelas ruas. Podia-se usar cabelos compridos, ou qualquer roupa diferente dos padrões normais, sem que as pessoas ficassem olhando, algo que invariavelmente acontecia no

Cartão-postal: os "Beatles brasileiros" posam em frente à Torre Eiffel, em Paris.

Brasil. Sérgio até decidiu fazer uma experiência. Saiu andando por Piccadilly Circus com um bizarro chapéu de couro de cangaceiro. Depois de alguns quarteirões, sentindo-se como um ser invisível, Sérgio viu alguém olhando do outro lado da rua e vindo em sua direção. Era simplesmente o poeta Torquato Neto, que também estava viajando pela Europa e ficara curioso por saber quem era aquele brasileiro exótico. O piauiense e o paulista morreram de rir, sem que nenhum britânico desse a mínima bola aos dois.

Depois de alguns dias viajando com os Mutantes, Solano Ribeiro já começara a ficar incomodado com as molecagens dos garotos. Rita, especialmente, chegava a irritá-lo. Com frequência, ela era capaz de passar horas e horas interpretando personagens imaginárias, como se vivesse em um mundo à parte. Duas dessas figuras apareciam com mais frequência (e continuam, por sinal, convivendo com Rita até hoje). Gungum é uma menininha chata e grudenta, que adora sentar no colo das pessoas, fazer pedidos absurdos e dizer pequenas crueldades, com o ar mais infantil do mundo. Outro personagem era o cachorro Aníbal, um paquerador nato com palavreado de malandro de morro, que não pode chegar perto de qualquer garota bonita sem tentar uma cantada. Depois de mais de uma hora convivendo com esses personagens, Solano não sabia dizer qual deles era mais irritante.

Já para os garotos, chato mesmo foi perderem por poucos dias um show de Jimi Hendrix, em Londres. O guitarrista norte-americano era considerado a grande sensação do rock naquele momento e todos estavam completamente loucos para vê-lo tocando ao vivo. Mas não havia outro jeito. Tinham aceitado convites para algumas apresentações em Portugal e foram obrigados a seguir viagem.

Além de shows em boates de Lisboa e do Estoril, mais algumas aparições na televisão, o ponto alto da temporada portuguesa foi o show no Teatro Villaret, do qual também participou Edu Lobo. Apesar das marcantes diferenças musicais entre ambos, a relação dos Mutantes com o compositor carioca, que encontravam sempre nos bastidores da TV Record, costumava ser amistosa. Daí a surpresa de Sérgio, fã das composições de Edu, quando o ouviu descer a lenha no rock, durante uma entrevista à imprensa local, na véspera do show. Não que Edu fosse um ferrenho adversário do rock. O que ele realmente não suportava era música barulhenta ou pobre em termos de harmonia, mas respeitava um rock mais sofisticado como o dos Beatles ou o dos Mutantes. Afinal, durante a adolescência, Edu ouviu bastante Elvis Presley e Little Richard. Aos

16 anos, chegou até a dedilhar uma guitarra elétrica, com a qual começou a compor um rock em inglês, intitulado "She's the One", que ficou pela metade. Quando conheceu a bossa nova, Edu abandonou o rock & roll de vez.

Ao ouvi-lo criticar o gênero musical com o qual mais se identificavam, as cucas dos irmãos Baptista ferveram. Sérgio e Arnaldo não quiseram saber de mais nada: sentiram-se duplamente traídos, pois tinham até se oferecido para ajudar a operar a aparelhagem de som durante o show de Edu.

"Ah, é? Falou mal do rock & roll? Vamos ver até onde a MPB chega sozinha", retrucaram.

O vespeiro estava armado. Na noite seguinte, quando Edu Lobo entrou no palco do teatro, com o violão na mão, Arnaldo e Sérgio simplesmente barbarizaram a mesa de som. Tiraram todo o sinal do microfone do cantor, deixando apenas os graves saírem pela caixas acústicas. A plateia só ouviu grunhidos e outros sons meio escatológicos. Edu nem chegou a perceber que se tratava de uma vingança de roqueiros.

Apesar da boa acolhida do público português, os garotos não gostaram nada do provincianismo local, incluindo até mesmo os jovens. Bastava saírem à rua com alguma roupa mais colorida ou diferente, sem falar nos cabelos compridos, para que logo começassem os olhares incômodos. Era como se já tivessem voltado ao Brasil.

Mas ainda restava a última parte da viagem, por sinal, outro país que os Mutantes esperavam ansiosamente conhecer: os Estados Unidos. Ainda na companhia de Duprat (Solano se desligou da turma em Portugal), começaram por Nova York, onde foram a todos os shows que puderam. Deliciaram-se com a cantora Janis Joplin, no Filmore East, outro templo do rock daquela época. Já o show do debochado Frank Zappa & Mothers of Invention, ao contrário, não chegou a contagiá-los. Após alguns dias, o grupo se dividiu: Rita e Arnaldo decidiram alugar um carro para cruzarem o país até a Costa Oeste. Sérgio, que ainda nem tinha idade para tirar a carteira de motorista, preferiu tomar um avião direto para Los Angeles, onde reencontrou Peticov, que já estava viajando pelos EUA há algum tempo. Se tinham se amarrado na liberdade das ruas de Londres, simplesmente amaram quase tudo o que encontraram em Los Angeles e San Francisco. Em vez dos fechados britânicos, na Califórnia eles sentiram que os jovens estavam muito mais abertos a conhecer outras pessoas. Volta e meia, um cara ou uma garota se aproximava com um sorriso e puxava papo:

"Ei, o que vocês vão fazer agora? Que tal um passeio?"

Assim, acabaram ficando quase um mês nos EUA. Com os carros que alugaram, Arnaldo e Rita rodaram mais de 7 mil milhas. Por pouco não ficaram detidos por dirigir em alta velocidade. Não fosse Rita apelar para seus dotes de atriz e Arnaldo estaria frito. Fingindo estar doente, ela foi tão convincente que o guarda os acompanhou até um hospital e esqueceu o caso. Passado o susto, os dois quase tiveram que voltar ao hospital, tamanha a dor de estômago que tiveram por causa das risadas que deram.

As gargalhadas continuaram na volta ao país. Fanáticos por filmes sobre a Segunda Guerra Mundial, Sérgio e Arnaldo trouxeram na bagagem peças de uniformes e apetrechos militares daquela época, como cruzes de ferro, capacetes e casacos nazistas. Alguns dias após a chegada, vestido a caráter, o trio subiu no jipe de Rita, com a capota arriada, e foi fazer um passeio pela rua José Paulino — conhecido reduto da colônia judaica, no centro de São Paulo.

Descarados, os três chegaram até a descer do jipe e entraram em algumas lojas da região, deixando atônitos os lojistas e fregueses. Para sorte dos gozadores, a hipótese de uma provocação tão explícita não chegou a ser levada a sério. Fantasiados de nazistas, os três mais pareciam foragidos de um hospício.

* * *

Quando retornaram ao Brasil, em meados de março, os Mutantes encontraram um país diferente. A censura vigiava rigorosamente a imprensa e todos os meios de comunicação. Depois de passarem quase dois meses encarcerados no Rio, Caetano e Gil estavam confinados em Salvador, numa espécie de prisão domiciliar. No fundo, nem mesmo os outros tropicalistas escaparam ilesos à repressão que seguiu o AI-5. Graças à imagem de subversivos que herdaram com a prisão dos baianos, quase todas as portas de trabalho se fecharam para eles.

De seu lado, porém, Arnaldo, Rita e Sérgio não tinham muito do que reclamar. Além do prestígio que o show no MIDEM e a turnê internacional renderam para o conjunto, na volta ao país os três ouviram a confirmação de um convite recebido pouco antes da viagem. Seriam os atores principais de um filme voltado para o público jovem, com direção de Walter Lima Jr. — um projeto, aliás, que prometia boas chances de sucesso. Quem visse um comercial da Shell, veiculado pela televisão naquela época, sabia que ao menos para comédia os Mutantes possuíam talento cinematográfico de sobra.

Publicidade: vestida de noiva, Rita descansa durante as gravações para a Shell; Arnaldo, em ritmo de cinema mudo, em cena da campanha.

Criada pelo publicitário João Carlos Magaldi (o mentor do programa *Jovem Guarda*, que lançou o "rei" Roberto e toda sua corte), a campanha apostava no público jovem para divulgar a marca da Shell — e, por consequência, vender seus produtos derivados de petróleo. Na televisão, a campanha começou com um pequeno filme de propaganda (um curtíssima-metragem de 30 segundos de duração), estrelado por Rita, Arnaldo e Sérgio.

Toques de *A Hard Day's Night* e *Help* (os dois filmes que Richard Lester fez com os Beatles) misturavam-se com humor de pastelão e o ritmo acelerado de comédias do cinema mudo, tipo *Comedy Capers*. A direção ficou por conta de Guga — irmão do todo-poderoso da TV Globo, Boni, que chegou a assistir as filmagens e até deu alguns palpites. O resultado agradou e logo vieram outros filmes, formando uma série.

Em um deles, filmado nas dunas de Cabo Frio, Arnaldo e Sérgio eram soldados perdidos no deserto. O sol escaldante provocava a miragem: uma bela odalisca (Rita), dançando atrás de uma bomba de gasolina da Shell. A trilha sonora, repleta de ruídos e música incidental, incluía também uma pequena citação de "Caminhante Noturno". Em ou-

Uau! o trio transformado em personagem de quadrinhos,
na campanha veiculada em revistas e jornais.

tro episódio, que já começava ao som de "Dom Quixote", Arnaldo era o romântico cavaleiro medieval que enfrentava moinhos, devidamente enlatado em uma armadura, na companhia de Sancho Pança e Dulcineia (Sérgio e Rita, naturalmente). Havia ainda um episódio baseado em filmes de *bang-bang* e um outro em que Rita surgia com seu famoso vestido de noiva, imitando cinema mudo, ao som de um debochado charleston.

Fora a enorme diversão que as filmagens renderam para o trio, esse trabalho foi bastante compensador em termos financeiros. Os Mutantes receberam o polpudo cachê de NCr$ 100 mil, dinheiro que nenhum deles jamais tinha visto de perto até então. Outra vantagem estava no fato de a campanha apenas insinuar a marca da Shell. Não atuaram exatamente como garotos-propaganda tradicionais, dizendo "compre isso" ou "use aquilo", mas sim como atores de cinema.

Havia ainda um vantajoso efeito secundário. Exibida "n" vezes na televisão e nas rádios, além de veiculação em jornais e revistas, a campanha acabava funcionando como um eficiente meio de divulgação, não só da imagem jovem e irreverente do conjunto, mas também de sua música. Um caso típico foi o da canção "Não Vá Se Perder Por Aí" (de Raphael e Tobé, os autores da pioneira "Suicida", do O'Seis), faixa que fazia parte do segundo LP dos Mutantes. Depois de se tornar conhecida como trilha sonora de um dos filmes da campanha da Shell, essa canção virou *hit* na trilha sonora da novela *Beto Rockfeller*, um grande sucesso televisivo da época.

Aliás, para completar a boa maré que o trio atravessava, as vendas do novo LP — lançado em fevereiro — estavam correspondendo às expectativas da Philips. Ao contratar os Mutantes, o produtor Manoel Barenbein calculara que eles não seriam um sucesso comercial logo de cara. O álbum de estreia atingira a faixa de 15 mil cópias vendidas, número considerado bom para o mercado fonográfico brasileiro daquele momento — mais ou menos o que vendia aqui um LP de James Brown, artista pop de sucesso, que também pertencia ao catálogo da Philips. Só grandes campeões de vendagem, como Elis Regina, chegavam à marca de 100 mil cópias. O mais importante, dizia Barenbein, era investir no trabalho criativo do conjunto. Não seriam os Mutantes que pensariam de outra forma.

11.
A MALDIÇÃO DA GUITARRA DE OURO

"*Se Stradivari fosse vivo, trabalharia aqui comigo.*"

Quem entrasse no quarto de ferramentaria de Cláudio César, no porão da casa na Pompeia, não podia deixar de notar aquela inscrição pouco modesta, cercada por dezenas de corpos de guitarras pendurados no teto. Não era piada. Mal começou a conhecer a obra do célebre *luthier* de violinos, Cláudio se identificou com ele. Afinal, tinha um objetivo semelhante ao do mestre da luteria. Também queria criar uma guitarra perfeita e avançada, simplesmente a melhor.

Depois de construir suas primeiras — e primitivas — guitarras sólidas, Cláudio começara a aprofundar as pesquisas. Um passo importante foi a reforma de um violão italiano Barera, transformado por ele em uma boa guitarra acústica, que Serginho imediatamente adotou. Foi assim que o principiante em luteria aprendeu a adaptar o cabo de madeira, como deveria ser a estrutura de um instrumento acústico, ou mesmo a fazer a alavanca para distorcer o som.

Entre as guitarras conceituadas daquela época, o design que mais agradava Cláudio era o de um modelo especial da marca Guild, que homenageava justamente seu guitarrista favorito: Duane Eddy, norte-americano que no início dos anos 60 se tornou famoso através de *hits* como "Rebel Rouser" e "Peter Gunn", influenciando não só os Ventures e os Shadows, mas até o beatle George Harrison. Porém, alguma coisa lhe dizia que sua guitarra seria diferente.

Cláudio já tinha patenteado a marca Regulus, para a linha de pedais de distorção, amplificadores e caixas acústicas que começara a construir, quando recebeu o empurrãozinho que faltava para se lançar em seu projeto mais ousado. Numa tarde, Raphael o procurou na oficina, com uma ambiciosa encomenda:

"Eu quero que você faça pra mim a melhor guitarra do mundo."

Raphael não deixava por menos. Em termos acústicos, queria um instrumento de som perfeito. Visualmente, não esperava menos que uma joia. Apesar da velada competição que existia entre ambos, os dois amigos confiavam tanto na inteligência do outro que Cláudio nem se preocupou com a responsabilidade do desafio. Se Raphael pedira algo assim, devia mesmo acreditar que ele era capaz de fazê-lo, pensou.

"Tudo bem. Eu faço, mas vai custar caro", respondeu, com a maior tranquilidade.

Na verdade, Cláudio já vinha se preparando para construir uma grande guitarra. Algumas semanas antes, tinha ido à Biblioteca Municipal, onde leu tudo que encontrou a respeito de Antonio Stradivari (1644-1737). Achou algumas menções sobre a vida do *luthier*, mas quase nenhuma informação técnica sobre a construção de seus preciosos violinos Stradivarius. Ainda assim, aprendeu algo: percebeu que, em termos de profundidade, as medidas das guitarras acústicas eram proporcionalmente menores que as dos violinos, violoncelos e contrabaixos. O desenho mais achatado das guitarras acarretava um acoplamento diferente entre a vibração das cordas e a tábua de harmonia do instrumento. Como resultado disso, em termos de qualidade, o som era sensivelmente inferior.

Quando Raphael encomendou a guitarra, Cláudio pensou logo em combinar o desenho clássico dos violinos com uma profundidade maior na caixa do instrumento. A grande dificuldade estava na técnica de curvar a madeira de maneira correta. Foi essa fase que acabou consumindo boa parte dos oito meses gastos por Cláudio para a construção da guitarra. Ou melhor, das duas guitarras, pois ao passar seu projeto para o papel, por motivo de testes e de segurança, ele decidiu construir dois instrumentos ao mesmo tempo. Tudo o que fosse aprovado no protótipo, imediatamente era copiado no segundo instrumento — o de Raphael.

O instrumento do amigo foi construído com folhas de jacarandá da Bahia (uma madeira mais nobre), mas para o protótipo da guitarra Cláudio preferiu usar pinho, um material mais comum, porém com maior grau de flexibilidade. Primeiro, fez um molde em gesso. Depois fundiu dois pesados moldes de alumínio, que permitiram chegar à forma definitiva dos corpos das guitarras. O passo seguinte foi revesti-las internamente com um banho de ouro. Isso emprestava todo um charme à guitarra, mas Cláudio também tinha razões técnicas para isso. Além de ser um material de boa condutividade e capacidade de blindagem elétrica, o ouro protegia a madeira contra os insetos, aumentando a durabilidade do instrumento.

Todos os testes resultaram positivos. O protótipo da nova guitarra se mostrou tão bom que Sérgio quis logo ficar com ela, propondo-se até a pagar os custos do banho de ouro e do acabamento. Essa foi, de fato, a primeira Guitarra de Ouro, batizada oficialmente por Cláudio como

Na boca do forno: Cláudio César ajustando uma das caixas acústicas que projetava.

A Guitarra de Ouro: Cláudio César lixa o corpo da sua criação mais famosa.

Guitarra Regulus modelo Raphael — homenagem do criador a seu amigo. Só alguns dias depois, terminado o trabalho de revestimento do segundo instrumento, é que Raphael recebeu enfim sua esperada "melhor guitarra do mundo".

Não era conversa mole. Apesar de seu design clássico, decalcado de antigos violinos (incluindo sofisticados entalhes na madeira com a forma de arabescos e cravelhas de metal fundidas pelo próprio autor), a parte elétrica e os recursos sonoros da Guitarra de Ouro eram os mais avançados possíveis, a começar do que Cláudio batizou de "circuito memória". Graças a esse recurso, durante um solo, o guitarrista podia alterar radicalmente o som do instrumento, passando de uma sonoridade limpa, sem distorções ou agudos mais pronunciados, a um som bastante sujo, distorcido e carregado de harmônicos. Tudo isso era controlado através de uma simples chave, acionada com o polegar esquerdo. Ou seja: além dos tradicionais controles de volume e tonalidade, a Guitarra de Ouro já embutia avançados sistemas de distorção, filtros eletrônicos de harmônicos e reforçadores de agudos — recursos que nenhuma guitarra da época, nem mesmo as fabricadas nos EUA, possuíam.

Outra invenção de Cláudio, também patenteada por ele, era o chamado Captador Milagroso. Diferente dos captadores tradicionais, sensíveis a apenas uma região da corda do instrumento, o de sua guitarra era capaz de registrar o som da corda inteira, com toda a gama de harmônicos.

Não foi à toa que, ao ser estreada por Sérgio durante a viagem à Europa, a Guitarra de Ouro chamou a atenção de muitos músicos. Aliás, não apenas a guitarra, mas também o novo baixo elétrico levado por Arnaldo, que seu irmão batizara de Guitarra-Baixo. Cláudio o construiu com um design semelhante ao de um contrabaixo acústico, incluindo nele vários recursos sonoros disponíveis na Guitarra de Ouro. Em vários aspectos, esse baixo era um desenvolvimento do Supercontrabaixo, que ele construíra quatro anos antes, para o baixista de Erasmo Carlos.

Sérgio custou a acreditar, quando recebeu uma proposta de US$ 2 mil por seu instrumento, em Cannes. Era um oferta altíssima até mesmo para os padrões do mercado internacional. Com esse dinheiro poderia comprar pelo menos duas excelentes guitarras americanas, como as Gretsch. O garotão ficou tentado a fazer o negócio, mas acabou recusando. Sabia que seu desempenho musical na turnê seria bem inferior sem a Guitarra de Ouro. E, no fundo, tinha medo só de pensar em qual poderia ser a reação do verdadeiro pai da criança...

* * *

Desde a adolescência, Cláudio César nunca mais engoliu o que tinham lhe ensinado na escola sobre a religião católica. Na biblioteca do pai, o rapaz encontrava livros sobre diversas correntes místicas, desde Teosofia até a Rosacruz, que acabaram lhe parecendo bem mais interessantes. Essas obras eram sobreviventes da biblioteca pessoal da mãe de dona Clarisse, Judith, que além de ser espírita se interessava pelos mais variados assuntos místicos. Como o doutor César Baptista era aberto a qualquer tipo de discussão religiosa, apesar de ser católico, os livros da sogra foram agregados à sua biblioteca sem nenhum problema.

Foi num deles, um empoeirado volume de capa marrom, intitulado *Magia Teúrgica*, que Cláudio encontrou o que procurava: uma inusitada estratégia para afugentar prováveis imitadores da Guitarra de Ouro, ou até mesmo ladrões. Não que Cláudio temesse os concorrentes. O que ele não admitia era a ideia de ter suas descobertas pirateadas. Justamente por isso, costumava cobrir com cola Araldite os circuitos eletrônicos dos aparelhos que montava, para que suas ideias não pudessem ser copiadas. Ou mesmo instalava capacitores dentro dos captadores das guitarras que fazia, para que a resistência das bobinas não pudesse ser medida.

Porém, daquela vez Cláudio se superou nos estratagemas para proteger suas invenções. Com um toque de maquiavelismo, prevendo que também poderia conseguir mais publicidade, não só para a nova guitarra, mas até para os Mutantes, copiou do livro de magia uma espécie de invocação dos espíritos do Mal, a *Conjuração do Sábado*, que foi gravada em uma placa banhada a ouro e instalada na parte traseira da guitarra, com essa face voltada contra a madeira. Na outra face da placa, a que ficava visível, Cláudio inscreveu a seguinte maldição, que ele mesmo formulou:

> "*Que todo aquele que desrespeitar a integridade deste instrumento, procurar ou conseguir possuí-lo ilicitamente, ou que dele fizer comentários difamatórios, construir ou tentar construir uma cópia sua, não sendo seu legítimo criador, enfim, que não se mantiver na condição de mero observador submisso em relação ao mesmo, seja perseguido pelas forças do Mal até que a elas pertença total e eternamente.*
>
> *E que o instrumento retorne intacto a seu legítimo possuidor, indicado por aquele que o construiu.*
>
> *Cláudio César Dias Baptista*"

Opus nº 1: Rita
exibe a primeira
guitarra construída
por Cláudio César,
na sala da casa da
família Baptista.

Não deu outra. Talvez mais até do que as novidades tecnológicas lançadas pela Guitarra de Ouro, o truque da maldição foi perfeito para atrair a atenção da mídia.

Um bom exemplo dessa atração está em uma enorme reportagem publicada pela *Folha de S. Paulo*, em 9 de junho de 69. Ocupando 3/4 de página, o texto noticiava a possibilidade de as guitarras de Cláudio serem exportadas para os EUA. Mas o repórter não resistiu à tentação de dedicar um bom espaço à inusitada "invocação do Mal", inclusive reproduzindo na íntegra o texto da maldição. A Guitarra de Ouro e toda sua mística transformaram-se logo em uma marca dos Mutantes, frequentemente mencionados nas reportagens sobre o conjunto. Mais eficiente que essa estratégia de marketing, naquela época, só mesmo os Rolling Stones declarando simpatia pelo Demônio, ou os Beatles dizendo que eram mais famosos que Jesus Cristo.

Sem capital suficiente para incrementar a produção de suas guitarras, nessa época Cláudio já tinha se associado a Pier Ângelo Cerfoglia, dono de uma pequena indústria de peças para automóveis, a Metalúrgica Simons. Sabendo do interesse que seus instrumentos despertaram no exterior durante a viagem dos Mutantes, expresso em várias ofertas de compra feitas a Sérgio e Arnaldo, Cláudio sentiu que estava na hora de investir em seu projeto. Ainda mais quando recebeu a primeira proposta concreta de exportação. Um fabricante de instrumentos musicais nos EUA, o maior da área de Massachusetts, encomendou uma Guitarra de Ouro, ao preço de US$ 1 mil. Ele pretendia exibi-la em uma feira, o que possibilitaria a posterior distribuição do produto pelo país.

Com a adesão do marceneiro Osvaldino e do ferramenteiro Tomyo, a produção de guitarras e baixos foi logo aumentada, atingindo a média de cinco unidades por mês. A essa altura, a oficina na casa da família Baptista já ocupava sete compartimentos, divididos entre o porão e a edícula, nos fundos da residência. O "complexo industrial" incluía depósito, sala de testes, sala de eletrônica e sala de ferramentaria.

A produção seguia de vento em popa, atingindo a marca de trinta guitarras vendidas, quando uma fatalidade interrompeu tudo. Num trágico acidente, o sócio de Cláudio, Pier Ângelo, teve uma mão esmagada por uma máquina de injeção de plástico e desistiu do negócio. Vendo a sociedade desfeita de um dia para o outro e sem o capital necessário para conduzir sozinho a empresa, Cláudio não teve outra saída. Arquivou o projeto de produção em série de guitarras e voltou aos amplificadores e caixas acústicas. Com o tempo, descobriu que podia viver bem só fa-

O SUPER WAH WAH REGVLVS

apresentação

Você acaba de adquirir um aparêlho de efeitos especiais para guitarristas especiais e de qualidade especial.

Pode com êle obter os sons mais variados e uma riqueza nova na execução.

Basta espírito criativo para verificar que o WAH WAH REGVLVS faz muito mais além de simplesmente pronunciar "WAH WAH". Seguindo um bom distorcedor por exemplo. Ouça o que os MVTANTES conseguem em matéria de som prolongado, continuo, com o SUPER WAH WAH REGVLVS acoplado às suas guitarras (também, como o WAH WAH, fabricadas por seu irmão).

Acreditamos que as possibilidades do SUPER WAH WAH REGVLVS apenas começaram a ser exploradas e que você poderá descobrir maravilhas, tais como as que antevemos e nos preparamos para realizar e por a disposição dos guitarristas e outras mais com as quais nem sonhamos ainda. (Afinal já é tempo de a juventude brasileira ditar novos sons para o mundo: Com o WAH WAH, de origem estrangeira aperfeiçoado por nós para o SUPER WAH WAH REGVLVS, com os novos e totalmente inéditos aparelhos modificadores de som que nos propomos lançar e com a sua imaginação, achamos chegada a hora de não mais imitarmos mas sim criarmos "aquele som" que simboliza o ímpeto juvenil). Para isso, só para isso, e não por puro interêsse comercial, trabalhamos com dedicação em cada peça construida: sabemos o que fazemos porque também tocamos guitarra e gostamos disso!

Tenha em nós portanto, fabricantes do SUPER WAH WAH REGVLVS, os amigos prontos para assistí-lo: provaremos a você que surgiu uma Indústria digna de figurar entre as que produzem aquêles artigos célebres pela qualidade quase exagerada, como é o caso de algumas poucas no mundo todo.

instruções

Para utilizar seu SUPER WAH WAH REGVLVS, basta ligar à entrada que diz "AMPLIFICADOR" um cabo comum de guitarra. Êste primeiro cabo ligue ao amplificador.

Ligue agora uma ponta de um segundo cabo, igual ao primeiro, à guitarra: assim que enfiar a outra ponta na entrada do SUPER WAH WAH REGVLVS que diz "INSTRUMENTOS" automàticamente estará ligada a bateria do SUPER WAH WAH REGVLVS, sem nescessidade de acionar chaves ou botões. Inversamente, quando retirar a ponta do cabo da entrada que diz "INSTRUMENTOS", o aparêlho desliga automàticamente.

A bateria do SUPER WAH WAH REGVLVS é de 9 Volts, substituível por uma igual a original, fàcilmente encontrável (em qualquer casa de rádio por exemplo). Esta bateria está colocada na parte interna, na posição que fica sob o calcanhar do executante. Possui longa duração e, em condições normais de uso pode chegar a mais de seis meses sem substituição. Para atingí-la, é nescessário retirar-se a tampa inferior do SUPER WAH WAH REGVLVS, desatarrachando-se seus quatro pèzinhos.

O circuito do SUPER WAH WAH REGVLVS é produzido no famoso processo "circuito impresso" que elimina a fiação entre os componentes, dando-lhes vida mais longa e funcionamento estável. Vem êste circuito lacrado dentro do corpo do SUPER WAH WAH REGVLVS, o que representa uma garantia de máxima solidez, permitindo o manuseio as vêzes brusco do conjunto que atua em palco, sem possibilidade de dano. Garante outrossim êste lacre, a reposição de um instrumento totalmente novo pelos fabricantes, no caso em que êste seja aos mesmos devolvido após uma semana da compra e se constatem defeitos de fabricação, sem se responsabilizarem no entanto, pela operação inadequada do mesmo.

O corpo do SUPER WAH WAH REGVLVS é confeccionado com um dos mais caros e modernos materiais da era espacial: um Cycolac ultra resistente, leve, e que pode ser até cromeado: o ABS. Você não pagou mais por isso; usamos porque desejamos perfeição e o fizemos deduzindo de nossos lucros.

As lêtras e marcas são impressas em ouro legítimo.

O revestimento interior é também de ouro legítimo, para proporcionar perfeita blindagem, durabilidade, resistência à oxidação e beleza interna.

Note que a parte móvel do pedal fica na posição em que for deixada: achamos interessante tal funcionamento, por isso propositalmente o adotamos: esperamos que concordem conosco ao perceberem as vantagens.

As instruções acima são idênticas para o SUPER WOOH WOOH REGVLVS, invenção totalmente nossa e que serve também para o contrabaixo e demais instrumentos graves, além de produzir efeitos diferentes dos do SUPER WAH WAH REGVLVS e interessantíssimos na guitarra comum de seis ou doze cordas.

Após o uso, guarde seu SUPER WAH WAH REGVLVS na embalagem que o acompanha, a fim de evitar a poeira e manter uma aparência sempre de novo, que lhe trará satisfação tôda a vez em que olhar o bonito instrumento que adquiriu.

O WAH WAH REGVLVS

O SUPER WAH WAH REGVLVS

O SUPER WOOH WOOH REGVLVS

estão sob a proteção de um ou mais dos seguintes requerimentos de patente: N.º 118.752; N.º 797.613; N.º 846.314.

Manual de instruções: Cláudio César ensina ao comprador como utilizar seu efeito *wah-wah*.

zendo instrumentos sob encomenda. Sua vocação não era de industrial, mas de artesão.

* * *

Embora não levasse muito a sério as supostas forças malignas que invocara na traseira de suas guitarras, tempos depois Cláudio se arrependeu da "brincadeira". Pensou que a maldição poderia ser mal-interpretada e, assim, decidiu desfazê-la, de uma maneira bastante prosaica. Procurou o recorte do jornal em que a invocação tinha sido reproduzida e, ao lado dela, escreveu com tinta azul:

"*Que esteja desfeita a maldição, em nome do Absoluto.*"

O mais curioso (ou insólito) é que dois dias depois a guitarra de Sérgio foi roubada. O instrumento acabou desembarcando em Minas Gerais, comprado por um sujeito que não sabia nada a respeito da lendária Guitarra de Ouro. Mas bastou ler a maldição e se informar melhor sobre o que tinha nas mãos, para que o crédulo mineiro despachasse imediatamente para São Paulo o instrumento, que retornou "intacto ao seu legítimo possuidor".

Exatamente como prescrevera a maldição do "criador" Cláudio César Dias Baptista.

12.
O PLANETA DOS MUTANTES

Ansiedade e nervosismo corriam soltos no Pavilhão Internacional do Ibirapuera, em São Paulo. Era 17 de abril de 69, véspera da inauguração de mais uma Feira de Utilidades Domésticas, a popular UD. Agitados, correndo sobre o enorme palco montado no Pavilhão de Plástico, contra-regras, técnicos e outras pessoas da produção cuidavam dos últimos detalhes para o ensaio do show. A maioria dos músicos já tinha chegado. Só estava faltando a atração principal: os Mutantes.

Ao vê-los chegar, um dos produtores colocou as mãos na cabeça, num gesto de desespero. Arnaldo estava com o braço direito engessado. E pela expressão de dor que trazia no rosto, parecia coisa séria. O infeliz produtor já arrancara alguns cabelos, pensando na verdadeira catástrofe que seria adiar a estreia do espetáculo, quando teve uma nova surpresa. Viu o mesmo Arnaldo tirar a tipoia e o gesso que envolviam seu braço, com um sorriso maroto que logo se transformou em uma sonora gargalhada. Evidentemente, acompanhada pelas risadas de Rita e Sérgio.

"Você é maluco, rapaz?", perguntou a vítima.

Não exatamente. O produtor ainda não tivera a chance de conhecer a fundo a verve gozadora dos Mutantes e caíra como um patinho, no novo truque que Arnaldo trouxera dos EUA. Mas bastou o ensaio começar para que os três se transformassem imediatamente em profissionais tão responsáveis e compenetrados como qualquer outro do elenco.

No dia seguinte, sem outros sustos pregados pelo trio, estreou o *Moda Mutante* — um badalado desfile-show com artistas de TV, conjuntos musicais, atores e modelos, montado para apresentar as coleções femininas e masculinas da Rhodia para o inverno de 69. A imagem jovem, alegre e irreverente dos Mutantes era tão conveniente ao conceito do desfile, que se tornou a própria grife do evento. Com shows diários, a temporada durou quase três semanas.

Para o trio, o convite não poderia vir em melhor hora. Mal voltara do exterior, já se viu como a atração principal de uma das conceituadas superproduções de Lívio Rangan, o diretor de eventos institucionais da Rhodia. Naquela época, essa indústria de fios investia muito dinheiro em

Moda Mutante: o elenco do show-desfile estrelado pelo trio, em abril de 1969, na Feira de Utilidades Domésticas.

seus desfiles e eventos. Rangan vivia rodando o mundo, colhendo informações e novidades sobre moda, design, perfumes, automóveis e tudo mais que interessasse a seus espetáculos. Os shows da Rhodia costumavam ser produções ambiciosas e *up to date*, em geral com uma boa repercussão nos meios de comunicação.

O casal Eva Wilma e John Herbert — par romântico da pioneira série de TV *Alô Doçura* — cuidou da apresentação do *Moda Mutante*. Além das *manecas* e *manecos* da Rhodia, cerca de 40 atores e figurantes completavam o elenco. Do time musical participou também o Brazilian Octopus, um conjunto eclético e de vida muito curta que reuniu personalidades musicais fortes, como o flautista Hermeto Pascoal (do Quarteto Novo) e os guitarristas Alemão (Olmir Stocker, autor de "Caderninho", um sucesso da era Jovem Guarda) e Lanny Gordin (que também acompanhava Gal Costa).

Dividido em vários quadros, ilustrados com desfiles e números musicais, o espetáculo homenageava grandes astros do cinema e da TV. Também se referia a assuntos bem atuais, como o voo da nave espacial Apollo 9 à Lua, tema explorado pelo então avançadíssimo circuito fechado de TV em cores, enormes monitores instalados frente à plateia e efeitos visuais. E como trilha sonora de toda essa *hi-tech* do final dos anos 60, nada mais apropriado que a futurista "2001", a canção de Rita e Tom Zé.

* * *

Alguns dias após a estreia do show da Rhodia, Arnaldo repetiu o golpe da tipoia. Apareceu com o braço engessado em uma sessão de fotos marcada com Jean Solari, fotógrafo da revista *Realidade*. Só depois de posar com Rita e Sérgio, na cobertura do Edifício Copan, no centro da cidade, é que Arnaldo revelou a farsa. Arrancou a tipoia do braço e jogou o falso gesso sobre o repórter Dirceu Soares.

O fotógrafo não foi a única vítima das molecagens dos Mutantes. Durante a longa entrevista (publicada na edição de junho da revista, com o título "Os Mutantes são demais"), os três não resistiram à tentação de também gozar o repórter. Entre outras invenções, ao explicar o método de composição do conjunto, já começaram dizendo que, no início da carreira, tinham feito mais de 60 canções em apenas dois meses (uma produção digna de entrar no *Guinness Book of Records*). Mais absurdo era o suposto critério que teriam para a escolha das palavras que entravam em suas letras:

"Palavras bonitas são musculoso, libélula, lâmpada, sapato, cabelo, olho, mão, relógio, fio, pingente. Palavras feias: cadeira, piano, toalha, almofada, nariz, orelha. Após essa triagem, encaixavam as palavras na música e montavam a história da letra", explicava a reportagem.

Como se pode notar, seria um método de composição musical simples como um quebra-cabeça, cujas peças, aliás, foram devidamente engolidas pelo repórter. Mais adiante, Arnaldo também contou a ele que, quando eram garotos, não tinham dinheiro para comprar instrumentos. Por isso, Cláudio César teria construído sua primeira guitarra elétrica com uma tampa de privada (na verdade, um simples pedaço de imbuia), adaptada ao braço de um velho violão. Claro que o repórter não deixou de publicar detalhes tão curiosos e engraçados. Mas, quem se divertiu mesmo foram os três sacanas, semanas depois, ao lerem na revista vários dos absurdos que tinham inventado na hora, por pura curtição.

Quase ninguém escapava da verve do trio. Durante a viagem aos EUA, por exemplo, eles descobriram uma nova fonte de risos. Nos bastidores dos programas de TV, quando algum colega já se preparava para entrar no palco, muito solícito, Arnaldo oferecia um chiclete "ótimo para a garganta". A vítima só percebia o horrível sabor de alho quando já estava à frente das câmeras, sem conseguir evitar uma careta.

Até o mestre e parceiro Rogério Duprat entrava na roda. Na época, já sofrendo de uma progressiva surdez (que, por sinal, jamais o impediu de continuar escrevendo seus preciosos arranjos), às vezes o maestro tinha que se esforçar para entender o que os três estavam lhe dizendo. Não era à toa: eles apenas moviam os lábios, sem dizer qualquer palavra, por pura sacanagem.

Sérgio e Arnaldo não perdoavam nem a própria mãe. Com tendências à hipocondria, dona Clarisse vivia misturando calmantes e diversos remédios que a deixavam meio siderada. Às vezes, andava pelas ruas do bairro com seu ar aristocrático, distraída, lendo um livro qualquer. Chegava mesmo a ter alucinações, quando já tarde da noite sentava-se ao piano, para tocar seus concertos. Um dia, insistiu com o marido e os filhos que tinha visto, na sala da casa, na noite anterior, ninguém menos do que Frédéric Chopin (1810-1849). Em meio a essa visão, o compositor polonês teria dito que a considerava a melhor intérprete de suas obras.

Era a deixa que os gozadores precisavam para aprontar mais uma. Na noite seguinte, Arnaldo e Sérgio esconderam-se num canto da sala e ficaram esperando que a mãe descesse do quarto, para o habitual concerto das madrugadas. Mal sentou-se ao piano, na penumbra, dona Clarisse ouviu uma voz fantasmagórica, que a deixou de cabelos em pé:

Molecagem: o truque do braço na tipoia, durante
a sessão de fotos para a revista *Realidade*.

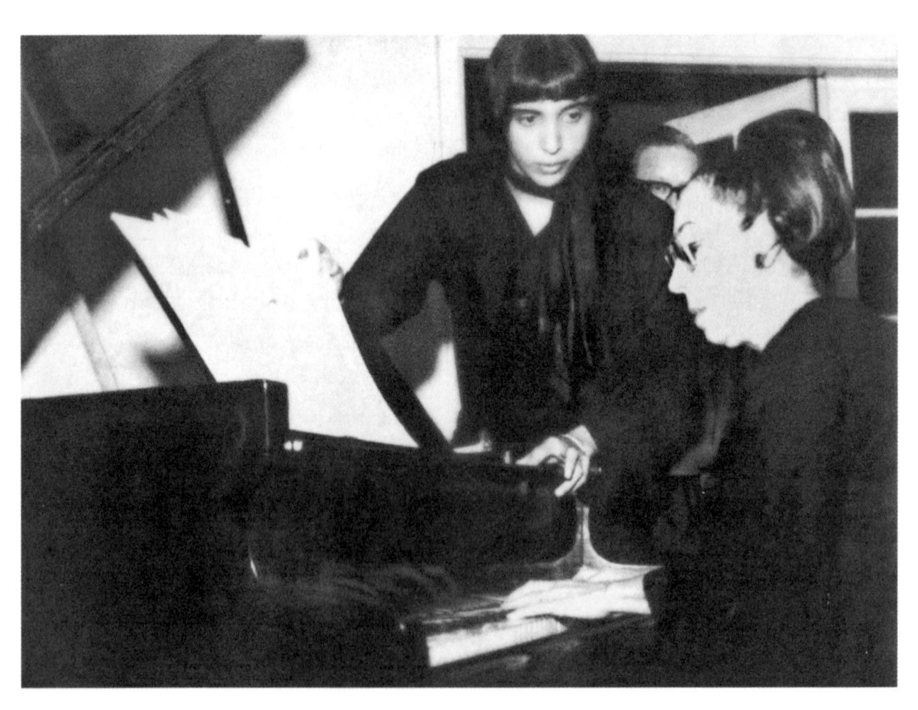

A pianista favorita de Chopin: nem dona Clarisse
escapava das gozações dos filhos.

"*Madame Clarrisse! Je sui Frrederric Chopin!*"

Não fosse a zonzeira dos remédios, dona Clarisse teria feito picadinho dos dois malandros, tamanha a raiva que sentiu, por vê-los brincando com algo tão sério. Eles corriam o risco de perder a mãe ou os amigos, mas jamais uma boa molecagem.

* * *

Melhor, poderia estragar. Em meados de 69, as coisas corriam bem como nunca para os Mutantes. O prestígio conquistado com as apresentações na Europa, o relativo sucesso do segundo LP e a repercussão da campanha publicitária da Shell começavam a render fama — e até um certo dinheirinho — para o trio. Apesar de não terem contrato com alguma emissora de TV, os convites para shows também aumentaram sensivelmente.

Pelo considerável cachê de NCr$ 6 mil, livre de despesas, nessa época os Mutantes fizeram dezenas e dezenas de apresentações em clubes, boates, auditórios e teatros de São Paulo, Rio de Janeiro, Belo Horizonte e Porto Alegre (cidade, aliás, em que faziam um sucesso surpreendente). A estrutura do conjunto ainda se mostrava bem mambembe, com uma perua Kombi — a lendária Dirce — para transportar os equipamentos eletrônicos e instrumentos. As funções de *roadies* e técnicos eram resolvidas "em família": Rita montava os microfones; Arnaldo e Sérgio cuidavam dos aparelhos de retorno, no palco, e do som para o público.

A estratégia, nesse período, era explorar o maior número possível de veículos para a música do conjunto, além dos discos e shows: cinema, teatro, TV, propaganda, o que quer que fosse. Até mesmo a promessa de não participar mais de festivais, anunciada durante o evento da Record, no ano anterior, foi corrigida. Os três decidiram que voltariam a ser iscas de vaias, mas apenas no FIC. Depois de iniciar uma carreira no exterior, não seria muito esperto desprezar um evento internacional.

"Quando se tem um objetivo e se olha para aquilo a vida toda, fica muito chato", diria Arnaldo, nessa época, justificando seu espírito mutante, em uma entrevista. "A coisa mais gostosa não é atingir um objetivo. Bacana mesmo é tentar alcançar cada vez mais longe."

* * *

"É hoje que a gente vai pegar aquele velho pão-duro!"

O pai de Richard, um amigo da turma, servia de conselheiro econômico para os Mutantes. Investia em ações e outras aplicações financeiras o dinheiro que o conjunto ganhava nos shows. Periodicamente, o consultor ia até a casa dos Baptista, à noite, e fazia a prestação de contas — ritual que os três investidores acompanhavam aos bocejos, nem um pouco interessados em todos aqueles números e cifras. Mas se a conversa econômica era entediante, pelo menos os três se divertiam com a evidente sovinice do *coroa*. Sempre usando a desculpa de que estava parando de fumar, ele filava todos os cigarros de Rita, invariavelmente até o último.

Naquela noite, os três prepararam uma armadilha. Retiraram o fumo de um cigarro e o substituíram por maconha, recheando o cilindro vazio com o novo ingrediente. Deixaram somente outro cigarro comum no maço de Minister e ficaram esperando a vítima.

Logo no início da reunião, apesar de Rita ter lhe oferecido o último cigarro, o compulsivo consultor aceitou, pedindo as desculpas de sempre. Concentrado nos cálculos, nem sentiu o cheiro diferente de seu cigarro. E depois de algumas tragadas, já não sabia direito o que estava fazendo ali. Começou a dizer absurdos, enquanto o próprio Richard, seu filho, tentava segurar o riso junto com os três patifes. Mais divertido ainda foi ouvir o velhinho no dia seguinte, ao telefone, com uma voz trêmula e preocupada: "Escuta, meu filho... as contas de ontem... estavam certas, não é?".

* * *

A simpática loirinha vinha avançando entre as pessoas, distribuindo sorrisos. Com uma cesta de vime que acompanhava seu andar, balançando de um lado para o outro, a garota parecia uma primaveril violeteira. Só que não carregava flores e sim repugnantes absorventes femininos, já devidamente usados. A sangueira não parou por aí. Pouco depois, com requintes de perversão, Rita foi assassinada na frente de todos. Não contente em ver o cadáver estirado no chão, o facínora ainda arrancou as vísceras da garota e as jogou bem perto da plateia, atônita com toda a violência que acabara de presenciar.

Não era filme de Zé do Caixão, nem mesmo *Rock Horror Show*. Apenas duas cenas do *Planeta dos Mutantes*, o espetáculo musical que Rita, Arnaldo e Sérgio estrearam na terceira semana de julho de 69, no Teatro Casa Grande.

Uma inusitada dobradinha musical formou-se naquele palco carioca. Enquanto o veterano cantor Sílvio Caldas apresentava-se de terça a domingo, os Mutantes e sua trupe exibiam seu espetáculo somente às segundas e em sessões vespertinas, às 17h. Até que, no início de agosto, com o final da temporada do seresteiro, os Mutantes tomaram conta do Casa Grande, em período duplo.

Foi durante a viagem à Europa que os três sentiram vontade de experimentar o teatro. Em Londres, ficaram de cuca fundida assistindo *Hair*, o popular musical dos hippies norte-americanos Gerome Ragni e James Rado. Além de retornarem no dia seguinte, também viram esse espetáculo em Nova York. Sem falar em outras desbundadas montagens teatrais que puderam assistir durante aquela temporada.

O próprio trio idealizou e escreveu o roteiro do *Planeta dos Mutantes*, em parceria com o cineasta e romancista José Agrippino de Paula, também autor dos cenários, figurinos e iluminação. Nove quadros independentes, que misturavam música, dança, projeções em 16 mm e muito improviso, compunham uma espécie de colagem lisérgica. Alguns temas do espetáculo estavam na crista da onda: a conquista do espaço, transplantes de órgãos, sexo, violência, ficção científica e televisão.

Aliás, o título não foi escolhido apenas porque as viagens interplanetárias estavam no auge da moda. Fanáticos que eram por ficção científica, os três Mutantes não só acompanhavam atentamente todos os passos da conquista espacial, mas já tinham até reservado suas primeiras viagens à Lua. Nos EUA, os três compraram crachás da Pan Am (Rita conserva o seu na carteira até hoje), que garantiam o direito de tomar parte em um dos primeiros voos comerciais ao nosso satélite.

Dirigido e coreografado por Maria Esther Stockler (bailarina e *performer* que já havia colaborado com o anárquico grupo norte-americano Living Theater, de Julian Beck e Judith Malina), o espetáculo usava e abusava de recursos inspirados nos *happenings* e no chamado teatro de participação, muito característicos do final dos anos 60. Os atores-*performers* forçavam o envolvimento direto do público com a ação do palco. Entre outras pequenas agressões estéticas, jogavam câmaras de pneus de caminhão e redes sobre os espectadores.

Em outra cena, a bela Juliana Carneiro da Cunha protagonizava um ritual macabro e sensual. Vestida com um sumário biquíni, despia a peça superior, lambuzava-se de sangue e, completamente possuída, saía dançando pelo palco. Sem falar nas perturbadoras imagens de uma operação de crânio, com longos closes de pinças e bisturis ensanguentados, projetados em cena, ou as vísceras (fígados de galinha) que eram manuseadas no palco.

Uma verdadeira sessão de horror, principalmente para as matinês, que eram frequentadas por muitos adolescentes e até crianças — apavo-

Planeta dos Mutantes: ganharam pouco, mas se divertiram muito com o espetáculo no Teatro Casa Grande, Rio de Janeiro, em 1969.

Lunática de carteirinha: o crachá de sócia do Clube dos Primeiros Voos à Lua.

radas, algumas chegavam a chorar. Fora esse pequeno problema, no entanto, tudo terminava bem. Na última cena do espetáculo, os espectadores mais animados costumavam aceitar o convite dos atores e até subiam ao palco, para dançarem junto com o elenco.

Musicalmente, o *Planeta dos Mutantes* também marcou a volta do bizarro Theremin, o instrumento eletrônico que Rita não usara mais desde o festival da TV Record. Já Arnaldo, além de tocar seu baixo elétrico, começava a experimentar o órgão Vox que trouxera dos EUA. Toda a trilha sonora era executada ao vivo, exceto na cena final, quando o elenco completo participava de uma coreografia. Os Mutantes misturavam vários improvisos com conhecidas canções de seu repertório, como "Panis et Circensis", "Fuga n° 2", "Dom Quixote", "Caminhante Noturno" e "A Minha Menina", além das novas "Quem Tem Medo de Fazer Amor" e "Ando Meio Desligado".

Esta última, por sinal, teve que ser retirada às pressas do espetáculo. Como fora inscrita no Festival Internacional da Canção, cujo regulamento só permitia músicas inéditas, um invejoso adversário tentou puxar o tapete do conjunto. Denunciou à direção do evento que a canção fazia parte do espetáculo no Casa Grande. Mas o dedo-duro não atingiu seu objetivo. Tirada do roteiro, "Ando Meio Desligado" ainda pôde concorrer no festival.

O que atraiu especialmente Rita, Arnaldo e Sérgio no teatro foi a possibilidade de modificar a velha imagem do "conjunto formado por garotos alegres e despreocupados", que tinha se cristalizado na mídia. Além de poderem cantar e tocar suas composições, dessa vez, além de roteiristas, os três também estavam atuando como bailarinos e atores. No entanto, não foram poucos os fãs do conjunto que, após o espetáculo, chegavam no camarim bastante surpresos, ou até mesmo chocados.

"Por que vocês estão fazendo aquilo?", era a pergunta mais comum. Para os Mutantes, porém, o único problema foi o fato de o espetáculo não ter sido exatamente um sucesso de público — o que significava pouco dinheiro, na hora de dividir a bilheteria entre a produção e o enorme elenco. Ainda assim, uma média de cem pessoas por sessão garantia a atmosfera necessária para que a comunicação entre os atores e a plateia acontecesse.

Na verdade, o espetáculo se manteve em cartaz por mais de dois meses, principalmente em função da popularidade dos Mutantes. A crítica, de modo geral, não foi muito simpática ao resultado da montagem. Como o influente Yan Michalski, do *Jornal do Brasil*, que lamentou o fato de o trio não dispor de "um Rogério Duprat teatral". Mas os garotos não estavam muito preocupados com as opiniões da crítica. Para eles, quase tudo era novo e muito divertido nessa experiência. Durante a longa temporada que passaram no Rio, ficaram hospedados em um apartamento na rua Santa Clara, em Copacabana, onde dormiam pouco e bagunçavam muito. Alguns dias, Rita, Arnaldo e Dinho fumavam tanta maconha, junto com outras pessoas do elenco, que já nem sabiam se estavam dentro ou fora do palco. Uma farra.

* * *

Para cerca de 1 bilhão e 200 milhões de pessoas, uma nova era parecia nascer naquele momento. Fascinadas, nos mais diversos cantos da Terra, elas acompanharam pelas televisões os primeiros passos de um homem na Lua. Exatamente às 23h56 de 20 de julho de 1969, o astronauta norte-americano Neil Armstrong tocou a superfície lunar com seu pé esquerdo. Uma noite que ficou na história.

Porém, a emoção das quase 2 mil pessoas que, na mesma noite da chegada à Lua, tinham lotado o Teatro Castro Alves, em Salvador, era muito diferente. Para aqueles fãs, antes de qualquer coisa, tratava-se da despedida oficial de Caetano Veloso e Gilberto Gil — de malas prontas para tentarem uma nova vida em Londres, sem previsões de volta. Era a primeira aparição pública dos líderes tropicalistas, após dois meses de absurda prisão no Rio de Janeiro e outros cinco meses de velada reclusão domiciliar na Bahia. Na hora do adeus, com o palco do teatro invadido pela comovida plateia, Gil cantou pela primeira vez em público "Aquele Abraço", a canção que fizera poucos dias antes, já pensando na despedida. Foi uma noite duplamente significativa para os Mutantes. Fora a excitação pela esperada conquista da Lua, os garotos sabiam que já não teriam mais os mestres baianos por perto. Estavam mais solitários na briga contra a caretice na música brasileira.

* * *

Pela primeira vez eles saíram de um festival com a chamada pulga atrás da orelha. Acostumados a muitas vaias, ovos e tomates de vez em quando, ou até mesmo a ameaças de agressão física, os Mutantes não esperavam agradar a maior parte da plateia do 4° FIC. Já na primeira eliminatória (dia 30 de julho, no TUCA, em São Paulo), eles começaram a achar estranho que as vaias ficassem encobertas pelas palmas. Sem falar no nome do ausente Caetano Veloso, sendo gritado pelo público, exatamente no mesmo teatro em que, um ano antes, ele, Gil e os Mutantes foram vaiados com uma agressividade nunca vista.

"Ando Meio Desligado", a canção que defenderam nesse ano, fora composta quase na marra. Como o prazo para as inscrições já estava se encerrando e os três não tinham nada de muito interessante na gaveta, o jeito foi inventar rapidamente alguma coisa. Tinham acabado de fumar um *baseado*, no quarto de Sérgio, quando ele mostrou a primeira parte de uma melodia, que logo ganhou uma linha de baixo inspirada em "Time of the Season", *hit* do conjunto inglês The Zombies. Também com uma mãozinha de Arnaldo, Rita escreveu a maior parte da letra. A sensação de desligamento provocada pela maconha serviu de ponto de partida para um dos maiores sucessos dos Mutantes. Canção, aliás, que exceto pelos primeiros versos fala mesmo é de amor:

> *Ando meio desligado / Eu nem sinto meus pés no chão / Olho e não vejo nada / Eu só penso se você me quer / Eu nem vejo a hora de lhe dizer / Aquilo tudo que eu decorei / E depois do beijo que eu já sonhei / Você vai sentir mas por favor / Não leve a mal / Eu só quero / Que você me queira / Não leve a mal* (...)

Tocando bongô, vestida com uma jardineira Lee emprestada do pai (incluindo uma barriga postiça, inspirada na gorducha Tuca, cantora de MPB com relativo sucesso na época), Rita cuidara das roupas do conjunto com o deboche de sempre. Sérgio usou um poncho; Arnaldo, um casaco de pele de onça. Os três não acreditaram quando "Ando Meio Desligado" foi classificada em 2° lugar, entre dezoito canções concorrentes. Claro que estavam contentes por poderem participar da fase seguinte do evento, marcada para o final de setembro, no Rio. Mas, no fundo, saíram meio desconfiados. Será que a música do conjunto estava ficando careta?

Um mês depois, em uma entrevista à revista *Fatos e Fotos*, Arnaldo voltava a esse assunto, já mais tranquilo:

"A coisa mais importante da arte é a comunicação. Não adianta a gente fazer um espetáculo do qual o público não participe. Quanto maior a comunicação, seja positiva ou negativa, melhor. Por exemplo, num festival, se a gente é vaiado muito, é genial, se é aplaudido muito, genial também, mas se o público não faz nada, é horrível. Aplauso pouco ou vaia pouca é horrível. (...) Nós estivemos muito preocupados, no último festival de São Paulo, porque 'Ando Meio Desligado' foi tão bem aceita que ficamos até com medo. Mas, em parte, é bom ver que estamos sendo bem consumidos. (...) É preciso ter um pouco de consumo. O ideal realmente é arte e consumo. Fazer arte só não é mole. Fazer consumo só não é mole. Nós sempre procuramos fazer o meio."

Se "Ando Meio Desligado" estava "no meio" do consumo e da arte, já é outra história. Porém, um fato era inegável: essa canção trazia a letra mais romântica que os Mutantes já haviam gravado até então (com exceção de "A Minha Menina"), detalhe que pode ajudar a explicar a maior empatia do público. Claro que, na parte final do arranjo, o alucinado solo de guitarra de Sérgio e os vocais berrados em inglês por Arnaldo tingiam esse romantismo com uma pesada dose de rock. Mesmo assim, a canção não perdeu seu toque romântico.

Na final nacional do FIC, dia 28 de setembro, a reação da plateia carioca frente aos Mutantes não foi diferente da paulista: ouviram-se muito menos vaias do que aplausos. Vaiado mesmo foi o carioca Jards Macalé e sua provocadora "Gotham City", música composta em parceria com o baiano Capinan. Usando uma longa bata colorida, barba cerrada e óculos pretos, Macalé já entrou no palco gritando:

"Cuidado! Há um morcego na porta principal! Cuidado! Há um abismo na porta principal!"

Rita também não deixou por menos. Para surpresa geral, como fizera um ano antes, surgiu no palco do Maracanãzinho vestida de noiva, só que dessa vez com uma vistosa barriga de grávida. Além de ter chocado muita gente na plateia, a debochada quase matou de susto a pobre dona Romilda, que mais uma vez rezava pela filha caçula, assistindo a transmissão pela TV em casa, junto com Virgínia Lee.

Outra figura hilariante no palco era Raphael Vilardi, o ex-parceiro do O'Seis, convocado como baixista para que Arnaldo pudesse tocar órgão. Com o cabelo bem mais curto que o dos amigos, porque já estava cursando a Fundação Getúlio Vargas, Raphael não teve outra saída. Usou uma peruca verde — muito antes que a cantora Baby Consuelo, a vocalista dos Novos Baianos, sequer sonhasse em pintar seus cabelos.

Não bastasse toda a avacalhação visual da apresentação, que também incluiu máscaras e alguns bonecos emprestados do *Planeta dos Mutantes* (ainda em cartaz no Teatro Casa Grande), o trio improvisou um debochado *gran finale*. Parodiando o popular bordão de Chacrinha, cantou em coro:

"Olêêê, oláàá, o iê-iê-iê tá botando pra quebrar!"

E aproveitando o embalo, numa última molecagem, ainda gozaram Augusto Marzagão, o chefão do FIC, gritando:

"Olêêê, oláaá, o Marzagão tá botando pra quebrar!"

Divulgado o parecer do júri, "Ando Meio Desligado" ficou com o 10° lugar, na classificação geral. Quem levou o primeiro prêmio, com direito a representar o Brasil na fase internacional do evento, foi a chorosa "Cantiga por Luciana" (de Edmundo Souto e Paulo Tapajós), defendida por Evinha, do Trio Esperança. Foi a deixa para que logo viesse à tona um escândalo. O veterano compositor Adelino Moreira acusou a canção vencedora de plagiar sua "Cinderela", sucesso gravado por Angela Maria, em 1966. "Há apenas uma coincidência de cinco notas", defendeu-se Tapajós, dizendo que "nem conhecia a tal 'Cinderela'".

Alguns dias depois, o FIC recebeu outro golpe considerável. Os maestros Rogério Duprat, Júlio Medaglia, Damiano Cozzella e o poeta Augusto de Campos divulgaram, através da revista *Veja*, um manifesto de rompimento definitivo com o festival, criticando-o duramente por ter escolhido, em sua fase internacional, as mais lacrimosas e medíocres baladas:

"Antes era apenas um festival. Agora converteu-se num festim nefasto à cultura brasileira. Uma ameaça de morte a toda cultura popular minimamente informada. Diz bem o berro de Macalé: 'Cuidado!'. É o Funeral Internacional da Canção. O FIC 'san-remiza' a música popular brasileira, abaixando o seu repertório ao nível da pior música europeia, aliás condizentemente representada no festival, jogando fora o esforço de renovação iniciado com lucidez e coragem por João Gilberto e Tom Jobim e continuado por Gil, Caetano e outros. 'Tutu or not tutu, that is the question', é a moral do negócio."

Em meio a todo o falatório que sucedeu o festival, até Rita foi acusada de plágio. Disseram que a ideia de entrar no palco como uma noiva grávida fora copiada do filme *Funny Girl*, no qual a cantora Barbra Streisand aparecia com idêntico visual. Questionada pelos repórteres, Rita jurava que tinha pensado nisso muito antes de ver o filme. Seu plano original era continuar a piada nos festivais posteriores. No ano seguinte, entraria no palco com o suposto filho, já crescido, além de um novo bebê a caminho, na barriga. Assim, a cada ano a família ficaria maior.

Mas a piada ficou por ali mesmo. Logo após o festival, concordando com o manifesto dos maestros, os Mutantes decidiram que também não participariam mais do FIC. A não ser, ressaltavam, que surgisse no país um evento nos moldes dos grandes festivais norte-americanos de música pop, como o de Monterey, na Califórnia, organizado ao ar livre, sem competição entre os participantes e com estrutura para ser assistido por algumas centenas de milhares de fãs. Os Mutantes tinham acabado de aderir ao espírito de Woodstock.

* * *

A temporada do *Planeta dos Mutantes* deixou uma lição para os garotos. Fazer teatro era uma experiência divertida, mas dividir bilheteria com um elenco enorme quase resultou em prejuízo. Se o conjunto tivesse continuado a fazer seus shows pelo país, certamente teria ganho bem mais.

Outra consequência indireta da longa estada no Rio foi o adiamento do filme que fariam com Walter Lima Jr., batizado inicialmente de *2001*. O trio chegou a fazer uma primeira reunião com o diretor, mas depois disso os desencontros de agenda não permitiram que o projeto fosse colocado em prática.

Por essas e outras, o plano de levar o mesmo espetáculo musical a outras capitais do país foi enterrado no próprio Rio de Janeiro. Os Mutantes perceberam que, depois de gravarem o novo LP, o melhor a fazer era cair na estrada de novo.

* * *

"É esse mesmo!"

Mal entrou na revendedora de automóveis, que ficava a poucos quarteirões de sua casa, ali mesmo no bairro de Pompeia, Sérgio encontrou o que procurava: um esportivo Lorena, modelo 69, a joia da homônima fábrica nacional. Em um instante o garoto já estava sentado no automóvel, testando os pedais e ajustando o espelho retrovisor, como se fosse sair dali naquela mesma hora, cantando os pneus.

"Esse aqui já é meu!", decretou.

Tibério, um dos vizinhos que viviam na oficina de Cláudio César, ficou estático, observando o amigo realizar — em grande estilo, por sinal — o sonho de qualquer garoto da sua idade. Na mesma hora, Sérgio tirou do bolso um pacote de dinheiro e fechou o negócio, todo orgulhoso. Afinal, ainda nem tinha completado 18 anos e já estava comprando seu primeiro carro, com o que ganhara tocando com os Mutantes.

O garoto não deixou por menos. Além de encomendar a instalação de rodas de magnésio e dois esquisitos tubos de PVC saindo pelo teto, para funcionarem como entradas de ar, Sérgio também envenenou o visual da máquina. Com a ajuda de Cláudio César, pintou o Lorena com vários tons de azul, em degradée. Quem olhava o automóvel, tinha a impressão de ver uma grande arraia deslizando pelas ruas. O *carango* de um mutante tinha que ter algo mais.

* * *

Embora seu visual comportado disfarçasse, Élcio Decário vivia quase como um hippie, no final de 69. Para sobreviver, fazia batik, cintos e porta-níqueis de couro cru, que ele mesmo vendia na praça da República e na feira da cidadezinha de Embu-Guaçu — um popular centro de artesanato, na periferia de São Paulo. O grande problema era que, apesar de vender todas as peças que fazia, no fundo Élcio não se considerava um bom artesão, muito menos tinha prazer nesse trabalho. Sentia que seu negócio era outro: música.

Descendente de italianos da Calábria, além de cantar e tocar violão, Élcio começou a compor cedo. Na época do iê-iê-iê, chegou a participar de alguns conjuntos, sem sucesso. Porém, seu rock "Século XX" costumava agradar bastante nos shows e bailinhos, mesmo sem nunca chegar a ser gravado. Agora, Élcio estava com 25 anos e não conseguia engolir o fato de não poder viver da música ou das canções que escrevia. Fazer bicos ou costurar couro, pensava, era um desperdício para um sujeito que lia tudo o que caísse em suas mãos, de literatura latino-americana a economia política.

Assim, no dia que reencontrou André Geraissati, por acaso, na avenida Santo Amaro, Élcio confessou ao ex-coleguinha de conjunto que, apesar das dificuldades econômicas, ainda não desistira da música. André ficou contente ao saber que Élcio evoluíra como compositor, abandonando os roquinhos ingênuos para tentar letras mais ambiciosas. Gostou tanto do que ouviu que até se ofereceu para mostrá-las a um amigo guitarrista, que estava preparando um disco e precisava de novas músicas.

Quando os dois foram encontrar Serginho pela primeira vez, Élcio levou uma dezena de letras, escolhidas entre pelo menos trinta outras que enchiam sua gaveta. Após dois dias de espera, veio o telefonema. Os Mutantes o estavam convocando para uma reunião no quartel-general do conjunto, na Pompeia.

O material de Élcio parecia ter caído do céu. O trio andava arrancando os cabelões para compor novas músicas, ou pelo menos arranjar material inédito, para seu terceiro LP, que devia sair em março. Rita e Arnaldo ficaram impressionados com o que ouviram. Ainda mais quando souberam que aquele sujeito engraçado, meio parecido com Desi Arnaz (o marido de Lucille Ball, na série de televisão *I Love Lucy*), cursara apenas o primário. De cara, os Mutantes se interessaram por duas canções. "Hey Boy", curiosamente, quase tinha sido deixada na gaveta por Élcio. Mas Arnaldo se amarrou naquela baladinha bem anos 50, que ironizava a vida de um *playboy* frequentador da rua Augusta. Além de cortar alguns versos, Arnaldo escreveu uma nova melodia para a segunda parte.

A outra escolhida, uma canção estranha e libidinosa, foi rebatizada em comum acordo de "Ave, Lúcifer". Um pouco alterada por Arnaldo e Rita, a letra original também recebeu uma nova melodia. Claro que Élcio nem se incomodou com as tesouradas e palpites dados a respeito de seu material. Nada poderia ser mais excitante para um compositor desconhecido do que ver suas canções gravadas pelo conjunto pop mais famoso do país.

* * *

Só faltou usar chicote e fórceps. Rita foi quase torturada por Arnaldo e Sérgio, para que conseguisse soltar mais a voz, na gravação de "Meu Refrigerador Não Funciona", um blues debochado que o trio compôs para seu terceiro LP. Os irmãos Baptista encasquetaram que Rita tinha que cantar do jeito gritado e sensual de Janis Joplin, uma das paixões musicais de Arnaldo, na época. Os dois não largaram o pé — muito menos a garganta — da parceira enquanto ela não chegou perto do que pretendiam. Mas valeu a pena: a performance de Rita foi um verdadeiro *tour de force*. Pela primeira vez em uma gravação do conjunto ela deixara de soar como uma garotinha.

Ainda nessa faixa, o próprio Arnaldo aparece cantando de modo bem diferente dos discos anteriores do trio, quase berrando os vocais, com uma marcada influência da *soul music* de Otis Redding, Wilson Pickett, James Brown e outros cantores negros norte-americanos. Era a primeira tentativa dos Mutantes de fazer um som "mais pesado, mais beat, mais soul, mais blues, mais negão", explicava ele, numa entrevista à revista *O Cruzeiro*.

Gravado no Estúdio Scatena, logo após o FIC, o álbum *A Divina Comédia ou Ando Meio Desligado* marcou de forma definitiva a decisão do conjunto de andar com as próprias pernas.

Até mesmo a costumeira colaboração de Rogério Duprat diminuiu sensivelmente nesse trabalho. O dedo do maestro só é mais evidente nas intervenções orquestrais e efeitos eletrônicos de "Ave, Lúcifer", ou ainda no coro de "Haleluia" (composição de Arnaldo). Duprat também chegou à conclusão de que arranjos orquestrais já não se adaptavam mais à evolução do som do trio, que progressivamente estava se transformando em uma banda de rock.

Fundamental para essa transição foi o fato de Arnaldo trocar seu baixo pelos teclados, isto é, o órgão Vox e o piano. Várias faixas do álbum, como a instrumental "Oh! Mulher Infiel", "Quem Tem Medo de Brincar de Amor" (cujo título original, "Quem Tem Medo de Fazer Amor", teve que ser alterado por causa da Censura), ou a própria "Meu Refrigerador Não Funciona", indicavam que o conjunto ganhara mais peso sonoro. Na linha das experimentações dos discos anteriores, "Desculpe, Babe" também trazia um estranho efeito doméstico. Na segunda parte da canção, Sérgio distorceu sua voz com o auxílio de uma mangueira conectada a uma lata de Nescau, que tinha um alto-falante de 8 polegadas em seu interior. O que veio a se chamar mais tarde de Voice Box.

A incompleta ficha técnica do LP (mantida dessa forma na edição em CD) deixou de assinalar, mas as gravações contaram com algumas participações especiais. Além dos vocais de apoio de Raphael Vilardi, "Hey Boy" incluiu também o contrabaixo de Liminha, que participou de outras três faixas: "Quem Tem Medo de Brincar de Amor", "Desculpe, Babe" e "Preciso Urgentemente Encontrar um Amigo" (canção da dupla Roberto e Erasmo Carlos que, ao contrário de muitas outras, jamais fez sucesso).

Já a conga que se ouve em "Ando Meio Desligado" e "Desculpe, Babe" não foi tocada por Dinho, mas sim por Naná Vasconcelos. Acostumados a vê-lo nos bastidores dos festivais, os Mutantes decidiram convocá-lo — poucos meses antes que Naná entrasse na banda do saxofonista argentino Gato Barbieri e se mudasse para a Europa, tornando-se um dos percussionistas mais respeitados no cenário internacional. Durante as gravações, os garotos ficavam impressionados ao ver o pernambucano tocar os tambores usando o queixo e as costas das mãos. Um músico criativo como Naná só poderia dar no que deu.

* * *

Aos 15 anos, logo após a aula, Liminha telefonava para a casa de Regina, sua namorada. O garoto passava horas tocando violão para ela, principalmente músicas dos Mutantes. A favorita do casal era "Le Premier Bonheur du Jour", que Liminha ouvira pela primeira vez com o trio, no programa de TV de Ronnie Von.

"Um dia eu ainda vou tocar com eles", dizia, com a mesma intensidade de um adolescente inglês que sonhasse ser um dos Beatles. Porém, a inevitável bronca do pai da namorada, irritado com o telefone ocupado por tanto tempo, logo fazia o garoto voltar à realidade.

Três anos mais tarde, no final de 69, Liminha não só era amigo de Sérgio, mas até já havia gravado e tocado no festival da Record com os Mutantes. Por isso, naquela tarde, ao receber um recado de Arnaldo para que aparecesse urgente na Pompeia, Liminha pressentiu que o momento tão esperado estava próximo.

Não deu outra: como Arnaldo decidira se dedicar exclusivamente ao órgão e ao piano, o trio estava precisando de um baixista para os shows e gravações que tinha pela frente. Nem mesmo o fato de ser considerado apenas acompanhante (situação idêntica à de Dinho, que na prática significava ganhar um cachê muito menor que os de Rita, Arnaldo e Sérgio), diminuiu a alegria de Liminha. Afinal, seu grande sonho enfim estava se realizando.

Arnolpho Lima Filho já morava na rua Traipu, em Perdizes, na zona oeste da cidade, quando conheceu os Mutantes. Mas passou a infância no bairro da Lapa, sempre cercado por muita música em casa. A mãe, dona Lady, era professora de piano. Já seu Arnolpho, que ganhava a vida trabalhando como farmacêutico, tocava um pouco de violino — de ouvido mesmo, sem saber ler partitura.

Vivendo nesse ambiente, foi natural que, já aos 10 anos, Liminha estivesse tocando em um sexteto de violões. As mãos do garoto ainda eram tão pequenas que ele mal conseguia fazer a pestana. Com o baixo elétrico que ganhou do pai, três anos depois, formou com outros garotos do bairro da Liberdade seu primeiro conjunto de rock — o The Thunders (curiosamente, um homônimo do primeiro agrupamento dos irmãos Baptista). O uniforme era bem moderninho: calça Lee havana e blusão. Na frente, vinham os nomes do instrumento e da "fera" que o tocava; atrás, a enorme grife "The Thunders", com direito a relâmpagos e tudo o mais.

Foi com esse conjunto que Liminha concretizou sua primeira ambição de músico amador: tocar no programa de Júlio Rosemberg, que a TV Tupi exibia nas manhãs de domingo. Exatamente por causa desse programa, o inevitável conflito de gerações explodiu pela primeira vez no lar da família Lima. Dona Lady era protestante e não gostava nem um pouco que o filho perdesse a missa dos domingos, para ficar em frente à televisão, ouvindo aquela barulheira chamada rock & roll.

Sonho de adolescente: fã dos Mutantes desde garoto, o baixista Liminha é convocado pela banda no final de 1969.

Caído do céu: Élcio Decário, o parceiro instantâneo de Rita e Arnaldo.

Nessa época, Liminha já começara a ganhar alguns trocados, tocando em festinhas, clubes e colégios, nos finais de semana. Porém, raros shows foram tão excitantes como aqueles que os Thunders fizeram no Paraná, nas férias de julho de 65. Contratados para tocar na cidade de Londrina, os garotos ficaram hospedados na casa de familiares do guitarrista. Liminha, que tinha apenas 14 anos, precisou até de uma autorização assinada pelos pais para poder viajar.

Só quando viram a reação da tia do amigo, escandalizada ao saber que eles iriam tocar "em um lugar abaixo da linha do trem", é que os garotos perceberam que tinham sido enrolados pelo empresário. A boate ficava simplesmente na chamada *zona* da cidade. Porém, depois de tantos quilômetros rodados e o compromisso já assumido, não podiam mais voltar atrás. Tocar entre as prostitutas e observar toda a fauna típica desse submundo, foi o máximo para os garotos.

Depois de ter tocado com os Lunáticos, Liminha era o baixista dos Baobás, no início de 68. Com eles, chegou até a gravar um compacto com *covers* de "(Sitting on) The Dock of the Bay" (de Otis Redding) e "Light My Fire" (dos Doors), lançado pela gravadora Rozemblit. Foi nessa época que o garoto realmente se tornou músico profissional. Procurados por Caetano Veloso, que tinha acabado de ser deixado na mão pelos Beat Boys, os Baobás aceitaram acompanhá-lo em uma série de shows.

Na volta da excursão, frequentando os bastidores do Teatro Record, Liminha começou a encontrar mais os Mutantes. Nos intervalos dos programas, divertia-se tocando com Sérgio e Arnaldo a "Marcha Turca", de Mozart. Apesar de ser uma peça bastante difícil para qualquer guitarrista, Liminha tinha aprendido uma parte dela com a mãe e a brincadeira inevitavelmente acabava virando duelo. Daí aos primeiros convites para acompanhar o trio, foi um passo.

Quando finalmente recebeu o convite para fazer parte dos Mutantes, ao final do primeiro ensaio com a banda, Liminha ouviu uma pergunta que o deixou bastante desconcertado:

"Você já fumou maconha?"

Naquela época, para 99,9% da garotada classe média, tanto a maconha como outras drogas ainda soavam como coisas de marginal. Liminha estava com 18 anos e jamais tinha experimentado qualquer uma delas. Desconfiou que se tratava de um teste. Provavelmente, eles queriam estar certos de que não teriam problemas com um possível drogado na banda, pensou. Assim, foi logo afirmando seus bons antecedentes:

"Não, nunca", disse, quase em tom de juramento.

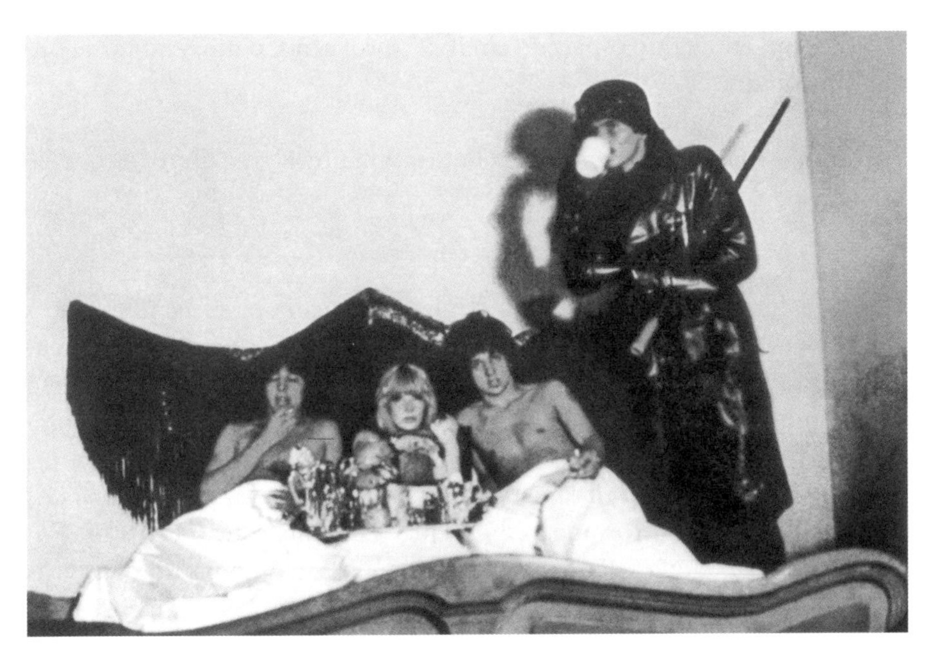

Na cama com Rita: a sessão de fotos para a contracapa do terceiro LP, uma típica provocação mutante.

Chamuscados no inferno de Dante: lápide de isopor e mantos com colchas de chenille, no *remake* da gravura de Gustavo Doré para *A Divina Comédia*.

Porém, em vez do esperado sinal de aprovação, o novo mutante ouviu um convite:

"E você não quer experimentar?"

Mais amarelado que seu cabelo, Liminha teve um súbito ataque de tosse.

* * *

"Venha ver sua filha *nua*, na minha cama, com os meus filhos!"

Ao entrar em seu quarto e ver Rita, Arnaldo e Sérgio, aparentemente sem roupa, embaixo dos lençóis, a mãe dos garotos tomou um susto tão grande que não viu mais nada à sua frente. Não notou a fotógrafa Cynira Arruda, o baterista Dinho vestido de nazista (com um dos uniformes militares trazidos da França pelos irmãos Baptista), muito menos os refletores de luz e outros apetrechos típicos de uma sessão de fotos. Furiosa, dessa vez dona Clarisse esqueceu seu relativo liberalismo com os garotos. Esbravejando, desceu a escada e telefonou imediatamente para a mãe de Rita. Um verdadeiro escândalo.

Sem dúvida, a primeira intenção dos Mutantes, ao escolher esse cenário para ilustrar a contracapa do LP, era provocar. Porém, não imaginaram que o primeiro choque causado pela cena poderia acontecer tão rápido. E tão próximo. Mais *queimado* só ficou mesmo Arnaldo, que por pouco não virou churrasco, algumas horas depois, durante a sessão de fotos para a capa.

A ideia de Cláudio César era reproduzir com fidelidade uma gravura de Gustavo Doré, que ilustrava uma antiga edição do clássico *A Divina Comédia*, de Dante Alighieri, pertencente à biblioteca da família. Também com a ajuda de Cláudio, os três cavaram no quintal da casa um buraco de um metro de profundidade, para simular a sepultura da qual Arnaldo, com o peito nu, parece estar saindo. Dentro da cavidade, um *spot* e uma pequena fogueira produziam a luz e a fumaça necessárias para o efeito soturno da foto, que foi realizada durante a noite. A imagem se completava com uma grande lápide (feita por Cláudio com isopor) e os mantos (colchas de chenille retiradas das próprias camas da casa) vestidos por Rita e Sérgio, com folhas de louro nas cabeças.

Depois de um longo tempo dentro da cova, posando bem perto do fogo, Arnaldo saiu da sessão de fotos meio chamuscado. Sentiu na pele, literalmente, um pouco do Inferno imaginado por Dante.

13.
UM CASAL SEM DESTINO

O tempo fechou mesmo. Discussões e briguinhas eram bastante comuns no dia a dia dos Mutantes, mas o ambiente nunca ficara tão pesado como naquelas últimas semanas de 69.

Apesar de o conjunto adotar um sistema mais ou menos democrático em suas decisões, as sessões de gravação do terceiro LP já tinham sido uma maratona de bate-bocas. Arnaldo, que costumava se colocar como líder durante as entrevistas e contatos com a imprensa, tomando quase sempre a dianteira na hora de falar, começou a assumir também a função de produtor musical do disco. Às vezes, ficava intransigente, até mesmo autoritário. Nessas horas, era briga na certa.

Ainda que nada de muito importante fosse decidido no conjunto sem votação, Arnaldo e Rita acabavam polarizando as discussões — os dois eram mais articulados e, na hora das controvérsias, sabiam escolher os argumentos mais convincentes. Sérgio, nessa época, ainda não se interessava muito por outros aspectos do trabalho que não os estritamente musicais. Muitas vezes, deixava os dois parceiros se engalfinhando e voltava para o que mais o interessava: a guitarra ou a namorada, mais ou menos nessa ordem.

Mas o que realmente começou a complicar o cotidiano dos Mutantes foi o fato de, fora dos palcos, Arnaldo e Rita formarem um casal. Após cinco anos de duração, o namoro entrou em crise aberta. Em geral muito discretos, pela primeira vez os dois se separaram, anunciando aos amigos o definitivo término da relação amorosa — uma ameaça bastante considerável para o futuro do conjunto.

O casal já passara por fases bem diferentes daquela. Logo que se conheceram, querendo impressionar Rita de qualquer maneira, Arnaldo até frequentou um curso para aprimorar o inglês. A ligação dos dois era forte, durante os primeiros anos do namoro. Além de passarem muito tempo juntos, ambos não conseguiam esconder uma boa dose de ciúme. Ainda no início do conjunto, Arnaldo quase trocou sopapos com Bogô (dos Beatniks), mordido por uma certa pinimba que restara entre o guitarrista e Rita, da época em que os dois formavam o trio Danny, Ches-

Casal ameaçado: encostados no Lorena de Sérgio, Rita e Arnaldo já mostravam os primeiros sinais de crise amorosa, no final de 1969.

ter e Ginny. De seu lado, sempre que as macacas de auditório tentavam agarrar Arnaldo, na saída dos shows dos Mutantes, Rita também não deixava de defender o que era seu. Com unhas e dentes, se fosse preciso.

Mais tarde, durante a convivência com os tropicalistas (todos mais velhos e bem mais experientes que eles, em todos os sentidos), Arnaldo e Rita enfrentaram com timidez e um certo moralismo os velados flertes que aconteciam no meio da turma. Caetano e Gil até evitavam falar sobre alguns assuntos, principalmente sexo, na presença dos garotos. Já o despachado Guilherme Araújo, com a melhor das más intenções, chegou a dar conselhos aos dois:

"Ritinha, vocês precisam ser mais modernos. Você e o Arnaldo só andam grudados um com o outro. Isso é um desperdício..."

Para o apaixonado casal de adolescentes, educados em colégios tradicionais, uma sugestão liberal como essa chegava a assustar. Não que Arnaldo e Rita tivessem alguma vocação para o convento ou algo parecido, mas a ligação dos dois, naquela época, era realmente especial. A começar do fato de os dois ainda serem virgens ao transarem pela primeira vez, já depois dos 18 anos. Após muitos amassos nos gramados do Parque do Ibirapuera ou nos cinemas, quando surgiu uma chance de irem até o fim, os dois não ficaram discutindo se eram contra ou a favor do sexo antes do casamento. Tudo aconteceu muito rápido, no porão da casa de Rita, numa tarde em que toda a família estava fora. Depois, com as primeiras viagens do conjunto, transar nos quartos de hotel era bem mais fácil.

Com o tempo, porém, o tom romântico do casal começou a desafinar. A popularidade dos Mutantes aumentou e com ela cresceu também o número de garotas atrás de Arnaldo e Sérgio. Rita percebeu logo que Arnaldo não só gostava da tietagem das fãs, como também tomava iniciativa nas paqueras. Porém, mesmo sentindo raiva e ciúme, Rita preferia dar uma de durona. Fingia que não se incomodava, que era *pra frente, papo firme*, moderna.

Para complicar mais as coisas, uma disfarçada competição se instalou entre os dois. Mesmo que Arnaldo posasse de líder, era natural que a única mulher de um conjunto de rock polarizasse as atenções da mídia. Não poderia ser diferente no caso de Rita, que além de roupas esquisitas exibia um padrão de beleza europeu, totalmente diferente do brasileiro. Nas sessões de fotos para revistas e jornais, às vezes o fotógrafo gastava um ou dois filmes inteiros com ela, reservando apenas algumas chapas para os rapazes. Além disso, para acirrar mais ainda as tensões e a competição dentro do conjunto, Rita também começou a ser convidada para entrevistas e reportagens, muitas vezes sozinha.

Desse modo, começava a ficar evidente que Rita tinha potencial para seguir carreira própria, independente dos irmãos Baptista. A Philips, gravadora do conjunto, não dormiu no ponto. Arnaldo Saccomani, que dirigiu a produção do terceiro LP, tomou a dianteira. Com aval do todo-poderoso André Midani, presidente da companhia, apresentou ao trio a possibilidade de cada um deles gravar um álbum solo, no ano seguinte. Tratava-se, de certa forma, de um balão de ensaio para testar as reações e opiniões dos três, mas a ideia nem chegou a ser discutida em detalhes. Quando a primeira crise de Arnaldo e Rita se transformou em briga, não houve mais clima para continuar trabalhando.

A gota d'água veio com o plano de Arnaldo para as férias: queria fazer uma longa viagem de motocicleta com os irmãos e alguns amigos. Acostumada a participar de todos os programas, mesmo os mais masculinos, Rita também quis acompanhá-los. Porém, dessa vez Arnaldo vetou. Disse que a viagem seria perigosa e muito cansativa — um programa exclusivo para homens. Além disso, confessou, também queria ficar um tempo sem vê-la, para pensar melhor no futuro dos dois.

Ela argumentou, discutiu, esperneou, mas não houve acordo. O efeito da intolerância de Arnaldo foi duplo: separação amorosa e profissional.

* * *

Rita não imaginou que passaria um aniversário tão triste. Aquele mês de dezembro parecia um pesadelo. Em uma única briga, perdera o conjunto e o namorado. Assim, bem antes que Arnaldo conseguisse terminar os preparativos para sua viagem de moto, ela preferiu sumir do país, para nem correr o risco de uma eventual despedida. Embarcou para a Inglaterra, dia 30 de dezembro, junto com Mônica Lisboa, a assistente de Guilherme Araújo, que ia encontrar o patrão em Londres. Rita tomou o mesmo voo que ela, apenas para manter as aparências com a família. Na verdade, seu plano era mesmo viajar só. Queria tentar esquecer Arnaldo e colocar a cabeça em ordem.

A garota desembarcou em Londres exatamente no dia que completou 22 anos, mas não conseguiu nem pensar em comemorar a data. Passou a noite de seu aniversário sozinha, triste e meio bêbada, chorando em Piccadilly Circus. Tinha raiva de Arnaldo, mas a distância só aumentou a saudade. Porém, como costumava fazer nas ocasiões mais difíceis, depois de mergulhar nas lágrimas, Rita se levantava e assumia o papel de garota durona. Decidida a esquecer a dor de cotovelo e aproveitar a viagem, não demorou a encontrar Michael, um norte-americano bonitão, moreno e de olhos azuis. Os dois se entenderam muito bem.

Quando Rita e o americano decidiram deixar Londres juntos, a camaradagem já tinha virado *affair*. Viajaram de carona, dormindo em estações rodoviárias ou de trem, no melhor estilo hippie. Se a fome apertava, "desapropriavam" algumas frutas ou qualquer outro alimento fácil de carregar. Foi numa estação, em Mônaco, que o casal achou, por acaso, algo precioso: uma sacola da Société Nationale des Chemins de Fer (a rede ferroviária francesa), cheia de tíquetes, que provavelmente tinha sido esquecida por algum funcionário distraído. Os dois turistas aproveitaram até o fim a sorte grande. Fizeram a festa, viajando de graça por boa parte da Europa Ocidental.

Quando voltou ao Brasil, na segunda semana de fevereiro, Rita estava balançada, não só pelo norte-americano, mas também pela possibilidade de morar fora. Chegou a declarar, em entrevistas, que pensava em se mudar definitivamente para a Inglaterra. Mas o sangue mutante acabou falando mais forte.

* * *

Qualquer garoto menos enquadrado, que assistisse ao filme *Sem Destino* (*Easy Rider*), no final de 1969, provavelmente teria o mesmo sonho: fazer uma longa viagem de motocicleta pela América do Norte. O *road movie* de Dennis Hopper realmente causou um grande impacto sobre a juventude daquela época.

A aventura — vivida nas telas do cinema pelo próprio Hopper, Peter Fonda e Jack Nicholson, que cruzavam os EUA em duas enormes motocicletas, ao som do melhor rock da época (a trilha sonora incluía Jimi Hendrix, Steppenwolf e The Byrds) — estimulou Arnaldo. O mutante queria esquecer por algum tempo os problemas com Rita, com o conjunto e todo o resto. Assim, decidiu subir numa moto e cair na estrada, embora com um percurso bem mais ambicioso: cruzar toda a América Latina até chegar a Nova York.

Cláudio César e Sérgio também estavam dispostos a viajar, inicialmente. Algumas semanas antes da data prevista para a saída, Arnaldo pediu a Eduardo Lemos, velho amigo do The Flash's, que o ajudasse a comprar as *máquinas* — as motocicletas para a viagem. Eduardo, que já possuía alguma experiência no assunto, sugeriu que tentassem achar

Solitária por pouco tempo: Rita tentando superar a dor de cotovelo,
no mercado de pulgas de Paris.

Questão de honra: já sem Arnaldo,
Eduardo Lemos chegou a Nova York com
um *affair* na garupa.

BMWs mais antigas, motos que tinham fama de serem bem mais resistentes, qualidade essencial para um percurso tão longo.

Depois de procurarem em Americana, Limeira e algumas outras cidades do interior paulista, sem sucesso, num domingo de manhã Arnaldo e Eduardo foram à chamada *boca* de motos e carros usados, em Campos Elíseos, no centro de São Paulo. Sem saber que as lojas estariam fechadas nesse dia, os dois encontraram as ruas quase desertas. Desanimados, já estavam indo embora, quando o milagre aconteceu. Numa esquina da alameda Barão de Limeira, encontraram dois irmãos oferecendo duas BMWs de 500 cilindradas, exatamente como queriam. Elas eram idênticas, embora uma fosse modelo 1951 e a outra 1952.

"Eu vou ficar com essa", disse Arnaldo, montando na 51, como se a moto já fosse sua.

"Então eu fico com essa e viajo com você", imitou Eduardo, que só naquele instante decidiu aderir à aventura. Uma coincidência como aquela não poderia ser gratuita, pensou.

Com a desistência do resto da gangue, Arnaldo e Eduardo decidiram encarar a viagem sozinhos. Ansiosos, partiram no dia 4 de fevereiro de 1970, cada um levando mil dólares no bolso. Não fizeram nem mesmo uma revisão geral nas motos. Eduardo viajou o tempo todo com um vazamento de óleo em sua *máquina*.

Saíram em direção a Curitiba, onde foram hospedados por um amigo de Arnaldo. Aliás, dentro do país, em quase todos os lugares que pararam, Arnaldo recebia convites — a fama dos Mutantes era enorme nessa época. Seguiram para Porto Alegre, entraram no Uruguai por Colônia do Sacramento e pegaram o *ferry boat* para Buenos Aires, na Argentina, sem problemas.

Na subida da cordilheira dos Andes, a barra começou a pesar. Havia muitas pedras soltas, que tornavam o percurso bastante perigoso. Arnaldo sempre ia à frente, decidido e confiante — era um líder natural, em qualquer situação. Passaram pelo Chile e pegaram um trecho do deserto de Atacama, em direção ao Peru. Seguiram para o Equador, onde não só a temperatura estava muito alta, como os mosquitos, os ratos e as baratas fizeram tudo para expulsá-los do quarto do hotel. Como o *ferry boat* demoraria uma semana, decidiram despachar as motos e foram de avião de carga até o Panamá.

Pior ainda foi a passagem dos dois pela Cidade do Panamá, onde ficaram detidos por andarem sem capacetes e com os escapamentos das motos abertos. Nas dependências da Guarda Nacional, um clone do sargento Garcia (o velho inimigo do Zorro) queria até raspar os cabelões da dupla. Mas Arnaldo e Eduardo conseguiram se safar, com a promessa de que sumiriam o mais rápido possível do país.

"Eu não disse? Saiu do Brasil, o resto é tudo sub-raça", repetiu Arnaldo, como costumava dizer sempre que eram destratados durante a viagem.

Passado o susto, apesar de ainda estarem um pouco preocupados, os dois resolveram aproveitar a ocasião para dar mais um passeio pela cidade, antes de pegar de novo na estrada. Porém, na volta ao hotel, o pesadelo recomeçou. Aflita, a recepcionista os avisou que a polícia tinha acabado de sair. Além de procurá-los, levaram preso um sujeito que Arnaldo e Eduardo tinham conhecido, dias antes.

A dupla entrou em pânico. O cara tocava flauta e Arnaldo passara uma noite com ele, conversando e tocando violão. Foi quando descobriu que o sujeito era também um verdadeiro mercado ambulante de drogas. Tinha maconha num bolso, bolinhas em outro e por aí afora. Como Eduardo era *careta*, durante a viagem Arnaldo até evitava fumar seus *baseados*, perto dele. Porém, ao encontrar o sujeito, teve a chance de reabastecer seu estoque psicodélico. Não houve outro jeito: pegou tudo que tinha escondido no quarto, jogou na privada e puxou a descarga.

"Vamo embora já, Arnaldo!", propôs Eduardo, apavorado, correndo para arrumar a bagagem.

Arnaldo também correu, só que para o telefone. Pediu uma ligação para São Paulo, mais exatamente para a casa de Rita. Foi só nesse momento que Eduardo entendeu por que o amigo não tinha parado de falar na ex-namorada durante toda a viagem. Arnaldo repetira inúmeras vezes que não aguentava mais o namoro, que estava com ela há cinco anos, que não sabia como terminar aquilo, que tinha vontade de sair com outras garotas etc. etc. etc. Mas, na verdade, pensava e falava nela todo o tempo.

"Rita! Eu vou voltar agora mesmo! Eu te amo!", gritou, ao telefone.

Os dois motoqueiros não chegaram a discutir. Eduardo se sentiu abandonado pelo parceiro, mas nem por um instante passou por sua cabeça voltar ao Brasil. Simplesmente pegou a bagagem, grunhiu um "tchau" raivoso, virou as costas e saiu.

Era uma questão de honra. Depois de ter ouvido do pai que estaria de volta no dia seguinte à partida, Eduardo tinha que provar que já era um homem de verdade. O motoqueiro seguiu em frente e atravessou a Costa Rica, Nicarágua, Honduras, El Salvador (justamente na época da chamada Guerra do Futebol), Guatemala, México e, finalmente, atingiu os EUA pelo Texas. Prometera que chegaria até Nova York, onde ficava a matriz da companhia de seguros para a qual o pai trabalhava, e não descansou enquanto não entrou no enorme prédio da Park Avenue, em Manhattan. Emocionado, lá encontrou um envelope com um cheque de 500 dólares e uma carta do pai, elogiando sua coragem e determinação.

Vencedor da parada, Eduardo voltou ao país no final de junho, pensando em mudar de vida. Abandonou a faculdade de Engenharia, que tinha trancado no 3° ano, e resolveu montar um negócio, influenciado pelas conversas que tivera com o amigo durante a viagem.

Arnaldo também falava obsessivamente em sistemas e aparelhos de som — naquela época, sua mania eram as caixas e cornetas Altec. Mais tarde, já viajando sozinho, Eduardo ouviu uma banda californiana com um sistema de som que o deixou bastante impressionado, bem superior ao que os Mutantes possuíam. Unindo essa experiência com os shows de rock que assistiu em Nova York, em grandes locais como o Madison Square Garden e o Central Park, Eduardo voltou com uma ideia aproximada do que seria seu novo negócio. Até chegou a propor uma sociedade a Arnaldo que, então novamente envolvido com os Mutantes, não aceitou.

Um ano e meio depois, em 1972, nascia a Transassom, que em pouco tempo se tornou a primeira grande empresa do país no ramo de comércio e aluguel de som. Decidido a investir em equipamentos, Eduardo seguiu à risca o que aprendera durante os papos com Arnaldo. Chegou a comprar, inclusive, vários aparelhos Altec, os favoritos do mutante. E assim, acabou ganhando muito mais dinheiro do que o amigo.

A aventura que mudou a vida do motoqueiro não passou em branco, na época de seu 25° aniversário. Em março de 95, Eduardo Lemos refez a viagem de motocicleta até os EUA, acompanhado por Lenita, sua nova mulher. Dessa vez, decidiu seguir pela costa do Pacífico até o Alasca, chegando a Nova York três meses depois. Provou que o espírito *easy rider* não tem idade.

* * *

Quando o terceiro álbum dos Mutantes chegou às lojas, na segunda quinzena de março, Arnaldo ainda nem tinha mandado notícias de suas peripécias motoqueiras pela América Latina. De cara, "Ando Meio Desligado" e "Hey Boy" foram as canções que fizeram mais sucesso, favoritas dos programadores das rádios. Porém, sem dúvida, o debochado arranjo para a clássica "Chão de Estrelas" (de Orestes Barbosa e Silvio Caldas), assinado pelo conjunto e Rogério Duprat, foi o verdadeiro responsável pelas consideráveis doses de polêmica e escândalo que o disco provocou.

Quem ouve essa faixa pela primeira vez, pode até achar que se trata de uma homenagem: Arnaldo canta a primeira parte da canção, imitando a impostação vocal dos velhos seresteiros. E, no acompanhamento, o convidado Raphael Vilardi dedilha seu violão, reproduzindo todas as cadências típicas desse estilo musical. Porém, na segunda parte, a avacalhação explode como um saco de risadas. Efeitos de sonoplastia (motor de avião, bandinha de música, relógio-cuco, galo cocoricando, panos rasgados, tiros, vaias de festival) entram como paródia das imagens poéticas da canção, transformando-a em um pastelão sonoro. Tudo isso acompanhado pelo bem-humorado *dixieland jazz* de Spike Jones, um misto de músico e humorista dos anos 40, que Arnaldo costumava ouvir desde a adolescência.

Essa verdadeira molecagem musical deu o que falar. A começar de Eurides Loyola (pai de Tobé, do Wooden Faces), que na melhor das boas intenções ensinara a Raphael como acompanhava aquela canção dos tempos de sua juventude. O ex-seresteiro quase caiu duro ao ouvir o que os garotos tinham feito com ela. Já o conservador Flávio Cavalcanti, ao tocar a versão do clássico de Silvio Caldas em seu programa de TV, não teve dúvidas: quebrou o disco no ar, depois de um inflamado discurso contra a decadência dos valores da juventude. Para os Mutantes, porém, reações como essas eram simplesmente o máximo. Chocar os quadrados e caretas era uma das coisas que mais os divertiam.

Jeito de atriz: incentivada pela gravadora e pelos shows-desfiles da Rhodia,
Rita começou a investir na carreira solo.

14.
NASCE UMA ESTRELA MUTANTE

Algumas surpresas aguardavam Arnaldo, quando ele desembarcou no aeroporto de São Paulo, já em meados de abril de 70, semanas antes da motocicleta, que veio despachada por navio. Rita tinha se tornado a protagonista do novo show-desfile da Rhodia, apresentado durante a 11ª UD, no Pavilhão do Ibirapuera. E os planos da garota não paravam por aí. Além de um novo espetáculo marcado para agosto, ela já começara a compor e escolher canções para seu álbum solo, que André Midani, presidente da Philips, se mostrava interessado em gravar o quanto antes.

Amigo de Lívio Rangan, o chefão da Rhodia, Midani costumava se reunir com ele para sugerir nomes de artistas, sempre que uma nova superprodução da empresa era planejada. Num desses encontros, no início do ano, ao sentir um especial interesse de Rangan pelos dotes artísticos da garota, Midani percebeu que chegara o momento de investir na carreira individual de Rita. O *big boss* da Philips já sabia que as coisas não andavam bem entre os Mutantes e, apesar de ser fã do trio, calculou que a separação poderia ser boa para todos os envolvidos.

O show *Nhô Look* era mais uma prova de que Rita levava mesmo jeito para o palco. Elogiada por seu desempenho, ela teve nesse espetáculo a chance de mostrar seu talento extramusical. Além de cantar e dançar, interpretava o papel de uma garota caipira, Ritinha Malazarte, acompanhada por uma bandinha interiorana com 14 músicos.

A coleção exibida por Rita e as manequins do elenco (entre elas Mila Moreira, que depois veio a se tornar atriz) adaptavam para o contexto brasileiro a moda *paysan*, inspirada no vestuário das camponesas europeias. Porém, se no palco desfilou vestidões confortáveis, nos bastidores Rita enfrentou o que se chamaria hoje de *saia justa*. Zé da Clarineta, um dos músicos da bandinha com quem ela contracenava, acabou confundindo ficção e vida real. Apaixonou-se de verdade por Rita e, depois de se declarar, chegou até a pedi-la em casamento. Um sufoco.

A direção musical do projeto levava as assinaturas dos maestros Rogério Duprat e Júlio Medaglia, que durante dois meses pesquisaram música sertaneja em várias cidades do interior paulista, como Piracicaba,

Guaratinguetá e Santa Rita do Passa Quatro. Surpreso com o que encontrou, Medaglia dizia ter ouvido violeiros utilizarem inesperadas mudanças de andamento — recurso musical que, uma década antes, contribuíra para a fama internacional do erudito pianista de jazz Dave Brubeck. Já Duprat, com o bom humor de sempre, explicava que aquela nova incursão musical, baseada no cancioneiro sertanejo, não se tratava de uma variante do tropicalismo, muito menos do iê-iê-iê:

"É *hê-hê-hê*", batizou o maestro.

Além de Rita e da bandinha de coreto, o sofisticado público que costumava frequentar os desfiles da Rhodia também pôde ver, no palco, violeiros, dançarinos folclóricos e cinco duplas sertanejas, com destaque para Tonico e Tinoco. Naquela época já com 27 anos de estrada, entre seus números a famosa dupla cantava uma quadrinha que servia de slogan para o espetáculo: "*O home já foi pra Lua / O home sabe avoá / Mas a moda foi pra roça / É chique sê populá*".

Qualquer relação com "2001", a canção de Rita e Tom Zé, não era mera coincidência. Mas a nova estrela tinha mais com que se preocupar: além do próximo show-desfile da Rhodia, na Fenit, do qual seria novamente a protagonista, Rita também foi convidada a criar roupas para uma grife jovem, que levaria seu nome. Se os Mutantes não se cuidassem rápido, corriam o risco de perder sua vocalista.

* * *

Com as mágoas temporariamente esquecidas, Arnaldo e Rita fizeram as pazes e, junto com eles, também os Mutantes. Para recuperar o prejuízo que os quatro meses de separação causaram à imagem do conjunto, os três tiveram que se desdobrar. Deram entrevistas para todos os jornais e revistas que puderam, explicando que só tinham "dado um tempo", que precisavam muito descansar após três anos de trabalho tão intenso, que todos no conjunto tinham "total liberdade" para levar adiante outros projetos etc. etc. Ao lado dos três, um detector de mentiras certamente engasgaria ao registrar tantas desculpas esfarrapadas.

Nas internas do conjunto, porém, o pau comia. Sérgio era o mais radical: não admitia que Rita, ou qualquer outro integrante do conjunto, que tinha finalmente se transformado em quinteto, fizesse trabalhos fora dos Mutantes. O guitarrista chegou mesmo a rejeitar o convite de Rita para participar da gravação de seu primeiro disco solo. Meses depois, quando a plateia invariavelmente pedia que ela cantasse o *hit* "José", durante os shows da banda, Sérgio se negava a tocá-lo.

Ritinha Malazarte: no show-desfile *Nhô-Look*, a mutante provou que tinha talento extramusical.

Arnaldo também não gostava muito da ideia de Rita se lançar em carreira própria, mas logo depois de reatar o namoro, achou melhor ficar ao lado dela, "tomando conta". Mais tolerante que o irmão, aceitou trabalhar na gravação do disco de Rita, como diretor musical. No entanto, seu apoio era bastante relativo:

"É melhor você não se iludir muito. Eles te convidaram porque você é bonitinha", dizia, deixando a namorada e parceira mais insegura ainda.

Rogério Duprat, mutante honorário, era outro que não via com bons olhos o projeto solo de Rita. O maestro pressentia que, a médio prazo, essa investida acabaria dissolvendo o conjunto. Porém, quando Rita pediu sua ajuda nos arranjos do disco, acabou aceitando. Mesmo adivinhando qual seria o final daquele filme, o leal maestro jamais deixaria um amigo na mão.

Duprat também não escondia sua experiência dos garotos, quando o assunto era drogas. O maestro fumava maconha com eles às vezes, para se divertir, mas conhecia muito bem os exemplos de vários músicos que tinham se dado mal com drogas mais pesadas, como a cocaína e a heroína. Por isso, nunca aderiu ou incentivou o uso. Chegou até a precaver os Mutantes contra essas perigosas viagens.

"Eu topo tudo em música, mas nisso sou careta mesmo. Uma maconhinha não chega a fazer mal, mas *pico* e outras coisas pesadas jamais. Vocês podem se dar mal", avisava o sábio maestro.

* * *

Uma noite, ao se apresentarem no Clube Tietê, em São Paulo, os Mutantes conheceram uma antiga fã, que os acompanhava desde os tempos do programa de Ronnie Von. Lúcia Turnbull acabara de voltar de Londres, onde tinha morado durante um ano. Era tão fanática por eles que, ao embarcar no navio que a levou para a Inglaterra, junto com a família, levou na mão o segundo LP do conjunto, que acabara de ser lançado.

Em Londres, Lucinha gostou tanto do disco que decidiu escrever uma carta para Rita — a única dos três com quem tinha chegado a conversar, no início do conjunto, durante uma festinha na casa de Ronnie. Sem o endereço de Rita, o jeito foi conseguir o dos irmãos Baptista, escrevendo para uma amiga que morava na Pompeia. Semanas depois, Lúcia recebeu a resposta de Arnaldo, iniciando uma correspondência que prosseguiu ao longo do ano. Logo na primeira carta, ele já se revelou um descarado paquerador:

"Oi Lúcia! Aqui é o Arnaldo. Eu era namorado da Rita no começo do conjunto...", apresentou-se, com evidentes segundas intenções.

Só quando retornou ao Brasil, um ano depois, é que Lúcia percebeu que as cartas que endereçara aos Mutantes jamais chegaram a ser lidas por Rita ou Sérgio, porque Arnaldo as escondia. Lúcia acabou virando uma espécie de tiete oficial da banda. Ia a todos os shows, mesmo os fora de São Paulo, e em pouco tempo já estava fazendo parte da turma. Às vezes, também ia até a Pompeia encontrar Sérgio, que lhe dava algumas dicas de guitarra. Claro que não escapou das tradicionais gozações do grupo. Foi logo batizada de Toninho, porque a achavam parecida com Peticov.

Apesar de seu truque com Lúcia ter sido descoberto, Arnaldo não desistiu. Sempre que tinha chance, retomava as cantadas iniciadas por correspondência, mas ela jamais deu bola às suas investidas. Foi uma das raras garotas que o conquistador tentou, tentou, mas não faturou.

* * *

Apesar da resistência de Rita, maior ainda depois que ela voltou às boas com os Mutantes, os planos de André Midani e da Philips para transformá-la em uma cantora de sucesso prosseguiram conforme o traçado. Em julho, Rita retornou ao velho Estúdio Scatena para gravar seu disco, quase a toque de caixa. O álbum deveria estar prensado até meados de agosto, para ser lançado durante a nova produção da Rhodia, na qual Midani também deu vários palpites, de olho no marketing que o espetáculo renderia para a carreira solo de sua nova estrela.

Em alguns momentos, o clima no estúdio lembrava o das divertidas sessões de gravação dos primeiros álbuns dos Mutantes. Estavam quase todos lá: o produtor Manoel Barenbein, o técnico de som João Kibelkstis, o maestro Rogério Duprat e Arnaldo Baptista, convidado para fazer a direção musical. Só faltavam mesmo Serginho e Cláudio César. Mas Rita tinha consciência de que esse trabalho deveria ser diferente. A gravadora pretendia que ela fizesse um disco de cantora pop, sem grandes invenções ou pesquisas musicais. Foi justamente por isso que, em um determinado momento, Arnaldo Saccomani, produtor da Philips, acabou interferindo:

"Desculpe, Arnaldo, mas vocês não estão aqui para gravar um disco dos Mutantes!"

Saccomani sentiu que Arnaldo estava preocupado demais com as experimentações, com o som do disco. O mutante não parecia muito disposto a tratar as canções escolhidas para a gravação de uma maneira mais convencional, ou melhor, mais comercial.

O contraste entre a primeira e a última faixa era bastante revelador. O LP se abria com "Sucesso, Aqui Vou Eu" (de Rita e Arnaldo), uma canção claramente inspirada nos musicais norte-americanos de Hollywood. O arranjo orquestral de Duprat era perfeito, utilizando cordas e sopros para conseguir os efeitos grandiloquentes típicos desse gênero. Para os fãs acostumados a ouvir Rita com os Mutantes, essa música certamente causou um grande impacto — no caso dos mais radicais, até mesmo decepção.

Por outro lado, se esse mesmo fã tivesse a ideia de ouvir o disco a partir da última faixa, a sensação seria inversa. "Eu Vou Me Salvar" (de Rita e Élcio Decário) era um rock estridente, com vocais quase berrados e letra de temática *gospel*. Tudo a ver com os Mutantes, mesmo que a guitarra tivesse sido tocada, nessa e em outras faixas do álbum, por Lanny Gordin, que se saiu muito bem, por sinal.

A participação de Élcio Decário também foi significativa. Em parceria ou não com Rita, ele compôs cinco das onze faixas. Durante o período em que Arnaldo decidiu trocar a namorada e parceira pela motocicleta, Élcio encontrou-se algumas vezes com Rita, na casa da família Jones, para comporem juntos. Dessa parceria nasceu também a bem-humorada "Hulla-Hulla" e o rock romântico "Tempo Nublado". Mas a contribuição mais original de Élcio no disco foi mesmo "Prisioneira do Amor", um tango tipicamente tropicalista, que explora com irreverência toda a cafonice do gênero musical argentino.

Apesar de ter pegado o bonde já em movimento, Arnaldo acabou contribuindo com outras duas faixas. A debochada "Macarrão com Linguiça e Pimentão" é um sambinha eletrificado, cuja letra reproduz quase literalmente uma receita que Rita extraiu de um livro de culinária. Já a romântica "Calma" mais parecia uma carta que Arnaldo teria escrito para a ex-namorada antes de partir para sua aventura motociclística:

> *Calma, calma / Sinto, mas tudo que eu quero / É só fugir de você / Calma, calma baby / A vida é tão longa / Calma, calma baby / É que eu / Eu quero ir seguindo o sol / E eu não vou mais viver / Ao lado de ninguém* (...)

Ironicamente, nenhuma das parcerias de Rita com Arnaldo ou Élcio chegou a fazer sucesso. As rádios e o grande público preferiram "José", versão de uma canção do francês Georges Moustaki, feita por Nara Leão. Rita a interpretou com a mesma vozinha frágil do começo dos Mutantes, meio ao estilo de Françoise Hardy, num arranjo meloso que misturava coro feminino, cordas e órgão. Era enfim o *hit* com o qual a Philips sonhava.

Ao final das contas, apesar da vigilância de Arnaldo Saccomani, o resultado do trabalho foi ambíguo. O álbum serviu para introduzir Rita como cantora e estrela a um público mais amplo, mas também sugeriu, em algumas faixas, que ela não havia abandonado seu espírito mutante.

* * *

Foi um caso típico de paixão fulminante. Liminha e Leila se conheceram na entrada do Teatro São Pedro, em São Paulo. Os dois foram apresentados por Lucinha Turnbull, velha amiga de Leila. Um grudou os olhos no outro e, já no intervalo do show dos Mutantes, conversavam como se convivessem há muito tempo. Na saída, foram até o Hamburgão da avenida Nove de Julho (onde hoje funciona o restaurante América) e, naquela noite mesmo, ficaram juntos.

A atração era tão forte que Leila não hesitou em desmanchar um namoro sério — para casar mesmo — com o fotógrafo de quem era assistente. Em menos de um mês, os dois apaixonados alugaram um apartamento na alameda Santos, quase esquina com a rua Pamplona. O inventário de propriedades do casal era vasto: dois colchões de solteiro, um Ford 51 (dela) e um buggy (dele). E para tornar o caso mais romântico ainda, Leila ficou sem o emprego no estúdio do ex-noivo.

Mas os dois não estavam nem aí. Gastavam tudo o que Liminha ganhava com os shows ou o que Leila conseguia fazendo algum *bico* fotográfico. Iam aos melhores restaurantes e viajavam muito. E quando a grana acabava, comiam pão com molho de macarrão enlatado. A juventude e o bom humor preenchiam o resto.

* * *

Exceto pelas briguinhas e bate-bocas de sempre, de repente eles pareciam quase tão unidos como nos velhos tempos. A ponto de decidirem morar todos juntos, em uma comunidade alternativa, fora da cidade. Enquanto Rita gravava seu disco, os rapazes encontraram um grande terreno na região da serra da Cantareira (a cerca de 30 km de São Paulo), que parecia perfeito para colocar em prática o novo projeto da turma. A dica foi dada por Barão, um hippie que já morava naquela região da serra.

Uma tarde, no final de julho, entraram no envenenado Corcel 69 de Nado (Reginaldo, o irmão de Dinho) e foram conhecer o lugar. O terreno era um grande morro, o que implicava, antes de qualquer coisa, fazer aterros para iniciar a construção das casas — empreitada que poderia levar cerca de um ano. Mesmo assim, a turma aprovou o lugar. Além dos irmãos Baptista, também compraram lotes Rita e Dinho, este em sociedade com o irmão. Ali começava o sonho de uma comunidade mutante, a futura Mutantolândia.

* * *

"*Encontramos a estrela da década! Rita Lee*"

O *outdoor* que surgia no encerramento do novo show da Rhodia, com Rita no papel principal, fundiu a cuca de muita gente. Depois da anunciada separação dos Mutantes, da boa atuação de Rita no show-desfile *Nhô-Look* e, mais ainda, após a notícia de que ela acabara de gravar seu primeiro disco individual, era difícil para quem visse esse espetáculo acreditar que ela ainda ligava seu futuro musical ao dos irmãos Baptista.

Na véspera da estreia do show, no Pavilhão do Ibirapuera, Rita jurava aos repórteres que nem passara por sua cabeça deixar de ser a vocalista dos Mutantes. Investir mais na carreira solo? Virar uma estrela? Nem pensar...

"Esses boatos de que me separei, ou vou me separar dos Mutantes, têm me chateado muito", dizia ela ao *Jornal da Tarde*. "Eu acredito que faria boas coisas sozinha, mas nunca seria tão bom como o som dos Mutantes reunidos. Minha ligação com eles não é só sentimental, porque comecei com eles. Juntos é que podemos criar e descobrir sons. Nós nos entendemos muito bem", garantiu, sem ficar corada.

No entanto, o espetáculo que estreou dia 8 de agosto de 1970, dentro da Fenit (Feira Nacional da Indústria Têxtil), sugeria algo bem diferente. Para começar, o próprio enredo do *Build Up Eletronic Fashion Show* girava em torno de uma garota (Rita Lee) que sonhava se tornar uma grande estrela. Outro detalhe significativo: *Build Up* (expressão que significa construir uma imagem; criar em torno de uma pessoa, ou de um produto, uma maneira de facilitar seu consumo) era também o título do LP de Rita, que a Philips prometera distribuir às lojas alguns dias mais tarde.

Produzido por Roberto Palmari, com direção musical de Rogério Duprat e Diogo Pacheco, o show mostrava, com boas doses de metalinguagem, os bastidores do mundo da comunicação de massa e da propaganda. O cenário reproduzia as instalações de uma agência de publicidade, cujos clientes eram, na verdade, os 14 patrocinadores do espetáculo, caso dos postos de gasolina Esso, do cigarro Hollywood, do rum Bacardi, do uísque Old Eight, da bicicleta Caloi, ou da revendedora de automóveis Bino-Ford, entre outros.

O elenco também era enorme. Além de dezesseis manequins da Rhodia e do balé de Ismael Guiser, participavam o ator Paulo José (como o diretor artístico da imaginária agência), os cantores Jorge Ben, Juca Chaves, Tim Maia, Marisa (vocalista do Bando) e os conjuntos Trio Mocotó, Lanny's Quartet, Coral Crioulo, Os Ephemeros e Os Diagonais. No palco, havia também um sofisticadíssimo sistema audiovisual, controlado por um computador eletrônico, que utilizava seis telas — em quatro delas eram exibidos centenas de slides; em duas outras, um documentário colorido em 16 mm.

Rita saiu-se muito bem. Mais uma vez, representou, cantou, dançou e atuou como garota-propaganda, graças a um papel que serviu como uma luva à sua irreverente verve humorística. Ao interpretar a garota ingênua e desajeitada que sonhava se tornar manequim, chegava a escorregar e cair sentada durante um desfile, arrancando muitas risadas do público.

"As várias situações que se apresentam acabam transformando-a numa *show-woman* versátil e ativa", elogiou a revista *Veja*, na semana seguinte à estreia.

Porém, por mais que Rita desmentisse seu afastamento dos Mutantes, era difícil não ver *Build Up* como um caso típico de vida real imitada descaradamente pela arte. A começar das campanhas publicitárias dos produtos ou do documentário exibido durante o espetáculo, que mostrava personagens reais do mundo da propaganda nacional, como Mauro Salles e Licínio Rodrigues. Ou, mais ainda, a letra de "Sucesso, Aqui Vou Eu", parceria de Rita e Arnaldo, a mesma canção que abria o LP *Build Up* e funcionava como síntese do show:

> *Já estou até vendo / Meu nome brilhando / E o mundo aplaudindo / Ao me ver cantar / Ao me ver dançar / I wanna be a star / Como Ginger Rogers vou sapatear / Mais de mil vestidos vou poder usar / Num show de cores em cinemascope / Eu direi adeus / Aos sonhos meus / Sucesso aqui vou eu* (...)

Build Up: Rita interpretou vários personagens, em novo show-desfile, que estreou em São Paulo em agosto de 1970.

O tempo acabou mostrando que Rita decidira mesmo procurar o sucesso sozinha. Só que, para sorte dos fãs do conjunto, não tão rápido como alguns imaginaram.

* * *

Com Rita bastante envolvida pelo espetáculo da Rhodia, os Mutantes se viram obrigados a esquecer temporariamente os shows da banda e entrar em um certo recesso por várias semanas. O que significava que, entre os eventuais ensaios, Arnaldo, Sérgio, Dinho e Liminha tinham mais tempo para se divertirem juntos.

Um dos passatempos favoritos dos rapazes eram os ataques noturnos na região da rua Augusta, dos quais Rita também participava, às vezes. O armamento saía da cozinha da casa dos Baptista: os pratos que dona Clarisse costumava deixar preparados no fogão, para que os filhos comessem quando chegassem. A gangue levava a comida para o carro e disparava até a Augusta. Escolhida a vítima, Sérgio ou Arnaldo faziam um sinal, como se fossem pedir alguma informação.

"Oi! Não sei se eu jogo esse bolinho ou esse bife em você..."

"Você tá brincando, não é?", defendia-se o sujeito.

"Não tô não, bicho. Acho que vou jogar o prato inteiro."

Descarados, os sacanas nem mesmo saíam correndo. Ficavam olhando o infeliz, ainda incrédulo, tentando se livrar da sujeira. E, além de tudo, com medo de enfrentar aquela patota de malucos.

Já durante a época das festas juninas, a diversão era um pouco mais violenta. Também passeando de carro, soltavam pequenos rojões pelas ruas, principalmente perto de grupos de pedestres, rindo com a confusão e as correrias que provocavam. Mas quando o alvo eram os membros da conservadora TFP (a organização Tradição, Família e Propriedade), pelos quais tinham um carinho muito especial, a potência dos rojões era no mínimo dobrada.

* * *

Mesmo sem a companhia dos Mutantes, Rita também se divertiu durante os dois meses da temporada de *Build Up*, que depois foi estendida a algumas capitais do país. Ainda em São Paulo, em meio a outra fase de desentendimentos com Arnaldo, ela se aproximou mais de Jorge Ben. Como o cantor morava próximo do Parque do Ibirapuera, ao final dos shows Rita oferecia carona a Jorge em seu pitoresco Charles — o jipe Willys 51 que ela mandara pintar de amarelo, depois de comprá-lo do pai, o primeiro dono. Os dois acabaram tendo um *affair* rápido e secreto, que meses mais tarde acabou rendendo uma música. Jorge abriu seu LP *Negro É Lindo* (Philips, 1971) com a canção "Rita Jeep". A letra, de autoria do próprio Ben, soa transparente e confessional:

> *Rita Jeep / Sujeita, você é um barato / Terrivelmente feminina / Com você eu faço um trato / Um trato de comunhão de bens / O negócio é o seguinte / Você é minha / E eu sou seu também / Pois quem é fraco se arrebenta / Quem não pode sai da frente / Quem é forte se aguenta / Mas quem ama se dá bem / Eu quero ela / Eu quero ela / Eu quero ela...*

Já durante a temporada carioca de *Build Up*, no Teatro Adolfo Bloch, era Juca Chaves quem costumava convidar as *manecas* e algumas pessoas do elenco para irem depois do espetáculo até sua casa, no alto do Morro do Joá. Nessas ocasiões, Rita estava sempre acompanhada pela ala menos comportada: Inês e Malu, duas belezocas, e, claro, o *doidão* Tim Maia, ídolo das garotas. A casa do menestrel era um ótimo lugar para se fumar um *baseado*, evidentemente, às escondidas. Ou mesmo tomar xarope (o infalível Romilar), uma das predileções psicodélicas de Rita e das meninas, na época. Numa daquelas madrugadas, quase todas as modelos já tinham ido embora da festinha e Juca ainda não tivera sucesso com qualquer uma delas. Para não perder a ocasião, o Don Juan decidiu arriscar seus galanteios com Rita e suas coleguinhas, justamente as que menos ligavam para o menestrel. Não deu outra: Juca tentou as três, todas já devidamente sideradas, mas não emplacou nenhuma. Irritado, o anfitrião terminou a noite chupando o próprio dedo.

Vingança pessoal ou não, até hoje ninguém sabe ao certo, no dia seguinte o tempo fechou no teatro. Lívio Rangan, o todo-poderoso da Rhodia, que assumia o papel de paizão das *manecas*, passou a maior descompostura em Rita, Inês e Malu. Apesar de não ter ido à casa de Juca, Rangan estava muito bem-informado. Sabia exatamente o que cada garota tinha consumido na festinha. Como represália, decretou que nenhuma delas iria receber o próximo pagamento.

Rita ouviu a bronca bem quietinha, com receio de que a história pudesse chegar até São Paulo, ou, pior ainda, até sua família. Nem reclamou por não ter recebido um tostão sequer pela temporada carioca do show. No fundo, não chegou a ficar com raiva do patrão. Tinha uma certa simpatia por Rangan e encarou tudo como uma espécie de castigo paterno. Só sentiu uma vontade enorme de torcer o pescoço do dedo-duro que as denunciou.

* * *

Nas entrevistas que cada vez mais passou a conceder sozinha, Rita mostrava que não tinha papas na língua. Em um depoimento à revista *Ele & Ela*, durante a temporada de *Build Up*, alfinetava a televisão, afirmando que os Mutantes tinham se afastado da telinha por não aceitarem interferências em seu trabalho. Declarava-se também, para surpresa do entrevistador, muito mais interessada nos animais do que nos homens, a seu ver, os grandes responsáveis pelos problemas mundiais:

"Os velhos — de cuca e idade — são os culpados por tudo o que acontece de ruim no mundo. As guerras estão aí porque os velhos as inventaram. Mas é o jovem que vai lá para morrer. Um dia nenhum jovem irá lá para morrer, então os velhos terão que decidir: ou vão eles próprios, e morrem, ou acabam as guerras", acusava.

Encarando o mundo dessa maneira, a mutante virava fera ao ver algum bichinho sendo maltratado pelos humanos. Um dia, num avião, sabendo que Rita tinha em casa uma jaguatirica de estimação, que se chamava Guna Lee, um engraçadinho perguntou a ela se não queria vender a oncinha para que ele pudesse fazer um casaco para a filha. O sujeito levou o troco no ato:

"E o senhor? Não quer vender a sua filha para eu fazer um casaco para a minha oncinha?"

Templo musical: o quinteto brazuca, em frente aos letreiros
do badalado Olympia de Paris.

15.
A PRIMEIRA VIAGEM

Parecia trote, mas era mesmo verdade. Os Mutantes custaram a acreditar no telefonema de Antonio Carlos Tavares, assistente de Marcos Lázaro, o poderoso empresário de estrelas da MPB. O conjunto estava sendo convidado — ou melhor, quase intimado — a fazer uma temporada de shows no Olympia, em Paris. Elis Regina, que já tinha se apresentado com sucesso dois anos antes no famoso teatro francês, ficou doente na última hora e cancelou sua ida. Só havia dois pequenos problemas: além de cancelar o show que apresentariam na final do Festival Internacional da Canção (do qual Rita fez parte do júri, durante a fase nacional), os Mutantes teriam que embarcar no dia seguinte para a França, pois faltavam simplesmente 48 horas para a estreia do espetáculo.

Naquela época, uma apresentação no Olympia rendia quase a mesma porção de prestígio que um concerto no Carnegie Hall de Nova York, o que tornava o convite irrecusável. Não foi à toa que, em uma fase de vacas magras, a cantora e atriz Liza Minnelli chegou a se apresentar de graça no Olympia, só pela repercussão internacional que conseguiria. Além do mais, os Mutantes seriam a segunda atração do show, encabeçado por Gilbert Bécaud, um cantor popular ao ponto de garantir que a casa estaria lotada durante as três semanas da temporada.

Ao saber do cancelamento de Elis Regina, o diretor do Olympia, Bruno Coquatrix, recorreu a Marcos Lázaro para que arranjasse imediatamente outra atração brasileira. O próprio empresário francês sugeriu o nome dos Mutantes, lembrando da boa repercussão das apresentações do conjunto no país, um ano antes. Com o aval da Philips, Lázaro conseguiu resolver tudo rapidamente. Tratava-se de uma verdadeira operação de emergência e por essa razão ele e seu assistente também viajaram com a banda. Embarcaram na noite de 27 de outubro, com chegada prevista para as 16h30 do dia seguinte, em Paris. Cinco horas mais tarde, as cortinas do teatro deviam se abrir para a estreia.

Já no avião, Marcos Lázaro fez uma espécie de preleção ao quinteto. O empresário conhecia bem o Olympia e sabia que o esquema de seus espetáculos era quase sempre o mesmo. Entremeados por números circenses e de variedades, como dançarinos ou mágicos, primeiro apresentava-se a atração coadjuvante; por último entrava o astro principal, no caso, Gilbert Bécaud. Outro detalhe muito importante: rock decididamente não estava entre os gêneros musicais preferidos pelos quarentões e cinquentões que frequentavam os shows da casa.

"Vocês têm que fazer música brasileira. Rock, nem pensar!", avisou o empresário, com seu carregado portunhol.

Excitados com a viagem repentina, os garotos não deram muita bola à conversa do empresário. Despreocupados com o que iriam tocar no show, pensavam escolher o repertório somente antes de entrar no palco. Porém, no dia seguinte, perceberam que Lázaro sabia exatamente do que estava falando. Depois de serem apresentados a *monsieur* Coquatrix, fizeram uma espécie de ensaio-audição, no próprio Olympia. O francês deixou claro que não gostou dos rocks mais barulhentos, como "Jardim Elétrico" ou "O Meu Refrigerador Não Funciona". Por pouco o tempo não fechou no Olympia.

Já no hotel, o conjunto estava discutindo como enfrentaria aquela verdadeira gelada musical, quando recebeu uma visita salvadora. Era Lennie Dale, o bailarino e coreógrafo norte-americano que se radicara no Brasil com grande sucesso, na época da Bossa Nova. Depois de oferecer uma sessão de baforadas de haxixe, todos já estavam bem relaxados quando Dale sugeriu como poderiam salvar a situação.

"Se eles contrataram artistas brasileiros, é porque querem ouvir música brasileira. Eu sei que vocês não tocam exatamente isso, mas vamos fazer de conta?"

Dale foi tão simpático e convincente que os garotos aceitaram seus argumentos quase sem discutir. Assim, começaram a escolher o que tinham de "mais brasileiro" no repertório. Logo se decidiram pelo baião "Adeus Maria Fulô" (de Humberto Teixeira e Sivuca), o samba-rock "A Minha Menina" (de Jorge Ben) e a tropicalista "Bat Macumba" (de Gil e Caetano). E para agradar mais ainda a plateia local, nada melhor que duas canções francesas: "José" ("Joseph", de Georges Moustaki), que Rita cantou em português mesmo, e "Le Premier Bonheur du Jour", sucesso da cantora Françoise Hardy.

O passo seguinte foi escolherem um guarda-roupa mais adequado à ocasião do que as roupas que estavam usando. Rita misturou uma blusa de bolinhas e mangas bufantes com uma saia estampada e um turbante de penas — ficou parecendo uma baiana psicodélica. Sérgio, Arnaldo e Dinho se enfeitaram com colares de dentes de animais e fitas na cabeça, como esquisitos hippies indígenas. E para arrematar tanta "brasilidade", ainda havia Liminha, usando um exótico chapéu de couro de cangaceiro. Mais debochados, impossível.

Sem dúvida pelo fato de o espetáculo ser estrelado por Bécaud, na primeira fila do Olympia estavam vários astros da música e do cinema francês, como Alain Delon e Sacha Distel, entre outros. Tanto nos bastidores, como no palco, Bécaud foi muito simpático com os brasileiros. Durante o show, o cantor assumia a função de mestre de cerimônias, apresentando pessoalmente todas as atrações da noite: as acrobacias e malabarismos dos norte-americanos The Four Roberts, as piadas da comediante Lily Pitts, o balé de Yvonne Mestre, destacando a bela bailarina Lydie Callier, além da "música brasileira" dos Mutantes.

Para acentuar ainda mais o tom exótico do show, antes que a banda surgisse no palco, um filme exibia durante cinco minutos imagens da baía da Guanabara, do Pão de Açúcar, de Copacabana, Ipanema e outros pontos turísticos do Rio de Janeiro. Um recurso que, de fato, só ajudava a aumentar o impacto da entrada dos roqueiros brazucas.

No entanto, apesar de um certo estranhamento, a plateia acabou aprovando. Nas noites seguintes, já mais relaxados, os garotos logo perceberam que podiam se divertir alterando os arranjos originais, incluindo levadas de samba e outros similares para agradar um pouco mais os franceses. A estratégia deu certo e rendeu elogios inclusive na imprensa. Entre várias críticas favoráveis, houve até mesmo uma do respeitável jornal *Le Monde*, que previa um futuro promissor para os Mutantes.

* * *

A gozação passou a se repetir quase todas as noites. Quando os cinco Mutantes saíam para jantar, logo após o espetáculo no Olympia, Arnaldo e Rita atacavam:

"Olha lá, Dinho! É a Geraldine!"

O baterista se virava para a direção apontada, mas não encontrava quem imaginava, fazendo a turma invariavelmente cair na risada. Dinho era fanático pela atriz Geraldine Chaplin. Costumava dizer que a filha de Charles Chaplin era a mulher mais bonita que conhecia. A paixão platônica de *Sir* Ronaldo de Rancharia acabou virando folclore.

Um dia, conversando com as bailarinas do show, Dinho conheceu um cineasta francês, marido de uma delas. Era uma coincidência incrível: o sujeito estava justamente filmando com Geraldine Chaplin, em um estúdio no subúrbio de Paris. Claro que Dinho não perdeu a ocasião. Na

Indígenas hippies: o debochado guarda-roupa arranjado à última hora para o show de estreia no Olympia de Paris.

E não é que deu certo? Após o susto inicial, os cinco Mutantes comemoraram a bem-sucedida temporada parisiense.

manhã seguinte, lá estava ele esperando a chance de conhecer pessoalmente sua musa. Quase desmaiou quando a viu de biquíni, durante a filmagem. Os dois foram apresentados, e ela, muito simpática, convidou-o para a estreia de um outro filme em que atuara, dias depois. Gaguejando, Dinho mal conseguiu convidá-la para o show dos Mutantes. Nunca mais a viu, mas naquela noite *Sir* Ronaldo descontou todos os dias de gozação.

* * *

Toninho Peticov surgiu no hotel justamente no dia em que os Mutantes tinham folga no Olympia, uma segunda-feira. Os cinco não o viam há meses, desde que ele fugira do Brasil, na condição de acusado em um processo criminal por posse de drogas.

Denunciado, Peticov foi preso em flagrante junto com um ator e um estudante secundarista, no apartamento que alugava, na rua Avanhandava, em 28 de janeiro daquele ano. No local, foram encontradas 25 pastilhas de LSD (Dietilamina de Ácido Lisérgico), droga alucinógena com a qual os policiais brasileiros ainda não tinham intimidade. Era a segunda apreensão de LSD registrada até então nos anais da polícia do país — caso explorado com um certo sensacionalismo pela imprensa.

Peticov ficou detido durante uma semana no "chiqueirinho" do DEIC, na rua Brigadeiro Tobias, onde teve o cabelo raspado e chegou até a ser torturado. Foi solto porque o artigo específico da lei em que tinha sido incriminado ainda não incluía a fórmula do ácido lisérgico. Duas semanas mais tarde, porém, na abertura oficial do processo, o juiz reconsiderou a questão e assinou a ordem de prisão. Do Fórum, Peticov foi levado direto ao Pavilhão 5 do Presídio do Carandiru, onde ficou preso por mais cinquenta dias. Solto finalmente, para responder ao julgamento em liberdade, conseguiu fugir do Brasil. Naquela época, para se tirar a carteira de motorista, era necessário um visto de saída do país. Com a maior cara-de-pau, ele tirou o visto, comprou uma passagem para Londres e embarcou.

Um mês e meio depois, o réu soube pela cunhada, por telefone, que tinha sido condenado a um ano e oito meses de detenção, além de uma multa no valor de 28 salários mínimos. Porém, se passasse o dobro desse período fora do país, a pena rescindiria. Não pensou duas vezes. Mudou o nome para Salomon Young e ficou morando em Londres, clandestinamente, de início com a ajuda de Gilberto Gil.

O ácido funcionava como uma ferramenta de pesquisa interior e artística para Peticov, que teve sua primeira experiência lisérgica nos

EUA, no início de 69. Sentiu que o LSD trazia uma nova inspiração para suas pinturas e desenhos. Na volta ao Brasil, conseguiu um fornecedor e começou a consumir a droga com frequência, aproveitando as ocasiões para também introduzir os amigos no universo psicodélico — fato narrado com detalhes a um repórter da revista *Veja*, quando estava detido no DEIC. Nessa entrevista, Peticov calmamente contou que sua melhor *viagem* acontecera em Praia Grande, no litoral sul de São Paulo:

"Fui com vários amigos e ficamos deitados na areia esperando o sol. O silêncio era total e estávamos deslumbrados com as cores do firmamento. Eu olhava para o mar e o achava muito sereno. Descobri cores agradáveis no bater das ondas. Permanecemos horas na areia e alguns de meus amigos recitavam versos e ajudavam a procurar cores bonitas escondidas na natureza. As demais viagens fiz no meu apartamento, sob efeito de luz negra e de uma música suave na vitrola."

Claro que Peticov também ofereceu a novidade psicodélica aos irmãos Baptista, mas naquela época só Cláudio César teve coragem suficiente para provar. Bem a seu estilo, ele acabou transformando sua iniciação lisérgica em um verdadeiro experimento científico. Nos fundos da casa da Pompeia, uma "equipe" formada por Arnaldo, Rita, Sérgio, Raphael Vilardi e o próprio Peticov acompanhou toda a *viagem* desde o início. As reações e os comentários de Cláudio chegaram a ser gravados, mas a fita teve que ser destruída tempos depois, por motivo de segurança. Até a trilha sonora foi escolhida a dedo: a longa *In-A-Gadda-Da-Vida*, uma espécie de suíte precursora do *acid rock*, gravada pelo quinteto californiano Iron Butterfly.

Guardadas as devidas proporções, esse tipo de experiência já era familiar aos garotos. Junto à enorme vitrola Telefunken estereofônica, que ficava na sala de visitas da casa, havia uma confortável poltrona que os três irmãos Baptista costumavam usar para simular viagens mentais, imitando as sessões do Planetário. Ao som do LP *Fantastica*, de Russell Garcia (compositor e arranjador norte-americano que escreveu trilhas sonoras para filmes de ficção científica, como *A Máquina do Tempo*), alguém movia lentamente a suposta poltrona da nave espacial, enquanto o felizardo, com os olhos fechados, imaginava sua própria viagem intergaláctica.

Porém, daquela vez, as sensações do viajante foram infinitamente mais fortes. Uma a uma, Cláudio descreveu-as para a equipe assistente. Primeiro, viu as paredes do quarto se abrindo, como se a realidade tivesse sido rachada ao meio. Depois, sua cabeça e a de cada um dos Mutantes

Pioneiro lisérgico: Toninho Peticov, em seu apartamento,
pouco antes de fugir do país, em 1970.

pareciam conectadas por um facho de luz. Enquanto falava, Cláudio via a própria voz tomar a forma de luz e entrar pelo microfone, passando pelos circuitos eletrônicos do gravador, até se enrolar na fita magnética. As imagens fantásticas eram tantas e tão rápidas que Cláudio tinha a impressão de estar vivendo uma nova vida a cada dois segundos.

Algumas horas depois de iniciada a experiência, a "equipe científica" resolveu levar a cobaia até a casa de Raphael, para que Cláudio pudesse ver a Lua com o auxílio de um telescópio.

"Grande merda essa lua. Sem telescópio eu vejo coisas muito mais interessantes", esnobou, deixando seus acompanhantes mais curiosos ainda. Apesar de a viagem ter durado cerca de 12 horas, semanas depois ele ainda sentia efeitos da droga. Cláudio achou a experiência realmente impressionante, mas não ao ponto de querer repeti-la.

Um ano e meio depois daquela noite, ao reencontrar os amigos em Paris, Peticov sentiu que os Mutantes estavam diferentes, bem mais abertos e descontraídos. Quando tirou do bolso os *sunshines* alaranjados que trouxera de Londres, o único dos cinco a torcer o nariz foi Serginho. Ainda com medo, em vez da sugerida viagem de LSD, o garoto preferiu dar uma volta pela cidade e jantar.

Logo que o ácido começou a fazer efeito, Peticov apagou a luz do quarto e divertiu os quatro iniciantes com uma espécie de *light show*, brincando no escuro com incensos acesos. Minutos depois, todos já estavam vendo as paredes meio deformadas, como se fossem cenários surrealistas.

"Vamos sair", alguém sugeriu.

Decidiram ir até a Torre Eiffel. Os cinco seguiram até a estação de metrô mais próxima, completamente alucinados. O fato de verem lugares que não conheciam e ouvirem outra língua só fazia aumentar a estranheza da *viagem*. Dentro do trem, mal conseguiam se segurar nas barras metálicas, que a cada instante pareciam mais retorcidas. Quando chegaram, já com a noite avançada, perceberam que o acesso ao alto da torre estava impedido. Sentaram-se ali mesmo, nos bancos da rua, e ficaram trocando impressões, enquanto Peticov lia trechos do *Livro dos Salmos*, de sua inseparável Bíblia de bolso.

Confuso, Liminha via tudo aquilo acontecendo, mas imaginava que ainda estava no hotel, provavelmente desmaiado na cama. Pensou que a tal *viagem* provocada pelo ácido era apenas mental. Mas também achou estranho como conseguia ler todas as placas de rua, ou como via tantas coisas que pareciam reais. Já estava quase convencendo Dinho de que não haviam saído do hotel, quando teve a ideia de fazer um teste. Pegou uma folha de árvore no chão e a enfiou no bolso de seu casacão militar. Só assim saberia, terminada a experiência, se tudo aquilo acontecera mesmo.

Rita, por seu lado, entrou na pele de uma bruxa. Fazendo caretas, começou a perseguir os garotos pela rua, que logo aderiram à fantasia, fugindo apavorados. Ao brincar com as cordas vocais, ela tinha a nítida impressão de que sua boca tinha se transformado em um pedal de distorção *wooh-wooh*. Sua voz saía deformada e estranha, exatamente como na gravação de "Dia 36". Para Rita, a experiência dessa primeira viagem de ácido foi chocante e inesquecível. Mais forte até do que sexo.

Quando Rita e os garotos, cada vez mais alucinados, começaram a falar em voar, já apontando para o alto da torre, o experiente Peticov decidiu interferir, antes que alguém tivesse alguma ideia perigosa:

"Querem voar? Tudo bem... mas só de baixo pra cima, tá?"

* * *

O francês ficou curioso ao notar Liminha entrando na loja de instrumentos, com aquele estojo de formato esquisito. Pediu para ver o baixo do brasileiro e, aberta a caixa, não resistiu à tentação de fazer piada:

"De que museu você roubou isso?"

Cláudio César tinha construído aquele instrumento com um design de contrabaixo semi-acústico, todo em jacarandá da Bahia. Parecia até um violino, com dois entalhes no corpo, em forma de "S". As tarraxas, feitas em latão pelo próprio Cláudio, tinham um desenho quase medieval e escureceram com o tempo. Era realmente um instrumento bizarro.

"Posso experimentar um baixo?", pediu o brasileiro, fingindo que não tinha entendido a ironia do francês.

Liminha escolheu um Fender *standard*, novinho, ligou o amplificador e começou a dedilhar algumas escalas e frases, explorando o som do baixo elétrico considerado por alguns como o melhor do mundo. Era a hora de dar o troco. O mutante pegou seu instrumento e, mal o ligou, com um som poderoso, já provocou uma distorção — efeito que, na época, não se usava em um baixo elétrico, muito menos sem a ajuda de um pedal.

"O que é isso?", assustaram-se os fregueses.

Era simplesmente outra das invenções de Cláudio César: o Captador Milagroso. O *luthier* da Pompeia instalou uma cápsula de vitrola embaixo do encordoamento, que permitia captar todos os sons de cada corda, incluindo as altas frequências e harmônicos. Daí o som diferente e a maior potência sonora do instrumento.

Sem graça, vendo as atenções dos frequentadores da loja se voltarem todas para o baixo de Liminha, o francês engoliu a piada.

* * *

A segunda temporada na França não se resumiu apenas aos shows no Olympia. Aproveitando a permanência dos Mutantes na Europa, a Polydor britânica produziu um álbum com a banda, com boa parte das faixas cantadas em inglês. Os planos iniciais incluíam lançamento desse trabalho na Inglaterra e, posteriormente, na França.

Como a banda tocava seis noites por semana no teatro, a solução mais prática foi deslocar o inglês Carlos Olms, gerente do estúdio da Polydor londrina, e fazer o disco em Paris mesmo. As gravações aconteceram ao longo de uma semana, nos Studios Des Dames, contando com os técnicos Dominique Poncet e Philippe Lerichomme. Acostumados à liberdade que tiveram ao gravar seus três álbuns, pela primeira vez os Mutantes enfrentaram algumas restrições dentro de um estúdio. Apesar do relacionamento amigável com o exigente Olms, tiveram que engolir mais uma vez a sugestão de soar "mais brasileiros".

Naturalmente, as canções que faziam parte do show no Olympia ("Panis et Circensis", "A Minha Menina", "Bat Macumba", "Adeus Maria Fulô" e "Le Premier Bonheur du Jour") foram as primeiras escolhidas para o repertório do disco — as duas primeiras com letra em inglês. Três sucessos, gravados antes pela banda, também ganharam versões: "Ando Meio Desligado" (que virou "I Feel a Little Spaced Out"), "Desculpe, Babe" ("Sorry Baby") e "Baby" (de Caetano Veloso). Além dessas, os Mutantes fizeram questão de incluir quatro inéditas: uma em portunhol ("El Justiciero") e três em inglês ("Tecnicolor", "Virgínia" e "Saravah").

Outro detalhe: todas as canções gravadas anteriormente apareciam em novos arranjos, indicando a evolução dos Mutantes como instrumentistas e vocalistas. A faixa mais debochada do álbum era a versão de "A Minha Menina" (de Jorge Ben), transformada em "Oba Minha Menina". O refrão não poderia ser mais infame: *Oba oba, she's my shoo-shoo / And she knows that I'm her shoo-shoo*. Com Rita no agogô, o quinteto imitava escrachadamente uma levada de samba à Sérgio Mendes. Uma vingança bem-humorada contra a "brasilidade" cobrada da banda.

Quando foram marcadas as fotos para a capa do álbum, Dinho e Liminha tiveram uma surpresa desagradável. Não foram convocados para a sessão fotográfica, sob o argumento de que seria mais fácil, na mídia, fixar a imagem de um trio do que a de um quinteto. Na verdade, os dois novatos tinham entrado na banda ainda na condição de músicos acompanhantes, conscientes de que ganhariam cachês menores que os de Arnaldo, Sérgio e Rita. Era pegar ou largar e os dois acabaram aceitando. Porém, com o passar do tempo, a participação dos dois cresceu bastante, tanto nos arranjos como no envolvimento pessoal com a banda. Dinho e Liminha já se sentiam tão mutantes quanto os três fundadores e por isso, durante os ensaios, volta-e-meia reclamavam da injustiça econômica.

A grande ironia desse disco feito em Paris é que, passados quase 25 anos, dez faixas de *Tecnicolor* (o virtual nome do álbum, segundo a ficha técnica da gravação) ainda permaneciam inéditas, nos arquivos da Polygram britânica, em Londres. Nem os próprios Mutantes sabem explicar por que o álbum não foi lançado. Duas décadas depois, o produtor Carlos Olms diz que a mistura de títulos em inglês, português e francês não o agradou, além do fato de a Philips brasileira ter demonstrado um certo desinteresse pelo projeto. Porém, tudo indica que a ausência do esperado exotismo brasileiro deve ter influído no veto ao lançamento. Pior para o público europeu, ou mesmo para os fãs brasileiros, que deixaram de conhecer um produto de uma das fases mais criativas e descontraídas dos Mutantes.

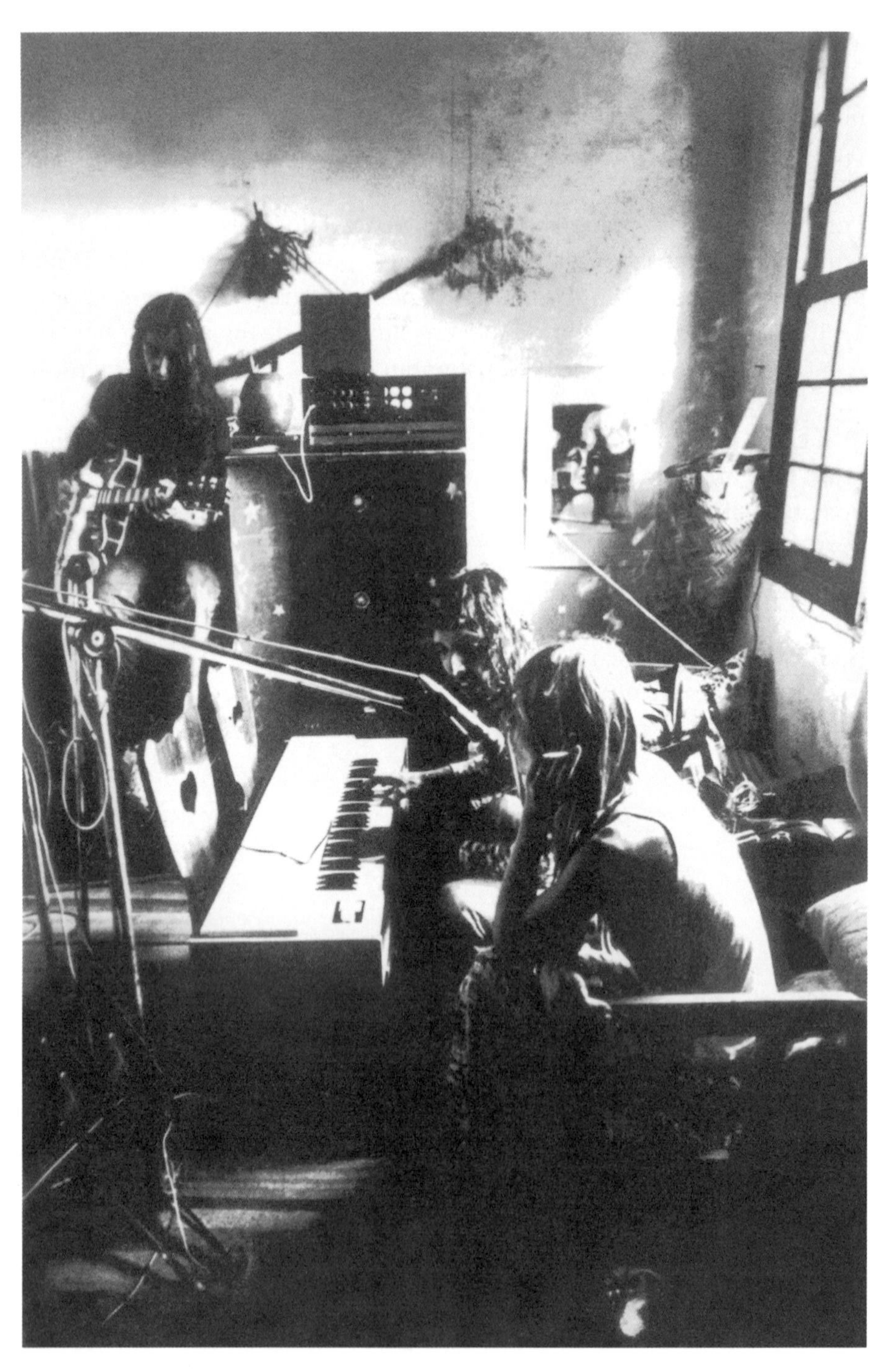

Vamos tratar da saúde: antes de se mudarem para a serra da Cantareira, os Mutantes passaram a ensaiar na casa de amigos à beira da represa de Guarapiranga.

16.

OS ÚLTIMOS DIAS DE POMPEIA

Um tanto frustrados por não poderem curtir mais a Europa, os Mutantes voltaram ao Brasil quase tão rápido como partiram, em 3 de dezembro de 1970. Oito dias depois, já contratados pela TV Globo, estrearam em um novo programa musical da emissora, no qual a gravadora Philips tinha muito interesse em que a banda participasse.

O projeto do programa *Som Livre Exportação* nasceu com a repercussão obtida no FIC daquele mesmo ano por um grupo de jovens compositores: o MAU (Movimento Artístico Universitário), que incluía Ivan Lins, Gonzaguinha, João Bosco e Aldir Blanc, entre outros. Convencido pelo jornalista Eduardo Athayde a fazer um programa com essa nova geração de músicos, Boni, o diretor geral da Rede Globo, convocou Solano Ribeiro para ajudar Athayde a produzi-lo, entregando a direção a Walter Lacet.

O sucesso foi enorme: logo nas primeiras semanas, o Ibope acusava a alta média de 60% de audiência. Anos após o período áureo dos musicais da TV Record, esse era o primeiro programa que conseguia combinar a qualidade e a variedade musical de um *O Fino* com a descontração de um *Jovem Guarda*, sem cair na anarquia tropicalista do *Divino Maravilhoso*.

Desde a estreia, os números musicais eram gravados no estúdio da Globo, com um auditório para 1.600 pessoas, em forma de arena. Entrevistas colhidas nas ruas, com espectadores opinando sobre o programa e seu elenco, intercalavam cada apresentação — um verdadeiro esforço técnico para a época, já que sem a facilidade das atuais câmeras portáteis era necessário um caminhão carregado de equipamentos para qualquer cena externa.

Aberto a todas as tendências da música popular brasileira, do pop de Antonio Adolfo e A Brazuca ao brega de Waldick Soriano e Agnaldo Timóteo, o *Som Livre Exportação* não tinha apresentadores fixos, justamente para evitar que o programa fosse identificado com um "dono". Rita Lee também chegou a apresentá-lo, porém, na opinião de Solano Ribeiro, mostrou-se um pouco tímida para a função.

Os Mutantes achavam divertido participar do programa, ainda que a convivência semanal com cantores da velha guarda, sambistas, ou mesmo com alas mais conservadoras da MPB, não os agradasse especialmente. No fundo, consideravam a linha musical do programa "meio devagar". Mas não deixava de ser uma ótima oportunidade para revigorar a carreira do conjunto, após um longo período de crises e separações.

A partir do terceiro mês no ar, o *Som Livre Exportação* sofreu mudanças. A inclusão de artistas mais consagrados no elenco, como Elis Regina e Wilson Simonal, remetia de certo modo aos velhos musicais da Record. Porém, havia uma diferença notável: os programas passaram a ser gravados em ginásios, frente a enormes plateias, alternando cidades como São Paulo, Salvador, Porto Alegre e Brasília, além do Rio de Janeiro. Desse modo, buscava-se reproduzir o clima quente dos festivais, sem a gritaria e as vaias provocadas pela competição.

Numa dessas gravações, em 6 de março de 1971, em São Paulo, por pouco não aconteceu uma tragédia. Mais de 80 mil pessoas se espremeram no Palácio de Exposições do Anhembi, para ver Roberto Carlos, Elis Regina, Chico Buarque, Paulinho da Viola, Gal Costa, Milton Nascimento e os Mutantes, entre outros convidados. A polícia não tinha preparo necessário para organizar tanta gente e logo se formou a confusão, com desmaios e pessoas machucadas. Não fosse a presença de espírito de Elis, dando uma respeitável bronca na plateia para que parasse com o empurra-empurra, o tumulto teria se transformado em catástrofe. Curiosamente, terminado o show, dezenas de sapatos, blusas, calcinhas e outras peças de vestuário restaram espalhadas pelo chão, junto com o lixo comum, sugerindo parte do que aconteceu naquela noite.

Claro que os Mutantes tinham um prazer especial em tocar para plateias grandes como essas, geralmente repletas de jovens. Achavam que o *Som Livre Exportação* ainda estava muito longe dos festivais de rock realizados nos EUA e na Europa, ao ar livre, mas já se tratava de um avanço em relação aos frios e comportados musicais feitos em estúdio. Na verdade, o grande problema do programa, na opinião da banda, estava na qualidade do som.

"É uma droga. Não se escuta nada", reclamava Rita, em uma entrevista à revista *Fatos e Fotos*, no final de maio, antes de gravar mais um programa da série, no Rio de Janeiro.

Por esse motivo, os Mutantes viviam em pé de guerra com a produção do *Som Livre Exportação*. Insistindo em tocar com muito mais volume do que o admitido pelo padrão sonoro da TV, a banda enlouquecia a equipe técnica. Muitas vezes, não respeitava o que tinha sido acertado no teste de som, minutos antes, e descia a lenha nos instrumentos, durante a gravação. Por atitudes como essa, nos bastidores da Globo, os Mutantes eram simplesmente odiados.

Aliás, desde os tempos da Record, antipatias e confusões eles costumavam arranjar em qualquer programa ou emissora. Foi o que aconteceu no dia em que decidiram *tirar um sarro* de Flávio Cavalcanti — o mesmo apresentador de TV que, um ano antes, tinha quebrado o disco da banda, em frente às câmeras, escandalizado com a debochada versão de "Chão de Estrelas". Líder de audiência na época, o *Programa Flávio Cavalcanti* era transmitido ao vivo pela TV Tupi do Rio. Quando a banda já estava terminando seu número, o apresentador convocou o auditório para as palmas de despedida:

"Vamos aplaudir os Mutantes!"

Surpresa geral: num passe de mágica, ou melhor, de pura sacanagem, o suposto acorde final da música se transformou em um improviso. Para espanto da equipe de produção e do próprio apresentador, a banda seguiu tocando por mais três longos minutos, como se nada tivesse acontecido.

"Acabamos de ouvir os Mutantes!"

Irritado, Cavalcanti tentou despachar de vez os inconvenientes cabeludos, mas fracassou de novo. Com as maiores caras-de-pau, eles dispararam em outro improviso, deixando o apresentador e sua equipe desesperados com o enorme atraso na entrada dos comerciais. Ao final da contas, os sacanas conseguiram esticar os três minutos do número para quase nove. E por pouco não encurtaram a vida do anfitrião.

No programa de Hebe Camargo, o caso foi diferente. Ao ver o órgão Vox de Arnaldo, instrumento ainda bastante raro no país, Caçulinha, músico do programa, parecia uma criança na frente de um novo brinquedo. Arnaldo já avisara, durante o ensaio, que não queria ninguém mexendo em seu instrumento, mas o abusado Caçulinha não levou a proibição a sério. Na hora do programa, ligou o órgão e tascou um sambinha. A "turma do deixa disso" teve um trabalhão para segurar Arnaldo, que queria torcer de qualquer maneira o pescoço do atrevido baixinho.

* * *

Logo após a estreia do *Som Livre Exportação*, no primeiro fim de semana de folga que tiveram, lá foram eles com uma turma de amigos para uma fazenda, no interior de São Paulo. Estavam ansiosos por experimentar os ácidos que tinham trazido da Europa.

Pendurada em uma árvore, curtindo sua primeira viagem de LSD "em casa", Rita gritava para quem passasse por perto:

"Tô virando uma folha!"

Enquanto isso, dentro do casarão, Dinho, Arnaldo, Chico Borboleta e Leila jogavam uma espécie de pega-pega aquático. Leila insistia em entrar debaixo do chuveiro e os outros logo corriam para tentar tirá-la debaixo da água. Ela saía, disfarçava por alguns instantes e voltava para a água, de roupa e tudo. A brincadeira foi se repetindo e variando, até que dentro do banheiro acabaram sobrando apenas Leila, completamente alucinada, e Arnaldo.

Nada demais chegou a acontecer sob o chuveiro, mas do lado de fora da casa Liminha não demorou a perceber que a brincadeira coletiva tinha se tornado *privé*. Enciumado, começou a bater na porta do banheiro, já providencialmente trancada por Arnaldo.

Não foi à toa que Liminha passou meses estremecido com o parceiro. Naquela época, Arnaldo queria simplesmente transar com todas as garotas bonitas que estivessem à sua volta, até mesmo as namoradas dos amigos.

Em vez de também fazer sua cena de ciúmes, Rita preferiu se divertir de outro modo. Depois de sumir por alguns minutos, voltou com alguns Bis na mão. Os bombons foram festejados por todos e devorados em questão de segundos. Só depois de algumas mastigadas, Leila percebeu que fora premiada. O gosto estranho que sentiu não era de chocolate, mas sim de um perfumado sabonete Phebo. Se já não conhecesse Rita, Leila poderia pensar que se tratava de uma vingança tipicamente feminina.

* * *

Para os fãs mais *ligados*, aquelas imagens diziam quase tudo. *Jardim Elétrico*, o quarto LP dos Mutantes, chegou às lojas em meados de março de 71, trazendo uma capa escancaradamente psicodélica. Bem-humorado, Alain Voss desenhou uma planta fantástica e engraçada — na verdade, a estilização de um grande pé de maconha. Já na foto da contracapa, os cinco mutantes posavam (pela primeira vez em um álbum) ao lado de seus instrumentos e de toda a parafernália eletrônica da banda, na oficina de Cláudio César, na Pompeia. Duas imagens bem apropriadas para um álbum de uma banda que investia no rock com pitadas de humor e duplo sentido, num período em que a Censura atacava duramente a produção cultural do país.

Escolhida como faixa de abertura, "Top Top" (uma das primeiras parcerias de Liminha com Rita e Arnaldo, não creditada na edição em CD) trazia em seu refrão agressivo — "*eu quero que você se top top*" — expressão popularizada pelo Fradinho, personagem dos quadrinhos de Henfil, equivalente a "eu quero que você se foda". Virou um dos maiores sucessos da banda.

Também entraram no álbum três faixas emprestadas do disco gravado na França: "Tecnicolor", com vocais em inglês à Mamas and Papas; a latina "El Justiciero", temperada à Santana; e ainda "Baby", versão para o inglês da canção de Caetano Veloso. Sem falar em "Virgínia", inspirada nos Beatles e dedicada por Sérgio à irmã de Rita, que ganhou nova gravação, vertida para o português.

Letras mais simples que as dos discos anteriores, como as de "Saravá" e "Jardim Elétrico", funcionavam como meros pretextos para um rock mais pesado. Uma alta intensidade sonora que Arnaldo também explorou em "It's Very Nice Pra Xuxu", com seus vocais berrados na linha da *soul music*.

"Crítico que levasse o conjunto a sério diria que houve empobrecimento criativo", alfinetou a revista *Veja*, em uma resenha do álbum, anônima e intitulada *Humor sem graça*. Além de sugerir que a banda repetira em "It's Very Nice Pra Xuxu" a mesma piada musical de "O Meu Refrigerador Não Funciona", o artigo apontava falta de convicção na "caricatura" de Tim Maia que Arnaldo teria cometido em "Benvinda", na verdade, uma paródia-homenagem ao velho amigo, ironizada na contracapa do LP com o aviso: "Qualquer semelhança com Tim Maia é mera coincidência". Não era.

Mais irônica ainda foi outra coincidência. Na mesma semana do lançamento de *Jardim Elétrico* também chegava às lojas o compacto com a canção "Maria Joana", uma curiosa parceria da dupla Roberto & Erasmo Carlos, gravada pelo Tremendão:

"*Na vida tudo passa / o amor vem com nuvens de fumaça*", exalava a letra, sugerindo que o Brasa e o Tremendão também tinham aderido aos efeitos alucinógenos da mesma planta que ilustrava o disco dos Mutantes. Afinal, depois do ingênuo trocadilho do título da canção, o que mais se poderia deduzir de versos como "*Eu vejo a imagem da lua / refletida na poça da rua / e penso da minha janela / estou mais alto que ela*"?

Com alguns anos de atraso, até o Lennon e o McCartney da Jovem Guarda compuseram sua "Lucy in the Sky with Diamonds". Sinal de tempos *muito loucos*.

* * *

"Isso é que é mulher! A Rita pensa como homem!"

Os amigos sorriam, ao ouvirem Arnaldo elogiar a namorada daquela maneira, mas sabiam que sua admiração por ela superava de longe o leve toque de ironia. Arnaldo valorizava mesmo o fato de Rita participar ativamente do universo dos rapazes. Além de se interessar por automóveis e motocicletas, ela acompanhava-os em todos os programas.

Assim, no dia em que Arnaldo propôs a ela que entrassem em uma academia para praticar caratê, Rita não pensou duas vezes. Influenciado por Raphael Vilardi, que lutava muito bem, Arnaldo acabou convencendo toda a turma a se matricular na tradicional Academia Ito, que funcionava no largo Ana Rosa, perto da casa de Rita, na Vila Mariana. Além dos dois, Sérgio, Liminha, Leila, Dinho, seu amigo Tomás, Nado e sua namorada Carmen Sylvia tornaram-se adeptos quase fanáticos do caratê, passando a frequentar a academia várias vezes por semana. Os aprendizes compreenderam a filosofia da defesa pessoal, mas no fundo cultivavam um secreto desejo de exibir fora da academia o que tinham aprendido. Principalmente Arnaldo, que jamais perdia a chance de afirmar sua imagem de durão na frente de Rita.

Um domingo à noite, saindo da Pompeia para comerem a costumeira pizza no bairro do Bixiga, a turma parou para ver uma briga, em uma praça próxima ao Parque Antárctica. Era uma luta desigual, com dois sujeitos esmurrando e chutando outro.

"Pô, qual é a de vocês dois batendo no cara?", foi logo gritando Arnaldo, com pose de paladino da justiça.

"Se manca, cara. Você não tem nada a ver com isso!"

Era a chance que Arnaldo esperava. Pulou do carro e correu na direção dos sujeitos.

"Ninguém se mete", gritou para a turma, que obedeceu, acompanhando a cena de longe.

Arnaldo era tão forte na época e tinha avançado tão rápido na técnica do caratê, que não encontrou dificuldades para derrubar os dois agressores. Com Rita na plateia, o Caratê Kid poderia ter enfrentado até um time de futebol.

* * *

Fora as gravações semanais do *Som Livre Exportação* e os shows nos finais de semana, durante todo aquele mês de maio os Mutantes es-

Shakespeare rock & roll: *viajando* no texto do dramaturgo britânico, durante ensaio da abortada montagem de *Os Dois Cavaleiros de Verona*, em 1971.

tavam envolvidos com a trilha sonora do espetáculo *Os Dois Cavaleiros de Verona*, de William Shakespeare. Arnaldo chegou a musicar nove canções para a peça, dirigida pelo inglês Michael Bodganov. Os ensaios aconteciam no Teatro Ruth Escobar, em cujo palco os Mutantes interpretariam ao vivo a trilha sonora. Evidentemente, ao som de muita música pop.

Alguns dias antes da estreia, a banda se desentendeu com a produção do espetáculo. Ruth Escobar, a produtora e dona do teatro, não quis pagar ao elenco exatamente o que havia sido combinado e o tempo fechou. Os Mutantes não tiveram dúvida: encostaram Dirce, a perua Kombi da banda, na porta do teatro e, tranquilamente, levaram para a Pompeia o piano de armário que usavam durante os ensaios. Os funcionários, já acostumados a ver a banda quase todos os dias, jamais poderiam pensar que o instrumento do teatro estava sendo confiscado, como uma indenização pessoal.

A inusitada parceria dos Mutantes com Shakespeare morreu por ali. Levar desaforo para casa, não era com eles.

* * *

Liminha se recusava terminantemente a almoçar ou jantar na casa dos Baptista, tamanho o nojo que sentia de certas brincadeiras de Arnaldo, Sérgio e Rita. Chegava até a proibir Leila de comer junto com eles. O número mais clássico do trio, feito só para provocar o baixista, começava com Rita mastigando um pedaço de bife. Ela passava-o para a boca de Arnaldo, que mastigava mais um pouco a carne e a jogava dentro de um copo de Coca-Cola. Depois que a mistura insólita criava espuma, Sérgio bebia todo o refrigerante do copo e voltava a mastigar o chiclete de carne antes de, finalmente, engoli-lo. Era tiro e queda: com ânsia de vômito, Liminha corria para o banheiro.

Outra molecagem que Arnaldo e Sérgio adoravam fazer consistia em passar de madrugada, em frente à casa dos pais de Liminha, cantando os pneus do carro e gritando:

"Arnolpho filho da puta! Lady vagabunda!"

No dia seguinte, ao ouvir sua mãe contando como ela e o marido acordaram assustados, no meio da noite, Liminha já sabia exatamente quais os autores da romântica serenata. O baixista não deixava passar nem mais um dia para dar o troco. Junto com Leila, esperava a madrugada, subia em seu buggy e ia até a Pompeia retribuir as gentilezas:

"Doutor César viado! Sérgio filho da puta!"

* * *

Mesmo depois que deixaram de participar do *Som Livre Exportação* ("virou *Fino da Bossa*", ironizavam, ao ver medalhões como Elis Regina e Wilson Simonal no elenco permanente do programa), os Mutantes seguiram fazendo shows por vários cantos do país. Exceto por "Top Top", que tocou bastante nas rádios, o LP *Jardim Elétrico* não chegou a ser um sucesso de vendas. Mesmo assim, o prestígio da banda continuou rendendo convites para apresentações, em geral no interior.

Era o que eles chamavam de "show pra bêbado". Durante os tradicionais bailes de final de semana, ou em alguma festa da cerveja de uma cidade interiorana, a banda tocava seus sucessos durante cerca de uma hora, levando em troca um bom cachê para isso — um trabalho fácil e bem-pago. Evidentemente, não era esse o destino com o qual os Mutantes sonhavam para sua música, mas ao menos o razoável dinheiro ganho nesses eventos permitia continuar investindo nos instrumentos e equipamentos eletrônicos, enquanto oportunidades melhores não surgissem.

* * *

O lugar era perfeito. Nos finais de semana livres, os cinco mutantes, as namoradas Sabine (de Sérgio), Leila (de Liminha), Lilly (de Dinho) e alguns amigos mais próximos, como Lucinha Turnbull (irmã de Lilly) e Léo (irmão de Sabine e *roadie* da banda), criaram o hábito de ir para a Riviera — região às margens da represa de Guarapiranga, no extremo sul da cidade. Ali ficava o sítio do casal Xiri (apelido que o engenheiro agrônomo Paulo Roberto Pires herdou dos tempos da faculdade, em Piracicaba) e Gi (Gilberta de Castro, uma ex-estudante de Biologia, na USP). Os dois viviam em um terreno de 5 mil m^2, cercados por muitos cachorros, gatos e uma enorme horta da qual eles mesmos cuidavam.

Aquele cenário bucólico não poderia ser melhor para o verdadeiro programa da turma: viajar de LSD ou mescalina (substância alucinógena extraída de certos cactos), em geral acompanhados pela tradicional maconha. Sem os perigos e a repressão da cidade grande, ali todos podiam fazer o que quisessem, desde mergulhar na represa, com ou sem roupa, até falar com as plantas ou outras maluquices quaisquer. Era um verdadeiro paraíso para quem chegava a atravessar a cidade, muitas vezes, apenas para fumar um *baseadinho*, no quarto de algum amigo, que tivesse a sorte de estar sem os pais em casa.

Cinco anos mais velhos que a média da turma, Xiri e Gi tinham morado por quase dois anos na Escandinávia, onde chegaram a viver em comunidade, bem ao estilo hippie. Tinham retornado ao país há apenas alguns meses, já com os cabelos enormes e roupas sempre muito coloridas. Ganhavam dinheiro fazendo artesanato, como cintos e sandálias de couro que eram vendidos na feira da praça da República. Adeptos da alimentação natural, os dois deixavam a turma deslumbrada, ao vê-los colher na horta as verduras e legumes que eles mesmos cultivavam. Ou ver Gi, uma ótima cozinheira, amassando pães e fazendo tortas. O casal levava uma vida tranquila e completamente alternativa, com a qual quase todos eles — ainda morando nas casas dos pais — sonhavam.

A tranquilidade e o alto astral do sítio na represa eram tamanhos que a banda pediu permissão para ensaiar durante algum tempo ali, antes de poder se mudar definitivamente para a serra da Cantareira. Apesar do terreno ser imenso, a casa de Gi e Xiri era pequena, com apenas dois quartos. Mas o generoso casal hippie não viu problema algum em ter sua sala invadida pela parafernália de caixas acústicas, amplificadores e instrumentos.

Durante esses ensaios, o volume de som costumava ser tão alto que se podia ouvir a música nas redondezas do autódromo de Interlagos, do outro lado da represa. Quando não decidiam ir embora à noite, dormiam todos ali mesmo, amontoados na sala, junto dos instrumentos. Foi justamente sob essa atmosfera bucólica que Arnaldo, Rita e Liminha compuseram a canção "Vamos Tratar da Saúde", que veio a fazer parte do segundo álbum solo de Rita, meses depois.

* * *

Numa entrevista à revista *Bondinho*, em dezembro de 71, Arnaldo explicava a estratégia dos Mutantes naquele momento — de certo modo, uma fase de transição musical. Antenado, ele já previa a guinada sonora que só veio a se concretizar definitivamente um ano depois:

"A música chegou na fase não da simplicidade, nem dos achados, nem dos descobrimentos, mas sim na fase da complexidade. Hoje em dia, quem é mais complexo, quem tem os instrumentos e os sons muito loucos — tocando rock & roll, que é coisa de muito tempo atrás — é o cara mais pra frente, o cara mais legal, mais ligado, certo? O nosso trabalho se situa dentro desse esquema. Quer dizer, esse ano nós gastamos quase 100 milhões — velhos, é claro — em equipamentos e aparelhos, quando, há quatro anos, em vez disso, a gente ficaria pensando dez horas pra descobrir um som novo."

Paz e amor: na casa de Gi (à direita) e Xiri, às margens da represa,
era possível até falar com as plantas.

Sentindo as vibrações: o *roadie* Léo, Rita, Dinho e Gi, *curtindo o maior barato*.

Para Arnaldo, o grande problema enfrentado pelos Mutantes continuava a ser o mesmo: a falta de acesso a públicos maiores. Sem empresários e produtores dispostos a bancar grandes shows ao ar livre, não havia outra saída:

"O ideal pra gente, realmente, seria fazer discos e shows, em vez de televisão, por exemplo. Mas nós já experimentamos fazer isso, uns dois anos atrás, e não aconteceu nada. Aqui, pra tocar um disco, por incrível que pareça, a gente tem que puxar o saco dos disc-jóqueis. Tem que se passar por muitas coisas desagradáveis que nós não gostamos. Nós já experimentamos ficar sem fazer essas coisas, mas não deu certo. *Tem* que fazer televisão, *tem* que fazer essas coisas chatas."

Por essas e outras, enquanto as casas da Cantareira não ficavam prontas, os Mutantes esperavam também condições mínimas para pôr em prática um projeto radical e excitante: colocar toda a aparelhagem da banda sobre um caminhão e sair pelo país, tocando ao ar livre e de graça. Um plano típico de malucos, no melhor sentido da palavra.

* * *

Até seu Charles, aparentemente o membro mais conservador da família Jones, chegou a sugerir à filha que não fizesse tamanha bobagem. Mas os Mutantes estavam na iminência de se mudarem para a serra da Cantareira, e Rita encasquetou que chegara o momento de realizar o velho sonho da mãe — ou, no fundo, fazer também uma última tentativa de resgatar a relação com Arnaldo. Depois de tantas brigas, separações e *affairs* escancarados de ambos os lados, quando os dois já não pareciam mais ter um futuro em comum, Rita e Arnaldo decidiram se casar.

Presenciada apenas pelas duas famílias, a cerimônia religiosa aconteceu na casa dos pais de Rita, em 30 de dezembro de 71. Um pequeno altar foi montado na sala e, para aumentar mais ainda a satisfação de dona Romilda, o casamento foi comandado pelo padre Anselmo, o mesmo que realizara o batizado e a primeira comunhão da filha. A escolha dos padrinhos foi a mais natural possível: os irmãos Sérgio e Virgínia.

Na hora do guarda-roupa, porém, Rita não deixou por menos. Decidiu usar o mesmo vestido de noiva com o qual escandalizara a mãe e a plateia do FIC, em 68. Guardado por três anos, o vestido sofrera um ataque de traças tão famintas que mais parecia um queijo suíço. Minutos antes da cerimônia, Virgínia ainda estava tentando disfarçar o estrago dos insetos, aplicando lantejoulas sobre os buracos. Para completar o traje, Rita usou também um exótico chapéu de camponesa, que tinha

Performance matrimonial: depois de várias brigas e separações, Rita usou seu polêmico vestido de noiva para se casar de verdade com Arnaldo, em 30 de dezembro de 1971.

trazido meses antes da Holanda. No fundo, a cerimônia foi apenas mais uma performance mutante, só que para uma plateia bem mais restrita. E sem vaias.

Na volta da suposta lua de mel, passada junto com Sérgio em uma fazenda no Pantanal matogrossense, Rita e Arnaldo foram ao programa de TV de Hebe Camargo. Levaram até a certidão do casamento, para que a "madrinha" realmente acreditasse no que tinham feito.

"Olha que gracinha, gente!", deliciava-se a apresentadora, enquanto lia o documento para o auditório.

Hebe jamais poderia imaginar que os dois "noivinhos" tinham ido ao seu programa com o plano de rasgar a certidão em frente às câmeras — o que realmente fizeram, divertindo-se muito. Chocada, dessa vez a tagarela apresentadora ficou sem saber o que dizer. Pediu no ato a entrada dos comerciais.

17.
SUBINDO A SERRA DO BARATO

A população da pequena cidade paulista de Guararema demorou a entender o que aquele bando de cabeludos estava fazendo ali. Eles chegaram em um ônibus Mercedes-Benz, todo colorido, com uma espécie de palco no teto e um gerador de energia na lateral. Sem falar no buggy pintado com as cores da bandeira norte-americana e as barulhentas motocicletas que vinham atrás do ônibus. Depois de passar pelo centro da cidadezinha, a comitiva seguiu até uma fazenda, a cerca de 15 km dali, onde a animada tripulação montou acampamento.

Era a oportunidade que os Mutantes esperavam há muito tempo. Os cinco já não aguentavam mais ficar tocando e cantando em lugares *caretas*, como bailes em clubes ou festas da cerveja pelo interior. O sonho de viajar por vários cantos do país, fazendo grandes shows ao ar livre, com ingresso gratuito, começava enfim a se tornar realidade.

O articulador desse projeto era Cláudio Prado, um produtor visionário que voltara há pouco da Inglaterra, onde viveu por seis anos. Cláudio saiu do Brasil para estudar Sociologia, mas mudou radicalmente de vida ao se envolver com o rock e a cultura *underground*. Os Mutantes o conheceram numa de suas visitas a Gilberto Gil, em Londres. Quando voltou ao país, no final de 71, Cláudio planejava fazer um programa de rádio baseado na experiência das rádios-piratas inglesas, que encaravam a música pop como pivô de uma futura revolução cultural. Porém, ao se ligar aos Mutantes, ele vislumbrou a possibilidade de fazer algo mais imediato e excitante.

Em janeiro de 72, quando ele e a banda passaram a se encontrar com mais alguns amigos, na casa da família de Rita, um delirante projeto começou rapidamente a tomar forma. Dessas reuniões também participavam o engenheiro agrônomo Xiri, o fotógrafo Tony Nogueira e o artista gráfico Polé — parceiro de Arnaldo em corridas de motocicleta, no autódromo de Interlagos. Logo nas primeiras conversas foi definido um objetivo comum: criar uma forma alternativa de levar o rock e a música pop aos adolescentes e jovens, sem a caretice dos festivais da canção e dos programas de TV.

A estratégia começava por produzir um show-surpresa, em alguma cidade paulista, que funcionaria como piloto do projeto. Guararema foi escolhida não só pela proximidade da capital (75 km ao leste), mas também porque um tio de Tony possuía uma fazenda naquela região, o que facilitaria bastante as coisas. Depois de registrar todo o evento, o passo seguinte seria tentar convencer a Antárctica a patrocinar o projeto. Naquela época, a indústria de bebidas já planejava divulgar mais seu guaraná entre os jovens, insatisfeita em vê-lo frequentando apenas as festinhas infantis.

Calculados os gastos com a alimentação da trupe e da equipe de produção, gasolina, som, filmagem, alvarás e tudo mais, o custo aproximado de Cr$ 3 mil foi bancado por uma vaquinha de 15 pessoas. Mas a coisa só decolou mesmo quando se estabeleceu o contato com Ricardo Achcar, um piloto de corridas que possuía um ônibus do jeito que eles precisavam. O veículo tinha sido preparado para acompanhar uma prova de automobilismo, mas na hora H o projeto não foi levado adiante. Ricardo não cedeu somente o ônibus, que saiu do Rio de Janeiro, mas ofereceu até o motorista.

Conseguida a permissão para acampar na fazenda do tio de Tony, só faltava carregar o Mercedes-Benz e cair na estrada. Depois de instalado o acampamento, Cláudio Prado e alguns assistentes foram à prefeitura, à delegacia de polícia e ao juizado de menores da cidade, para fazer os primeiros contatos com as autoridades locais e conseguir as licenças para o show, na praça central da cidade.

Desde a chegada, na manhã de uma quarta-feira, até o domingo escolhido para o show, onze dias depois, o desbunde foi total entre os quase quarenta participantes da colorida caravana. Diariamente, logo após o café da manhã (à base de leite, fornecido pela própria fazenda, e granola, feita pelo casal Gi e Xiri, responsável pela cozinha macrobiótica), uma caixinha repleta de LSD, vindo diretamente da Califórnia, corria entre todos. O próprio motorista — um divertido carioca de morro, que rapidamente se enturmou com os *malucos* — abria um enorme pacote de erva e convocava os interessados:

"Olha a maconha aí, gente!"

Os banhos eram tomados em grupo, ao natural mesmo, numa cachoeira próxima do acampamento.

Quando os equipamentos de som estavam funcionando, instalados no teto do ônibus para os ensaios diários, uma das diversões dos mais alucinados era abraçar o veículo e curtir a sensação de um leve choque elétrico. Houve até quem jurasse ter visto um disco voador cruzando o céu, durante uma daquelas noites estreladas.

Logo no primeiro dia do acampamento, Sérgio quebrou sua antiga resistência ao LSD. Mal desceu do buggy com Sabine, a namorada, já ouviu aquela voz tão familiar:

"Abre a boca e fecha os olhos..."

Arnaldo enfiou uma espécie de pílula azulada na boca do irmão, que dessa vez experimentou sem discutir. Sérgio sentiu um gosto estranho, seguido minutos depois por uma esquisita sensação no pescoço. Era o prenúncio de sua primeira decolagem lisérgica. Entre as coisas que viu, ouviu e alucinou, uma das mais impressionantes foi um caleidoscópio psicodélico, carregado de cores. Também viu a si mesmo, sob a forma de música, saindo de uma caixa acústica instalada no teto do ônibus.

Lá pelo meio da viagem, com medo de não voltar mais, Sérgio entrou no ônibus e começou a montar um plugue em um fio de guitarra. Imaginou que aquele seria o único jeito de se manter conectado com a realidade. Horas depois, quando finalmente aterrissou e encontrou o plugue "salvador", riu da fantasia maluca que tivera.

* * *

Nem mesmo a chuva que caiu na tarde daquele domingo — 5 de março de 1972 — impediu a população de Guararema de assistir ao inusitado evento. A praça central da cidadezinha ficou repleta de guarda-chuvas e rostos surpresos. A maioria só percebeu quem eram aqueles cabeludos sorridentes e coloridos depois de alguns números, especialmente ao ouvirem Rita cantar "José" — a canção que conheciam do rádio.

Aos poucos, a timidez foi sendo colocada de lado e os espectadores mais animados dançaram e cantaram junto com a banda. Excitados, os Mutantes não só tocaram quase todas suas composições, mas até lembraram vários sucessos dos Beatles, para alegria da plateia. Quando a equipe técnica percebeu que já estava escurecendo e nem o público, muito menos a banda, dava sinais de desistência, o jeito foi esticar um fio às pressas e improvisar uma iluminação para o palco.

Depois de quase cinco horas de música, o prefeito comandou um simbólico *gran finale*, oferecendo flores a Rita, em nome do povo da cidade e da Prefeitura. Esse gesto foi logo seguido pelo sorveteiro, que passou a distribuir seus sorvetes de graça, assim como o dono da padaria deixou de cobrar seus pães naquela noite. De alguma forma, a cidade queria retribuir o presente musical que tinha acabado de receber. No dia seguinte, o prefeito Sebastião Alvino de Souza repetiu os agradecimentos, através de um ofício com o timbre da prefeitura:

"Como prefeito de minha cidade, quero agradecer por terem escolhido esse pequeno recanto do mundo para transmitir à nossa humilde população uma tarde de esplendorosa alegria. Congratulo-me com os jovens que sabem fazer da arte, arte e não profissão."

Três semanas depois, numa reportagem da revista *Bondinho* sobre o show em Guararema, Rita explicava, em tom de desabafo, por que aquele projeto era tão importante para os Mutantes:

"Não tenho mais saúde para tocar na barra do uísque. Eu quero tratar da minha saúde. Ficamos cansados de tocar em clubes que não tinham nada a ver com a gente. Enche o saco aqueles caras *bebum*, conversando o tempo todo, naquele ringue incrível. Nunca tocamos as pessoas, não ferimos seus sentimentos. Nessas noites não modificamos seus hábitos de vida e, do outro lado, nós: ninguém sabendo de nossa existência, uma coisa fria, mecanizada, ensaiada, que produz som porque foi paga. Da mesma forma que somos agredidos, nós acabamos por agredir todo mundo. Isso não interessa pra gente. Os Mutantes não são esse conjunto que pinta nesses lugares. E os nossos amigos e as pessoas que poderiam se tornar nossas amigas?"

Apesar do sucesso da experiência-piloto, como já seria de se esperar em uma época de repressão política e fechamento do mercado cultural, o projeto morreu por ali mesmo. Alguns contatos foram feitos, mas sem sucesso. A ideia era utópica demais para interessar a algum patrocinador.

* * *

A Censura fez o que pôde para atrapalhar. Mesmo assim, em maio de 72, chegava às lojas, com dois meses de atraso, *Mutantes e Seus Cometas no País do Baurets*, o quinto álbum da banda. Presa no bizarro crivo dos censores, a faixa "Cabeludo Patriota" — um berrado *acid rock* à Led Zeppelin, composto por Liminha, com acabamento final de Arnaldo, Sérgio e Rita — teve de ser rebatizada como "A Hora e a Vez do Cabelo Nascer". Os versos "*meu cabelo é verde e amarelo / violeta e transparente / minha caspa é de purpurina / minha barba é azul anil*" também foram vetados. Além de proibir os termos "patriota" e "verde e amarelo" (por motivos óbvios, em tempos militarizados), a responsável pela censura ainda implicou com o termo "caspa".

"É plasticamente feio, meus filhos", argumentou a simpática dona Selma, com ares de professora secundária, no dia em que Arnaldo, Rita e Sérgio foram pessoalmente ouvir as explicações dos responsáveis pelo órgão de censura.

Os três mutantes não sabiam o que era mais absurdo: a sugestão "estética" da professoral censora ou a acusação de que a letra original da canção teria "objetivos políticos". Uma semana depois, conversando com o repórter de *Bondinho*, Arnaldo explicava sua posição:

"Nossa intenção é outra: não estamos a fim de nos meter com política. Acho que política não tem mais nada a ver. Acho que tem que ser um negócio só: não tem que ter país, não tem que ter nada. Os caras acham que a gente quer mudar o presidente, mas não é nada disso. Acho que devia ser uma coisa única, entende? Com os caras voltados pra Terra e não pro Brasil; com os caras voltados prum negócio muito mais bonito. '*You may say I'm a dreamer, but I'm not the only one.*' Isso é muito bonito, é do John Lennon: 'Você pode dizer que eu sou um sonhador, mas eu não sou o único.' '*Imagine there's no countries*', ele fala. Quer dizer: 'Imagine que não há países'."

Ao final da negociação com os censores, para que a canção pudesse ser liberada, os autores também aceitaram alterar os versos vetados. Oficialmente, a letra foi mudada para: "*meu cabelo é verde e* dourado / *violeta e transparente / minha* cara *é de purpurina / minha barba é azul anil*". Claro que os rebeldes Mutantes não deixariam barato. Como a censora tinha lido apenas a letra da canção, sem ouvir a gravação, bastou mixar alguns ruídos aos vocais, encobrindo apenas parcialmente as palavras proibidas. Já nos shows, sempre que sentiam a *barra limpa*, cantavam a letra original mesmo.

Escolhida para a primeira faixa do álbum, "Posso Perder Minha Mulher, Minha Mãe, Desde que Eu Tenha o Rock & Roll" soava como uma definitiva carta de princípios roqueiros da banda. Era mais uma ideia de Liminha arrematada por Arnaldo e Rita: uma paródia de "Blue Suede Shoes" (de Carl Perkins), clássico do rock & roll que o baixista costumava cantar de farra nos ensaios. Liminha a aprendera com um amigo do bairro da Liberdade, Maurício Camargo Brito, pianista e fanático por Elvis Presley, que 15 anos mais tarde veio a publicar a biografia *Elvis, mito e realidade*.

O rock básico dominava outras três faixas. Inspirada em "Brown Sugar", dos Rolling Stones, "Beijo Exagerado" chamava-se originalmente "Casa da Mônica" — referência a um folclórico prostíbulo de Porto Alegre, no Rio Grande do Sul. Em "Dune Buggy", Sérgio fazia trocadilho com marcas de aditivos (STP, MSLD) e LSD, falando de seu buggy e de alta velocidade — tema que também estava presente em "Rua Augusta" (de Hervê Cordovil), clássico do rock nacional, que recebeu uma versão debochada. Mantendo o estilo mutante, o deboche prosseguia em "Cantor de Mambo" (de Élcio Decário, Arnaldo e Rita), com letra em português e castelhano. O ex-bossa novista Sérgio Mendes, que na época ainda estava em grande evidência nos EUA, serviu de inspiração para o personagem mencionado na letra, carregada de ironia. Um divertido pretexto para que Arnaldo decalcasse um som de rock latino à Santana, grande sucesso da música pop da época. E ainda camuflou um sonoro *carajo*, no meio de seus improvisos, com sotaque *cucaracha*.

Mas nem tudo era rock e avacalhação. Já com um espaço evidentemente menor nesse álbum, além de seus vocais em "Rua Augusta", Rita cantava apenas "Vida de Cachorro" (parceria com Arnaldo e Sérgio), uma delicada canção *folk* recheada com latidos caninos e harmonia inspirada em "Blackbird", dos Beatles.

Na verdade, Rita também pretendia cantar "Balada do Louco", verdadeira obra-prima que ela e Arnaldo fizeram quase numa única sentada, no piano da casa de Mary Lee, a mais velha das irmãs Jones. Com humor, o casal deu uma bela resposta musical aos que costumavam chamá-los de loucos ou malucos. Mas Arnaldo não permitiu que Rita a gravasse; achava que a voz da namorada era excessivamente macia, juvenil. Preferiu que a canção fosse interpretada por Sérgio, que no arranjo do disco também aparece tocando cítara — instrumento que começou a aprender com o indiano Ravi Shankar, quando este se apresentou pelo país, em agosto de 71. Por sinal, até prova em contrário, "Balada do Louco" marcou a estreia da cítara e do sintetizador — um Harp, dedilhado por Rita — em estúdios brasileiros.

Já a longa faixa que emprestou seu título ao disco, *Mutantes e Seus Cometas no País do Baurets* (uma gíria para maconha, aprendida com Tim Maia) nasceu como um improviso coletivo, que incluía "Tempo no Tempo", a versão de César Dias Baptista para "Once Was a Time I Thought", dos Mamas and Papas. Ela foi gravada em um único *take*, sem qualquer roteiro preestabelecido. Claramente influenciada pelo rock progressivo do trio Emerson, Lake & Palmer, já uma presença constante nas vitrolas da turma, essa gravação anunciava a forte influência musical que passaria a dominar a banda, nos meses seguintes. Os dias de Rita Lee entre os Mutantes estavam contados.

* * *

Vida de cachorro: promovendo o LP *Mutantes e Seus Cometas no País do Baurets*, junto com Daniela Danone, a *collie* companheira de viagens.

Na versão brasileira da revista *Rolling Stone*, edição de 4 de julho de 72, o LP *Mutantes e Seus Cometas no País do Baurets* recebeu uma resenha bastante ácida. Publicado equivocadamente com a assinatura de Mike Atkins (o autor, de fato, foi Maurício Kubrusly), entre outros detalhes o artigo criticava o álbum por seus "muitos exageros" e pelo tipo de humor "ginasiano". Curiosamente, a faixa "Todo Mundo Pastou" era apontada como "o momento mais envolvente do disco". Quase uma piada musical, a canção de Ismar da Silva Andrade (Bororó, o Jimi Hendrix da Pompeia) funcionava como uma vinheta. Em versões diferentes, ela fechava os dois lados do LP — ideia que se perdeu, em parte, quando o disco foi adaptado ao formato do CD.

"Todo Mundo Pastou" era apenas uma das várias parcerias de Bororó com o baterista Tibério Correia, seu companheiro tanto na banda Os Barrocos, como na função de ajudante na oficina de instrumentos de Cláudio César. Três anos antes dessa gravação, em 69, os dois estavam morando de favor, na casa de um amigo, em Santo Amaro. Uma tarde, famintos e sem um centavo no bolso, os aspirantes a hippies viram um carregado abacateiro no quintal de uma casa. Pularam o muro e conseguiram pegar alguns abacates, mas só então perceberam que eles ainda estavam verdes. "Pô, bicho, a gente só pasta!", ironizou Tibério, tentando abrir uma das frutas, enquanto o parceiro dedilhava o violão. A letra (ou quase isso) de Tibério e a harmonia *folk* de Bororó nasceram juntas:

> *Pasta um / pasta dois / pasta três / pasta quatro / pasta cinco / pasta seis / pasta sete / pasta oito / pasta nove / pasta dez / pasta onze / e eu também pastei...*

Há tempos Tibério já vinha pedindo a Arnaldo e Sérgio que gravassem uma das canções do *durango* Bororó, para ajudá-lo. Nos ensaios da banda, os irmãos Baptista chegaram a tocar "Genioso", talvez a melhor delas. Quando soube que Arnaldo se decidiu por "Todo Mundo Pastou", escolha que não o agradou muito, Tibério abriu mão dos direitos autorais, em favor do amigo. O ingênuo Hendrix da Pompeia certamente tinha músicas melhores, mas foi o *non-sense* que fisgou os Mutantes.

* * *

Cláudio César ficou afastado dos Mutantes por mais de um ano. Frustrado pelo acidente com o amigo Pier Ângelo, que interrompeu drasticamente sua produção de guitarras, ele decidiu estudar Administração de Empresas. No final de 71, ao mesmo tempo que cursava a Fundação Getúlio Vargas, trabalhava como gerente de planejamento da Haydn, uma indústria de máquinas de lavar.

Depois de aderir ao projeto da comunidade na serra da Cantareira, foi só um passo para que Cláudio largasse o emprego. Não resistiu ao pedido de Arnaldo para que planejasse, construísse e operasse um novo sistema de som para a banda — plano que também incluía a escolha e compra de um caminhão para transportar os equipamentos.

Cláudio foi o primeiro a se mudar para o terreno na Cantareira, acompanhado pela mulher, Ana Maria, e as filhas Karen e Kely. Inicialmente, a família instalou-se em um rústico casebre alugado, com apenas um cômodo. Meses depois, bem a seu estilo de artesão, Cláudio decidiu construir ele mesmo sua casa. As filhas o ajudaram a carregar os tijolos.

Enquanto erguia a construção, ou planejava o gigantesco sistema de som para os Mutantes, o "Professor Pardal" da Pompeia também se dedicava a outros tipos de experiências. Fascinado por aranhas, que infestavam aquela região, Cláudio colecionava dezenas delas, vivas, em vidros de maionese vazios. Adorava promover lutas entre tarântulas e armadeiras — combates violentos que as últimas invariavelmente venciam.

Porém, também havia uma aplicação científica nesse interesse de Cláudio. Nas redondezas, corria a história de que uma aranha armadeira teria matado duas crianças dentro de um berço. Pensando em todos os meios de proteger as filhas, ainda pequenas, o inventor chegou a calcular quanto tempo uma armadeira conseguia se manter viva, depois de ultrapassar uma área protegida por inseticida. Até nas diversões mais bizarras, Cláudio César era um cientista *full time*.

* * *

Em meados de 72, as dificuldades eram muitas, mas os Mutantes e outros batalhadores pelo crescimento da cena pop brasileira não desistiam. Uma das tentativas mais arrojadas foi o show *Rock no Infinito*. Naquela noite de 12 de junho, cerca de 2 mil fãs lotaram o TUCA (o Teatro da Universidade Católica), atraídos por Mutantes, Lanny, Bruce, Tutti e Perna (quarteto que acompanhava Gilberto Gil), Néctar, Urubu Roxo (banda ligada ao Teatro Oficina) e a importada Heavy Band (formada por cabeludos brancos de Moçambique).

O pontapé inicial para esse *happening* roqueiro partiu da direção da revista *Rolling Stone*, lançada aqui em fevereiro daquele ano. Apesar de ter rompido com a original norte-americana logo nos primeiros nú-

Som de peso: Cláudio César e uma das cornetas de concreto que construiu em sua casa, na Cantareira, “para evitar ressonâncias”.

Parceiro de corridas: o motoqueiro Polé costumava correr com Arnaldo no autódromo de Interlagos.

meros, por não conseguir dinheiro para pagar os direitos autorais dos artigos e fotos que reproduzia, a equipe nacional — que incluía o editor Luis Carlos Maciel e o redator Ezequiel Neves — conseguiu manter essa publicação por um ano.

Enquanto o poderoso departamento comercial da "matriz" norte-americana planejava o lançamento da grife Rolling Stone para a venda de roupas, cosméticos, comida macrobiótica, discos, ou mesmo um cartão de crédito, a quixotesca "filial" brasileira tentava apoiar a produção de grandes shows de rock, inicialmente em teatros, pensando em chegar a festivais ao ar livre. Coordenado por Carlos Gouvêa, da sucursal paulista da revista, esse projeto rapidamente atraiu as participações de outros franco-atiradores no gênero, como Cláudio Prado, seu irmão e arquiteto Sérgio Prado, o fotógrafo Paulo Klein e os artistas gráficos Alain Voss e André Peticov — irmão de Toninho, que continuava na Europa.

Apesar da divulgação um tanto mambembe, feita através da revista e de cartazes (que se transformavam em móbiles e por isso foram quase todos surrupiados das paredes), essa parceria resultou em um dos shows mais bem-produzidos — e alucinados — da época. Além de todas as atrações musicais, a plateia foi surpreendida por uma parafernália de efeitos visuais e curtições, desde canhões de luz, projeções de filmes, slides e luz bolha até uma enorme cesta que corria suspensa sobre as cabeças do público, derramando pipocas. O *gran finale* veio com a distribuição de centenas de pratos de papel, que lançados no ar pela plateia, simulavam um fantástico enxame de discos voadores.

A maior surpresa da noite, porém, ficou reservada aos próprios organizadores e músicos. Eufóricos com a vibração da plateia, só ao final do show eles perceberam que o dinheiro apurado na bilheteria sumira. O espírito de "paz e amor" tinha sido traído por algum espírito de porco da própria equipe.

* * *

> "*Sérgio, dos Mutantes, transa a sua guitarra. É aquela mesma que você conhece. Custa 2 mil cruzeiros. Distorcedor, filtros, reforçadores e circuito de memória, os botões são de ouro. Vendo por motivo de viagem.*
>
> *Avenida Angélica, 1.106, apto. 97 — São Paulo.*"

O pequeno anúncio, publicado na *Rolling Stone* (edição de 4 de julho de 72), deixou excitadíssimos dois roqueiros de Ribeirão Preto, no interior paulista. Fãs dos Mutantes, Henrique Bartsch e Johnny Oliveira tocavam teclado e baixo no Grupo 17, banda que já se apresentava há alguns anos naquela região do estado. Os dois parceiros sabiam que a chance de comprar a famosa Guitarra de Ouro de Sérgio Dias era única. Por isso, tinham que ser rápidos.

Henrique conseguiu com a telefonista o número de Sérgio e, depois de alguns minutos de negociação telefônica, convenceu-o a "segurar" a guitarra até o dia seguinte. O próximo passo da dupla foi juntar todas as economias e obter o que faltava através de um empréstimo, com o gerente do banco. Como não tinham carro, o único jeito de percorrer os 319 km que os separavam da capital era tomar o primeiro ônibus, na manhã seguinte.

Quando chegaram ao novo apartamento da família Baptista, no sofisticado bairro de Higienópolis, por volta das 11h, os dois ficaram conversando com Bororó, enquanto o dono da guitarra se decidia a levantar da cama. Para provar que não estava vendendo seu instrumento por causa de algum acidente ou problema técnico, Sérgio fez questão de mostrar a nova Guitarra de Ouro, que Cláudio César acabara de construir. Ela tinha mais recursos que a primeira, como a capacidade de imitar os timbres de outras guitarras — além dos dois captadores normais, possuía mais um captador para cada corda. Era o suficiente para deixar os dois visitantes babando.

Depois de experimentarem a mítica Guitarra de Ouro, meio hipnotizados pela maldição gravada na traseira do instrumento, Henrique e Johnny também receberam de Sérgio uma carta, rabiscada na hora, em uma folha arrancada de um caderno. Nela, muito seguro de si, Sérgio declarava que a maldição estava anulada, passando oficialmente para os novos donos a propriedade do instrumento criado por seu irmão.

O negócio já tinha sido concretizado quando entrou na sala Sérgio Kaffa, da banda Scaladácida. Embaixo do braço, ele trazia uma novidade musical para mostrar ao amigo: *Trilogy*, o recém-lançado LP da banda Emerson, Lake & Palmer. Enquanto os quatro ficaram curtindo o som a todo volume, Bororó saiu, levando no bolso parte do dinheiro pago pelo instrumento. Uma hora depois, o bonachão "escravo" dos Baptista voltou sorridente, trazendo um enorme pacote de maconha que deixou Henrique e Johnny surpresos. Um bom pedaço da Guitarra de Ouro foi fumado naquela mesma tarde.

Tempos depois, quando soube da venda, Cláudio César tentou comprar de volta o protótipo de sua mais famosa criação. Henrique e Johnny acabaram se tornando clientes e amigos de Cláudio, mas sempre recusaram suas ofertas pelo instrumento. Já fora da ativa, a primeira Guitarra de Ouro descansa até hoje em Ribeirão Preto. Estranhamente, na mesma cidade em que os Mutantes viriam, anos mais tarde, a fazer seu último show.

* * *

"Vem com a gente, bicho. Vamos montar um equipamento novo e queremos você trabalhando com a banda."

Peninha Schmidt custou a acreditar na proposta que Arnaldo lhe fez à queima-roupa. Ele e Sérgio mal o conheciam, mas foram pessoalmente buscá-lo no Estúdio Scatena, onde Peninha trabalhava à noite, depois do turno matutino em uma indústria de instrumentos musicais, a Giannini. O falante técnico em eletrônica tinha conversado apenas uma vez com os irmãos Baptista, meses antes. Foi logo após o show de lançamento do álbum *Mutantes e Seus Cometas no País do Baurets*, durante uma exposição de cachorros de raça, no Parque da Água Branca. Fã da banda desde 1967, quando ainda morava em Santos, no litoral paulista, Peninha contara a eles que tinha um interesse muito especial por áudio.

Ainda meio confuso, Peninha foi até a sala do velho Scatena, de quem recebeu o empurrão que precisava. Trabalhar com a melhor banda pop do país era mais do que uma proposta irrecusável. Era um sonho.

"Vai embora, meu filho. Seja feliz", incentivou o patrão, num gesto quase paternal.

Os três subiram no buggy de Sérgio e seguiram direto para a Cantareira, onde Peninha conheceu Cláudio César, de quem seria assistente, na construção e operação do novo sistema de som para a banda. Três dias depois Peninha já tinha se mudado para a serra. Foi morar na própria casa de Cláudio, dividindo com o casal e as duas filhas pequenas o cômodo que funcionava ao mesmo tempo de sala e quarto.

Naquela época, a qualidade da sonorização de shows no Brasil ainda se mostrava bastante primitiva. O padrão dominante era o do microfone para a voz do cantor e amplificadores individuais para os instrumentos, sempre instalados no fundo do palco — nem pensar em microfones específicos para a bateria, por exemplo.

Pela primeira vez no país, os Mutantes disporiam de uma mesa de som, através da qual as vozes e todos os instrumentos da banda teriam seus sons mixados e amplificados em caixas acústicas maiores e mais potentes.

Som na Mutantolândia: sempre que possível, a banda ensaiava ao ar livre, na serra da Cantareira.

Enquanto um cantor de sucesso como Roberto Carlos costumava se apresentar com uma potência de som em torno de 100 watts, a mesa que Cláudio passou a construir, ajudado por Peninha e Léo Wolf (*roadie* da banda), integrava dez amplificadores transistorizados de 135 watts cada. Ou seja, uma potência total treze vezes maior que a utilizada nos shows do "rei". Em termos sonoros, o impacto era tremendo.

* * *

Quase tudo era festa na serra da Cantareira. Até mesmo um *rango* noturno — um simples feijão caseiro — podia virar motivo de comemoração pela turma, com todos reunidos na cozinha, conversando e rindo durante horas. Depois, se fosse uma noite mais fria, acendiam o fogo, pegavam os violões e começavam a cantoria. Nada superava os descontraídos duos de Arnaldo, tocando o piano de armário que mais parecia saído de um filme de *bang-bang*, e Sérgio, ao violão, lembrando músicas dos Beatles até altas horas da madrugada.

Nas sextas à noite, quando bandos de amigos vinham de São Paulo, a animação era maior ainda. Às vezes, o número de agregados e conhecidos que chegavam para assistir aos ensaios, fumar um *baseado* ou tomar ácido passava de vinte. Havia também os que iam até lá com a esperança de encontrar discos voadores. Entre uma *viagem* e outra, alguns até acabavam vendo o que esperavam. Sem falar na atração que o sol, a lua, as estrelas e especialmente os arco-íris exerciam sobre os mais *viajandões*.

Por sinal, maconha e ácido lisérgico eram considerados artigos de primeira necessidade na comunidade mutante. Consumidos diariamente, como pão ou café, chegavam até a figurar nas anotações do livro-caixa que registrava os ganhos e gastos da banda. Eram indicados de uma maneira mais ou menos cifrada, como "chá" ou "do bão".

Nem mesmo Daniela Danone, ou simplesmente Danny, a cadela *collie* de Rita, ficava de fora desse hábito. Sempre que tomavam ácido com ela por perto, Arnaldo e Rita costumavam colocar uma lasquinha da droga em um pedaço de maçã e davam à cadela, para que ela pudesse *viajar* com eles. Em alguns minutos, Danny parecia se transformar em um fogoso cavalo. Raspava no chão as patas dianteiras, resfolegando como se imaginasse ser Silver, o cavalo do justiceiro Zorro.

Dinho e Liminha nunca chegaram a morar na Cantareira, mas subiam a serra todos os dias para participar dos longos ensaios da banda. Chegavam por volta das 11h da manhã e raramente saíam antes das 9h da noite; passavam quase todo o dia tocando. Só pensavam em voltar para São Paulo já tarde da noite, geralmente doidões, atravessando a costumeira neblina da serra com seus buggys.

O terreno da comunidade ficava numa região conhecida como Curva da Macumba, perto da casa de Antonio Marcos e Vanusa, cantores bastante populares na época da Jovem Guarda. As casas dos irmãos Baptista eram bem diferentes uma da outra. Arnaldo foi o que mais investiu: mandou construir um confortável sobrado de madeira, com uma sala ampla o suficiente para acomodar os ensaios da banda, incluindo até mesmo uma lareira. Na entrada da casa, uma escadinha conduzia a um fosso, que Arnaldo chamava de abrigo antiatômico. Ali ele armazenava mantimentos, crente de que todos poderiam sobreviver caso acontecesse alguma hecatombe. Já a casa de Sérgio era térrea e mais simples, mas também agradável. A de Cláudio César era a menor e mais modesta das três.

Apesar de ter comprado um terreno, Rita não chegou a iniciar qualquer construção em seu lote. Nos primeiros tempos, morava com Arnaldo, mas quando se desentendiam passava a dormir na casa de Sérgio, ou mesmo ficava alguns dias na casa dos pais, em São Paulo. Nesses períodos de separação, entre muitas idas e vindas, Arnaldo chegava a ter casos até na presença de Rita. Mas a mutante não era de dar o braço a torcer, muito menos de ficar em casa chorando. Se Arnaldo transava com outras, ela também tinha seus *affairs*. Olho por olho...

Viagem progressiva: movido a LSD, Arnaldo desenvolveu seu lado instrumentista em ensaios na serra da Cantareira.

18.
YES, NÓS TEMOS ROCK PROGRESSIVO

Arnaldo voltou para a serra da Cantareira desbundado. Acabara de assistir ao ensaio de uma banda de moleques do bairro da Aclimação e quase não acreditou no que ouviu. Batizada com o significativo nome de Mescla, a banda tocava um *acid rock* de impressionar. Bem mais jovens que os Mutantes, os garotos já tinham se iniciado há tempos no LSD. Bartô, o mais maluco da turma, chegava a dissolver lascas de ácido diretamente nos olhos.

No dia seguinte, Arnaldo convocou os Mutantes para irem à Aclimação, ouvir o som dos garotos. E, na primeira ocasião, deu um solene puxão de orelhas na banda:

"Moçada, a gente tem que estudar mais. Os caras aí tão arrasando!"

A consciência de que não podiam se acomodar na fama de melhor banda de rock do país mexeu com os brios do grupo. Liminha, por exemplo, chegou com duas bolhas no dedo para o ensaio seguinte, de tanto que havia praticado seu baixo. Serem os melhores era ponto de honra para os Mutantes.

* * *

"Arnaldo! Posso pegar o meu pijama?"

"Peraí!", veio a voz de dentro do quarto. Instantes depois, quase sem roupa, Arnaldo saiu junto com uma garota.

"Ah, não! Você tá usando a minha camiseta?!", reclamou Rita. "Logo a que eu queria usar amanhã!"

Cenas como essa se repetiam, quando Rita passava dois ou três dias seguidos em São Paulo e resolvia subir a serra à noite, para dormir na Cantareira. Dependendo do clima e se Arnaldo não estivesse acompanhado, Rita ficava com ele. Do contrário, acabava dormindo na casa de Sérgio. Tudo aparentemente *numa boa*.

Mas não era tão simples assim. Seguindo à risca o princípio do *make love not war* (faça amor e não guerra), como boa parte daquela geração, Rita e Arnaldo mergulharam numa espécie de deslumbramento, ao se depararem com um grau de liberdade jamais vivido antes, principalmente em relação a sexo e drogas. Sentimentos contraditórios, como o ciúme ou a insegurança, continuavam presentes no dia a dia de todos, mas costumavam ser sublimados em nome da pretendida liberdade total.

Por essas e outras, mesmo não gostando de certas atitudes de Arnaldo, Rita se obrigava a fingir que aceitava tudo com naturalidade. Posava de moderna e liberada, mesmo quando estava morrendo de ciúmes. Mais ou menos o que sentia quando saía de carro com os rapazes, para os passeios noturnos pela rua Augusta, e num outro automóvel uma garota mais atrevida tirava a calcinha e a acenava para Arnaldo. Rita sentia vontade de pular no pescoço da "vaca", mas engolia o primeiro impulso e se resumia a esboçar um sorriso amarelo.

Até mesmo quando Arnaldo, no auge da porra-louquice, propôs a ela que o visse transando com uma garota que acabara de conquistar, Rita aceitou o jogo. Durona, entrou no armário do quarto do hotel em que estavam hospedados, no Rio de Janeiro, e assistiu tudo até o fim: era uma dançarina do programa de TV de Chacrinha, uma *chacrete*. No fundo, Rita tinha um certo prazer em testar a própria resistência, além de sentir que Arnaldo não pretendia feri-la com "experiências" desse tipo. Era o fascínio pela liberdade absoluta, pela completa falta de limites.

* * *

Para não perderem o costume, logo depois de gravarem o que meses mais tarde veio a ser o segundo álbum de Rita, Arnaldo e ela desentenderam-se novamente. Magoada, Rita seguiu em férias para a Inglaterra, em 12 de julho de 72, na companhia de Lúcia Turnbull e do casal Liminha e Leila. Mais uma vez, resolveu se afastar por um tempo do marido, que insistia em continuar exercitando sua porção Don Juan.

Em Londres, no melhor dos astrais, os quatro amigos se hospedaram em um único quarto do Posa Hotel, em Notting Hill Gate, perto do Holland Park e da descolada Portobello Road. A moda indiana era o *must* do momento entre os hippies britânicos e o quarteto brazuca aderiu rapidamente às batas orientais. Decidiram também avermelhar os cabelos com hena. Magros como eram, ficaram parecendo quatro palitos de fósforo acesos.

Quem saiu um tanto queimada foi Leila. A caçula do grupo já começara a sentir algo estranho no ar, quando Liminha comunicou que estava "pintando um clima" entre Rita e ele. Acostumada a ser tratada como a "bonitinha", a "bobinha" da turma, Leila provou nesse episódio que estava longe de ser infantil, muito menos careta. Engoliu a raiva e, sem

Ponto de honra: os Mutantes passaram a se dedicar mais nos ensaios; não abriam mão de ser a melhor banda de rock do país.

Um casal apaixonado: Liminha e Leila, nos bons tempos.

qualquer cena de ciúmes, colocou meia dúzia de ácidos na bolsa e tomou um trem para a costa norte do país. Quando voltou, uma semana depois, Rita e Liminha já tinham tido tempo e oportunidades suficientes para esfriar os respectivos fachos. Tudo voltou quase ao normal.

Enquanto isso, fora da fogueira, Lúcia preferiu rever velhos amigos. Um deles era Michael Klein, sul-africano e violonista da banda *folk* Solid British Head Band, na qual Lúcia chegou a tocar quando morou em Londres. Agora, Michael estava com uma banda enorme, a Everyone Involved, da qual também fazia parte o flautista britânico Richard Court, ou Ritchie, como era chamado pelos amigos. Lúcia começou a encontrá-los todos os dias. Tomavam ácido, passeavam e assistiam shows de rock. Dias depois, ela e Liminha até participaram de uma gravação da banda.

Rita, Liminha e Leila não demoraram também a fazer amizade com Ritchie, que na época já namorava uma brasileira. Além de hospedar os quatro por alguns dias, em sua casa, o inglês ciceroneou a turma num passeio pelo País de Gales, evidentemente, movido a LSD. Papo vai, papo vem e Rita fez a cabeça de Ritchie para que ele conhecesse o Brasil. Chegou mesmo a convidá-lo a tocar sua flauta com os Mutantes.

Animado, o inglês decidiu acompanhá-los, na volta ao Brasil. Para garantir a continuidade das viagens lisérgicas, Rita trouxe uma provisão de ácidos, dos chamados *green steam* ("vapor verde"). Grudou uma parte das bolinhas verdes em um cordão, transformando-as em algo parecido com um colar hippie. Tranquila, passou com ele pendurado no pescoço, bem à frente dos narizes dos funcionários da Alfândega.

Os trambiques de Rita não pararam por aí. Sua bagagem incluía ainda dois sofisticados instrumentos de última geração: um sintetizador Mini-Moog e um teclado Mellotron. Na ida, ela tinha conseguido ludibriar o encarregado da Alfândega, registrando um pequeno piano infantil. Depois de pintá-lo de preto, Rita "oficializou" o instrumento fajuto com uma plaquinha de alumínio tirada do piano de um estúdio. Na volta, foi só transferir a placa de registro do pianinho, já dispensado, para o Mellotron. Naquela época, entrar no país com um instrumento importado era literalmente brincadeira de criança. Foi dessa mesma forma que Dinho conseguiu trazer sua bateria Ludwig, trocando-a por alguns tambores velhos, em outra ocasião. Ou ainda que Arnaldo trocou uma velha pianola Hering por seu precioso órgão Hammond.

Ritchie e sua flauta até chegaram a frequentar a Cantareira. Porém, apesar da campanha de Rita para que ele fosse aceito na banda, os irmãos Baptista não gostaram da ideia. Tempos depois, o inglês já estava tocando com o Scaladácida, ao lado de Sérgio Kaffa, Fábio Gasparini e Azael Rodrigues. Ritchie seguiu por mais uma década no *underground* paulista e carioca, passando por bandas como Soma, Barca do Sol e Vímana, até finalmente emplacar o *hit* "Menina Veneno", já em 83, como cantor e compositor. Um sucesso popular que os Mutantes raramente desfrutaram.

* * *

Pouco depois de voltar de Londres, Lúcia Turnbull abriu um show dos Mutantes, no Teatro Oficina. Logicamente, o *début* da fã n° 1 da banda não escapou das maquinações de Arnaldo. Minutos antes da apresentação, os dois combinaram que ela deveria fingir um grave problema nas pernas. Assim, os sapatos de Lúcia foram deixados em frente à cadeira que iria ocupar, no centro do palco. E para apimentar mais ainda o truque, a cantora entrou carregada por dois *roadies*, que cuidadosamente a depositaram sobre a cadeira.

Sozinha no palco, acompanhando-se à guitarra, Lucinha fez a mãe e uma tia, sentadas na primeira fila, derramarem-se em lágrimas. Cantou a melosa "Unchained Melody", velho sucesso dos Righteous Brothers. A plateia respondeu com silêncio absoluto durante todo o número, num misto de comoção e constrangimento.

Os aplausos, contidos, ainda não tinham terminado quando veio a surpresa: sem ajuda nenhuma, a suposta deficiente física agradeceu, calçou os sapatos e saiu andando pelo palco, carregando sua guitarra, como se nada tivesse acontecido. O público não sabia se ria ou xingava a impostora.

* * *

Não chegava a ser um vale-tudo completo, mas era quase. Assim como Arnaldo não descansou enquanto não dormiu com Sabine, a primeira mulher de Sérgio, este e Rita também acabaram transando uma vez, mais por curiosidade — aliás, como há muito tempo já se tratavam como irmãos, os dois saíram da cama com uma sensação incômoda de incesto. Algo parecido aconteceu com o casal Liminha e Leila: depois que Rita e Liminha resolveram seu "clima" em Londres, Leila e Arnaldo também não perderam a chance de dar o respectivo troco, tempos depois.

Várias combinações desse gênero aconteciam entre os frequentadores da Cantareira. E quase nada se dava às escondidas. Fazia parte do jogo que tudo fosse dito e assumido em relação aos parceiros. Esse livre trânsito de ligações e relações não era visto necessariamente com os olhos da devassidão, muito menos com o peso de sentimentos de traição. Ao final das contas, a atitude da turma frente à moral vigente, ao sexo e às drogas não era diferente da atitude dos Mutantes em relação à música. O grande barato estava em testar todos os limites.

* * *

"É o *Sgt. Pepper's* dos Mutantes! Ou, se os *addicts* preferirem, o *Their Satanic Majesties Request* dos Mutantes!"

Assim o eufórico Ezequiel Neves definiu o álbum *Hoje É o Primeiro Dia do Resto da Sua Vida*, em sua coluna no jornal *Rolling Stone*, de 19 de setembro de 1972. Embora levasse a assinatura de Rita Lee (os planos de André Midani para transformá-la em estrela continuavam de pé, apesar das dúvidas da cantora), musicalmente aquela gravação tinha muito mais a ver com os cinco discos dos Mutantes do que com *Build Up*, o primeiro de Rita, lançado dois anos antes. Dessa vez, até mesmo a produção ficara por conta de Arnaldo.

Gravado no recém-inaugurado Estúdio Eldorado, em São Paulo, o álbum permitiu à banda experimentar pela primeira vez os requintes tecnológicos de um estúdio de 16 canais. Mais ainda que *Mutantes e Seus Cometas no País do Baurets*, o novo disco de Rita era recheado de mensagens cifradas e curtições sonoras. A começar da primeira faixa, "Vamos Tratar da Saúde" (de Arnaldo, Rita e Liminha), que sugeria: "*Que tal um chá / pra gente se achar*". Na gravação, um efeito de eco aplicado sobre o vocal de Rita reforçava a ambiguidade entre *chá* (referência à infusão de cogumelos alucinógenos) e *cha cha cha* (o ritmo dançante cubano).

Os *toques ligados* continuavam em outras três faixas, todas repletas de efeitos lisérgicos e delirantes solos da guitarra de Sérgio (naquele momento já bastante influenciado por Jimi Hendrix, assim como o baixo elétrico de Liminha começava a escancarar a influência de Chris Squire, do Yes). Em "Frique Comigo", Rita aconselhava: "*Eu quero te ver aberto / Quem avisa amigo é / Cê tem que ser maluco / Todo mundo*". Já na faixa-título e em "Superfície do Planeta", era a voz de Cláudio César que interrompia literalmente a música por um instante, para chamar a atenção do ouvinte: "Cê tá entendendo?", "Presta atenção na letra". Ele mesmo autor da ideia, o "Professor Pardal" queria ter certeza absoluta de que as "mensagens" da banda estavam sendo captadas.

Num disco tipicamente mutante, deboche jamais poderia faltar. A lacônica letra do *hard rock* "Tapupukitipa" ("*Yeah, yeah, yeah / Tapupukitipa*") camuflava um descarado palavrão dirigido à Censura. Não bastassem todos os casos anteriores de censura à banda, havia mais um nesse disco: "Beija-me, Amor", a marcha-rancho pós-tropicalista de Arnaldo e Élcio Decário, que fora desclassificada do FIC de 71, à última hora, por mera implicância dos censores.

A gravação dessa canção só foi liberada depois que alguns versos escatológicos, como "*para que eu sinta a saliva / e o gosto de cuspe / escorrendo entre os dentes meus*", foram substituídos por outros mais leves e cafonas, como "*para que eu sinta o seu gosto / mesclado com o gosto de amor / mastigado entre os dentes meus*". Claro que nos shows menos vigiados, a letra original era cantada pela banda, com o mesmo gostinho de molecagem que sentiam ao berrar a sonora "Tapupukitipa".

Ainda na linha do deboche, "Teimosia" era um samba *heavy*, cuja letra soava quase como um autorretrato da relação de Rita e Arnaldo: "*Eu sou teimoso / Você é teimosa / Nós somos teimosos*". E que contou com a participação do ex-baterista Cláudio César, na percussão.

Mais leve e até carinhoso, "Amor Branco e Preto" é um sambinha eletrificado, feito pelo casal em homenagem ao Corinthians, o mais popular time de futebol de São Paulo. Rita o interpreta bem ao estilo de Miriam Batucada — uma sambista da época, que costumava frequentar os programas musicais da TV Record com seu italianado sotaque do bairro do Bixiga.

Não faltou também uma alfinetada no próprio projeto da carreira solo de Rita. "José", o meloso *hit* do álbum *Build Up*, ganhou uma espécie de paródia, intitulada "De Novo Aqui Meu Bom José". Por sinal, junto com "Vamos Tratar da Saúde", essa gravação marcou a estreia de Lúcia Turnbull nos *backing vocals*.

Curiosamente, a futura parceira de Rita também veio a contribuir para a forte influência que o Yes exerceu sobre os Mutantes. Foi Lúcia quem apresentou a Liminha o LP *The Yes Album*, ainda em 71. Daí em diante, os Mutantes não pararam mais de ouvir a banda: os álbuns *Fragile*, *Close to the Edge*, *Yessongs* e *Tales from Topographic Oceans* foram igualmente "furados". Outros grupos do gênero, como o trio Emerson, Lake & Palmer, o King Crimson, o Genesis e a Mahavishnu Orchestra também eram ouvidos na Cantareira, mas nada superava a idolatria pelo Yes. Anos depois, ao se casar com Dorinha, Liminha chegou a dar o nome de Cristiana a sua filha. Evidentemente, em homenagem ao baixista Chris Squire.

* * *

O episódio da censura à canção "Beija-me, Amor" precipitou o definitivo afastamento de Élcio Decário do ambiente musical. Desiludido, o compositor sumiu da vida dos Mutantes mais ou menos como apareceu. Além de sua personalidade alternativa não se encaixar no esquemão do *showbiz*, no fundo, as *viagens* lisérgicas da banda o incomodavam. Élcio sempre foi amigo de uma boa bebidinha.

Com um bilhete de Rita na mão, ainda em 71, ele chegou a mostrar algumas de suas músicas inéditas a Gal Costa. A cantora gostou de três delas e pediu que Élcio retornasse no dia seguinte, com uma fita gravada. Sem dar muita bola para a enorme chance que tinha nas mãos, ele só voltou a procurar a cantora um mês depois, quando Gal já tinha retornado à Bahia.

Tempos depois, também foi convidado a mostrar suas letras a Ronnie Von, mas esnobou a oportunidade. Ainda chegou a inscrever algumas músicas em festivais de cidades do interior paulista, que até foram classificadas, embora sem repercussão maior.

No fundo, Élcio Decário não estava nem aí para o sucesso. O ex-parceiro dos Mutantes continuou tocando seu violão e compondo eventualmente, pulando de emprego em emprego, em São Paulo, até se fixar de vez apenas dez anos depois. Virou motorista de táxi.

* * *

Como toda figura polêmica, o inglês Mick Killingbeck tinha quase tantos desafetos quanto simpatizantes, na serra da Cantareira. Os Mutantes o conheceram durante uma entrevista da banda, no Rio de Janeiro, em meados de 72. Naquela época, já radicado no país, Mick era um dos diretores da versão brasileira do jornal *Rolling Stone*. Não foram necessários mais que alguns minutos de bate-papo, para que Arnaldo e Sérgio percebessem que o sujeito tinha algo de especial. Ainda mais quando conversaram sobre suas experiências com LSD.

Mick tinha se mudado para o Brasil há menos de um ano. Formado em Física Nuclear, era funcionário de uma estação nuclear, no sul da Inglaterra, quando se inscreveu para um cargo na usina de Angra dos Reis. Veio recebendo um belo salário, que lhe permitia morar confortavelmente em um apartamento na Avenida Atlântica, no Rio, incluindo automóvel com chofer.

A sugestão de morar no Brasil partiu de seu inseparável amigo Norman Hilary Baines, um filho de ingleses nascido por acaso em Fortaleza, no Ceará, que ao retornar pela primeira vez ao país, em 70, pensou em usufruir de sua cidadania brasileira. Depois de convencer Mick a segui-lo, conseguiu um emprego de publicitário, em São Paulo.

Mal tinham se instalado, Mick e Hilary decidiram abrir um negócio próprio e bem mais interessante. Associados com outros dois ingleses, conseguiram os direitos de republicação de artigos e fotos do tabloide *Rolling Stone* e lançaram uma versão brasileira, em fevereiro de 72, apostando no potencial do público jovem local.

Dias depois do primeiro encontro, os irmãos Baptista voltaram a ver Mick. Arnaldo e Sérgio mostraram a ele *Close to the Edge*, o então recém-lançado álbum do Yes. As longas suítes de rock progressivo do grupo britânico serviram de trilha sonora para a primeira de uma extensa série de *viagens* lisérgicas dos novos parceiros.

Acompanhado quase sempre por Hilary, Mick passou a frequentar a serra. Logo transformou-se em uma espécie de guru de Sérgio e, principalmente, de Arnaldo. Além das *viagens*, passaram também a fazer experiências de telepatia. Sérgio garante que, numa ocasião, foi sozinho até a casa de Mick, onde jamais estivera antes, sem saber o endereço. Bastou encostar sua cabeça na do inglês e vislumbrar o caminho exato...

A influência dos "ingleses" — como eram conhecidos na Cantareira — sobre os Mutantes avançou rapidamente. Poucos meses depois, quando a bancarrota da *Rolling Stone* tupiniquim já era evidente, Mick assumiu o cargo de empresário da banda, ficando para Hilary a função de *road manager*.

Porém, o que impressionava os irmãos Baptista não era a capacidade empresarial ou administrativa de Mick, mas sim sua bagagem filosófica e lisérgica. O inglês via no LSD um instrumento para a realização de um novo sistema comunitário. Segundo ele, a dissolução dos egos sob o efeito do ácido abriria a possibilidade de que os "eus" individuais se unissem em uma única pessoa — utopia que deu forma à canção "Uma Pessoa Só", composta coletivamente e gravada alguns meses depois pela banda.

Apesar de ser menos devota do guru inglês do que Arnaldo e Sérgio, Rita não escondia uma certa simpatia por Mick. Inclusive por achá-lo parecido com Robert Plant, o vocalista do Led Zeppelin. Por outro lado, não eram poucos os que mantinham pelo menos um dos pés atrás quanto às ideias do inglês. Entre os mais críticos estavam Liminha, Cláudio César, Peninha e Lúcia Turnbull.

Um tema recorrente nas conversas de Mick era o projeto de os agregados da Cantareira formarem uma comunidade alternativa, seguindo normas de produção, ética e comportamento muito bem definidas. Com a irreverência de sempre, toda vez que ouvia o inglês falando sobre essa utópica família, Lúcia disparava:

"Mas que família o quê! Eu não aguento nem a minha..."

* * *

Um das figurinhas mais raras que perambulavam pela Cantareira era o carioca Luís Maurício dos Santos. Naquela época, Lulu já tocava guitarra, além de compor e cantar, em geral imitando descaradamente Mick Jagger, dos Rolling Stones. Sempre que tinha um instrumento à mão, ele não perdia a chance de exibir suas músicas ao primeiro incauto que fisgasse. Até mesmo nos camarins dos shows, quando os Mutantes se preparavam para entrar no palco, lá estava Lulu tentando mostrar a algum deles sua última criação.

A vítima predileta do garoto era mesmo Sérgio, em quem Lulu vivia pendurado, tentando aprender com ele tudo o que pudesse. Dublê de tiete e pupilo, chegava até a carregar a guitarra do mestre, antes e depois dos shows. De vez em quando, tomava coragem e o desafiava para um duelo de velocidade. Os dois sacavam as guitarras e, invariavelmente, o paladino da Pompeia fazia gato e sapato do atrevido Lulu.

Um deslize pelo qual Sérgio nunca se perdoou foi ter ensinado a ele como se tocava a canção "Here Comes the Sun". Depois de passar pelas bandas Albatroz, Veludo Elétrico e Vímana, até vir a se transformar, já nos anos 80, em astro do pop nacional, Lulu Santos gravou uma versão desse clássico de George Harrison. Entre outros achados poéticos, a letra dizia: "*Lá vem o sol / Tá legal*". Uma pérola que Sérgio Dias jamais conseguiu engolir.

* * *

Qualquer um que não fizesse parte daquela turma, provavelmente acharia que algo estava fora de lugar, mas para eles tudo era muito normal. Arnaldo já namorava Tereza há algum tempo quando, ao planejarem um fim de semana em Ubatuba, na casa de praia da família da garota, não pensou duas vezes: além de Mick e Hilary, também convidou Rita.

Nem mesmo Tereza estranhou a situação. A mais nova agregada da Cantareira tinha apenas 18 anos e, ao se envolver com Arnaldo, não possuía a mínima noção do que havia entre ele e Rita. Acreditou que os dois tinham se separado numa boa e que passaram a ser grandes amigos. Afinal, todos ali eram muito modernos...

Evidentemente, Rita aceitou o convite do casal e cumpriu com requintes de masoquismo seu papel de *tough girl*. Passou toda a primeira noite acordada, ouvindo os gritos e gemidos de Arnaldo e Tereza, no quarto ao lado, transando como dois desesperados.

Na manhã seguinte, ao se encontrar com Mick no corredor, Rita ainda tentou disfarçar.

"*Are you ok?*", perguntou o inglês, olhando na direção do quarto de Arnaldo e Tereza.

"*Sure*", assegurou a durona, com os olhos ainda vermelhos.

A aproximação rendeu uma longa conversa. Dias depois, Rita e Mick começaram um *affair* que acabou durando quase um ano. Nem se tivesse planejado, Rita poderia ter escolhido melhor maneira de dar o troco a Arnaldo. Teve um caso com o empresário, guru e melhor amigo do ex-marido — uma verdadeira punhalada amorosa.

* * *

"O que é isso?!"

Solano Ribeiro, o produtor do 7° Festival Internacional da Canção, não acreditou no que acabara de ouvir. Naquele 17 de setembro, um domingo, o ensaio da segunda semifinal nacional do evento corria normalmente, até os Mutantes subirem ao palco, para apresentarem sua "Mande Um Abraço Pra Velha". O quinteto já estava no meio da música, quando o produtor ouviu uma estrofe que, além de não fazer parte da letra liberada pela Censura, ainda esculachava o festival. Conhecendo aqueles garotos como conhecia, Solano percebeu na hora que tinha caído em mais uma das gozações dos Mutantes.

"*Imagine um festival / Sem caretas e no sol / Imagine um festival / Com a sua mãe e o Juvenal*", ironizava a estrofe-surpresa.

Vingando-se da censura a "Beija-me, Amor", canção impedida de concorrer no festival do ano anterior, dessa vez os Mutantes resolveram partir para a esculhambação. Chegaram até a pensar em subir ao palco vestidos de baianas, mas na última hora acharam que seria demais. Inventaram um refrão de samba bem fuleiro, que foi enfeitado por uma longa suíte de rock progressivo, na linha do Yes, e enviaram apenas uma parte da letra para ser analisada pela Censura. Por sinal, com uma boa dose de deboche logo nos primeiros versos:

> *Já faz tempo pacas / Que eu não vinha aqui cantar no festival / Eu não vou ganhar, quem sabe / Até eu vou perder ou*

empatar / Nós não estamos nem aí / Nós queremos é piar / Nós estamos é aqui / E sua mãe onde é que está? / Mande um abraço pra velha / Diga pra ela se tratar...

Apesar do costumeiro escracho no palco, a atmosfera da banda era bem diferente nos bastidores. A fase de ensaios fora bastante tumultuada, inclusive pelo flagrante mal-estar entre Rita e Arnaldo. Sérgio acabou cuidando da maior parte do arranjo, especialmente de uma passagem que já indicava influências do jazz-rock da Mahavishnu Orchestra, do guitarrista britânico John McLaughlin.

Como as pretensões da banda praticamente se resumiam à avacalhação, a classificação de "Mande Um Abraço Pra Velha" para a final nacional — dia 30 de setembro, no Maracanãzinho — espantou até os próprios Mutantes. Ainda mais num ano em que o impacto causado pela banda ficou muito aquém do provocado em festivais anteriores. "Quando eles dizem na letra que não estão brincando, torna-se difícil acreditar", alfinetou a revista *Veja*, a respeito da canção.

Polêmica mesmo foi a aparição do novato Walter Franco e sua concretista "Cabeça". Vaiada por grande parte do público, essa canção acabou sendo responsável pela destituição do júri nacional, presidido pela cantora Nara Leão, por ser favorável a Franco. Um ruidoso escândalo.

Pelo menos quanto à tecnologia e potência sonora exibidas no palco, os Mutantes estavam longe de ficar devendo algo às aparelhagens de atrações estrangeiras do festival, como a banda italiana Formula Tre, a argentina Santa Barbara ou o cantor norte-americano David Clayton Thomas (revelado no grupo Blood, Sweat & Tears). Questão de honra para uma banda que tinha o exigente Cláudio César Dias Baptista como engenheiro de som.

* * *

Rita não ficou nada contente com sua participação em "Mande Um Abraço Pra Velha". Exceto pelos *backing vocals* (Sérgio era o vocalista principal), sua parte no arranjo resumiu-se a algumas frases da introdução, dedilhadas no Mini-Moog. Na verdade, há tempos Rita vinha percebendo que seu papel na banda se tornava cada vez mais decorativo, principalmente depois que os rapazes começaram a flertar com os longos e eruditos improvisos do rock progressivo.

"Tô cheia de ser o Jon Anderson da banda", ela confessava aos amigos mais íntimos, numa referência irônica ao vocalista do Yes.

Eu e meu Moog: Rita tentou seguir a inclinação instrumental dos rapazes, sem sucesso.

Nem mesmo a iniciativa de comprar o Mellotron e o Mini-Moog na Inglaterra surtiu efeito. Quando Rita tentou usá-los durante os ensaios da banda, sem saber ainda como operá-los direito, acabou virando motivo de gozação. Provavelmente, havia uma dose de machismo nessa atitude dos rapazes, que a própria vítima acabou ironizando mais tarde como um "Clube do Bolinha", mas Rita não tinha mesmo bagagem técnica para virar tecladista, de um dia para o outro. No fundo, jamais teve um real interesse em ser uma instrumentista.

O próprio fato de ter se afastado de Arnaldo também contribuiu para que Rita se isolasse na banda. Às vezes, ficava dois ou três dias sem ir à Cantareira e, quando aparecia para o ensaio, percebia que os arranjos de músicas do repertório tinham mudado. Ou mesmo que decisões tinham sido tomadas sem sua participação. Estava chegando a hora de Rita seguir seu próprio caminho.

19.
OVELHA NEGRA

Naquela noite, quando entrou na sala da casa de Arnaldo para o ensaio, Sérgio percebeu logo que não se tratava de mais uma alucinação de LSD. Pela cara de choro de Liminha e a expressão assustada de Dinho, alguma coisa grave parecia ter acontecido. Os dois olhavam para Rita, como se ela estivesse comunicando uma notícia de morte.

"Tô indo embora. O Arnaldo disse que não tem mais lugar pra mim na banda", repetiu Rita.

"Como assim? Quem o Arnaldo pensa que é pra dizer isso? Deus? Então a gente sai com você!", retrucou Sérgio.

"Não. Agora sou eu que quero ir embora. Tchau!"

Rita não estava disposta nem a conversar. Deixou os três parceiros atônitos e foi até o quarto. Juntou algumas roupas e discos, pegou o violão, o Mini-Moog e levou tudo para o jipe. Depois, foi buscar as duas cadelas. O motor do automóvel já estava ligado, quando Rita ouviu sons dos instrumentos da banda saindo de dentro da casa — sinal de que Arnaldo já tinha chegado e que o ensaio iria começar, mesmo sem ela.

No dia seguinte, Sérgio e Liminha foram até a casa dos pais de Rita. Tentaram convencê-la a voltar, sem qualquer sucesso. Magoada, ela parecia mesmo decidida. Os dois sabiam que havia muito de pessoal naquela atitude. Rita e Arnaldo já tinham rompido há meses, mas desde que Tereza e Mick entraram na história o clima durante os ensaios tinha piorado sensivelmente. Porém, Sérgio e Liminha não descartaram a possibilidade de que, como em ocasiões anteriores, os dois ainda voltassem a se entender.

Mesmo sabendo que o humor e as letras de Rita eram muito importantes na fórmula musical da banda, Dinho, Sérgio e Liminha acabaram se rendendo ao carisma e à autoridade de Arnaldo. No dia a dia do grupo, não era raro que ele tomasse decisões sem consultar os parceiros. Ainda mais quando tomava seus ácidos e ficava cheio de si, falando sobre Deus e coisas do tipo, tornava-se impossível discutir com ele.

Por outro lado, naqueles primeiros dias de outubro, os rapazes desfrutavam a sensação de que jamais tinham tocado e se entendido tão bem

— uma impressão quase telepática, consequência também, certamente, dos ácidos ingeridos antes dos ensaios. A banda tinha ingressado em uma nova fase musical, mais voltada para o som instrumental, na qual Rita não parecia se encaixar direito. Até porque, no fundo, nenhum dos quatro conseguia levá-la a sério como instrumentista. O pandeiro furado que Rita tocava, às vezes até por não ter muito o que fazer no palco, ou mesmo outros efeitos de percussão, eram tratados pelos rapazes com uma certa ironia.

As insistentes tentativas de André Midani de investir na carreira individual de Rita também se tornaram um delicado ponto de conflito entre ela e a banda. Essa pressão, por sinal, não vinha apenas da gravadora, mas até da imprensa. Duas semanas antes do confronto de Rita e Arnaldo, o então influente Giba Um colocava mais lenha na fogueira, em sua coluna no jornal *Última Hora* (edição de 22 de setembro):

> "*Rita Lee Jones, uma das poucas coisas engraçadinhas desse festival, responde às críticas de que ela deveria curtir menos e levar mais a sério a profissão e se transformar na maior* show-woman *do país: 'É exatamente ao contrário, quero curtir mais...'*"

Apesar de continuar afirmando nas entrevistas que seu lugar era ao lado dos Mutantes e que não estava nem aí para a possível carreira solo, o lançamento do álbum *O Primeiro Dia do Resto da Sua Vida* não deixava de ser uma indicação de que, a qualquer momento, Rita poderia bater asas de vez. Por todos esses motivos, Sérgio, Dinho e Liminha não precisaram pensar muito para se decidirem: ficaram com Arnaldo.

* * *

Assim que souberam da saída de Rita da banda, Lúcia e Leila também foram visitá-la. Encontraram a amiga muito deprimida, arrasada. Com aspecto de quem já tinha chorado bastante, Rita disse que estava pensando em vender os instrumentos e desistir da música. Confessou que já imaginara até a hipótese de suicídio. Porém, depois de conversar um pouco, acabou convidando as duas a acompanhá-la em uma viagem de navio até a África. Dias depois, veio a surpresa. Convocadas pela amiga, Lúcia e Leila voltaram à residência da família Jones. No porão da casa, em vez de uma Rita frágil e machucada, encontraram a durona de sempre, que foi logo comunicando, em tom de autodesafio:

Cabeças feitas: sem Rita, a banda passou a fazer música
voltada apenas para quem, como eles, tomava LSD.

"Não tô mais nessa de viajar pra África não. Vou provar pro Arnaldo e pra todo mundo que eu posso ser a maior estrela de rock do Brasil!"

Rita explicou que pretendia retomar um projeto antigo: a banda feminina que as três e Lilly (irmã de Lúcia) tinham organizado só por farra, alguns meses antes, para um show dos Mutantes no Teatro Oficina, sob o discreto nome de Baseado Nelas. A mutante estava decidida a voltar à ativa e para isso queria acender novamente as parcerias.

O apoio de Mick Killingbeck também ajudou Rita a encontrar seu caminho próprio. O *affair* virou uma transa estável e o inglês acabou se mudando para a casa que ela alugou às margens da represa de Guarapiranga — significativamente, na zona sul, extremo oposto da cidade em relação à serra da Cantareira. Hilary e Belonzi, um coreógrafo amigo de Rita, também se mudaram para lá.

Enquanto Rita tentava sair da fossa, voltando a compor, Mick continuou desempenhando a função de empresário dos Mutantes. Os dois tomavam ácido juntos e se entendiam muito bem, vivendo em geral com a casa cheia de amigos, quase todos *malucos*, numa espécie de comunidade hippie. Mick era católico e por isso conseguiu conquistar até a simpatia da religiosa mãe de Rita. Convenceu dona Romilda de que estava disposto a cuidar de sua filha e passou a frequentar a casa da família Jones.

Mesmo sentindo-se traído ao saber do caso de Rita com seu melhor amigo, Arnaldo não chegou a romper com Mick, tamanha a idolatria que dedicava a ele. Aliás, exceto por alguns eventuais bate-bocas, Rita e Arnaldo também mantiveram relações cordiais. Ela até continuou assistindo aos shows dos Mutantes, eventualmente. Ciúme, afinal, era *coisa de careta*.

* * *

O ano de 73 dificilmente poderia começar melhor para os Mutantes. Em 12 de janeiro, eles não estavam apenas estreando um novo show, no Teatro Aquarius, em São Paulo. Arnaldo, Sérgio, Dinho e Liminha sentiam-se detonando uma nova fase musical da banda.

"Não queremos mais só encher a barriga do público de som", avisava Arnaldo. "Nossa jogada agora é fazer as pessoas pensarem um pouco depois de o show terminar. É fazer elas irem para casa perguntando a elas mesmas: 'Será que é isso mesmo? O que estamos fazendo aqui?'"

O título do show — *Mutantes com 2 Mil Watts de Rock* — não era uma figura de retórica. A plateia realmente recebeu nos ouvidos o impacto sonoro de 2 mil watts através de 10 amplificadores transistorizados, operados por Cláudio César, na sofisticada mesa de controle que terminara de construir. Sem falar em outros 600 watts utilizados como retorno, para que os músicos da banda pudessem se ouvir no palco. Na verdade, eram 2.600 watts no total, potência sonora muito superior ao padrão da época no país. Era o que se chamava de um *som da pesada*.

"Para se ter uma ideia do que isso representa, basta dizer que os Beatles nunca tiveram um equipamento maior que este. Nosso equipamento é equivalente ao do Pink Floyd", exultava o técnico de som Peninha Schmidt, assistente de Cláudio César.

Ao mesmo tempo que festejava sua nova potência sonora, a banda também começava a exibir o repertório inédito, desenvolvido durante os três meses posteriores à saída de Rita Lee, em intermináveis ensaios diários, na serra da Cantareira. A convivência cotidiana com o LSD não influiu apenas no som do grupo, mas também no modo de encarar a própria música.

"Aquele conjunto bonitinho, que fazia gracinhas, não existe mais. Ninguém se diverte mais nos nossos shows. As pessoas vivem, vibram junto conosco", explicava Arnaldo. "O rock é um modo de vida, um movimento que abre a cuca das pessoas, elevando o espírito e fazendo com que fiquem mais próximas de Deus."

Ouvir algo assim de alguém com um passado tão debochado como o de Arnaldo surpreendeu alguns, mas não era um discurso vazio. Criadas coletivamente, na linha do rock progressivo, as novas músicas mostravam que a banda estava mudando de atitude. Ao mesmo tempo que desprezaram os vocais e as letras de Rita, os Mutantes também abandonaram o bom humor. Trocaram o deboche, marca inconfundível do grupo, por uma espécie de messianismo lisérgico, que tinha como slogan a canção "Uma Pessoa Só":

> *Eu sou / Você é também / E todos juntos somos nós / Estou aqui reunido / Numa pessoa só / E todos juntos somos nós / Uma pessoa só / Você também está tocando / Você também está cantando / Estamos numa boa pescando pessoas no mar / Aqui / Numa pessoa só* (...)

Ao pretenderem se dissolver em uma entidade única, graças às experiências com o LSD, os Mutantes pareciam reproduzir a história do livro de ficção científica que, seis anos antes, tinha inspirado o nome e o próprio conceito musical da banda:

"Sentiu que toda a sua carne se dissolvia num turbilhão de luz. E sentiu-se imediatamente feliz. Feliz como se marchasse lado a lado com uma multidão amigável de numerosos camaradas. Por estranho que pareça, soube que já não era nada, ou melhor, que era simultaneamente ele próprio e os outros, unidos numa segurança, num calor e numa força coletiva", narrava Stefan Wul, em *O Império dos Mutantes*.

Estranhamente, era como se a ficção enfim se concretizasse.

* * *

Na segunda semana de fevereiro, os Mutantes começavam a realizar o sonho interrompido após a isolada experiência de Guararema: *cair na estrada* e, sempre que possível, tocar ao ar livre. Com a compra de um caminhão Chevrolet, novinho em folha e batizado de Tenório, já era possível viajar pelo país carregando o volumoso e pesado equipamento de som da banda. O ponto de partida foi a cidadezinha de Cambé, na região de Londrina, no Paraná, sede de um dos primeiros festivais de rock ao ar livre promovidos no país.

Mal encontraram a equipe de produção, Dinho foi logo ao assunto:

"Cadê a tal da maconha? Disseram pra gente que aqui vocês só fumam charutos *deste tamanho*..."

Era verdade. A banda recebeu na hora um enorme "charuto" e foi se juntar a outros vinte sujeitos, atrás de um ônibus. Fumaram até cansar, morrendo de rir da situação. Minutos depois, já estavam tão *viajandões* que custaram a entender quando alguns policiais à paisana surgiram de surpresa, dando voz de prisão a todos.

Os restos dos "charutos" foram devidamente recolhidos e os *malucos* organizados em uma longa fila. Quando tudo indicava que o próximo passo seria a detenção coletiva, os policiais começaram a olhar para os trinta e tantos cabeludos. Indecisos, coçando as cabeças como se estivessem fazendo cálculos, trocaram algumas palavras entre si e acabaram indo embora sem prender ninguém. Perceberam que não teriam como trancafiar tanta gente e preferiram deixar o dito pelo não dito. Pelo menos durante o festival, a *marijuana* tinha acabado de ser liberada na cidade.

Entre fevereiro e abril, a banda percorreu boa parte do país, tocando em capitais como Salvador, Rio de Janeiro, Porto Alegre, Florianópolis e Belo Horizonte, além de fazer novas apresentações em São Paulo e cidades do interior paulista. Uma das surpresas da turnê se deu em Salvador, ao ar livre, onde mais de 5 mil pessoas superlotaram a Concha Acústica do Teatro Castro Alves.

Baseados liberados: os Mutantes, já como quarteto, durante o festival de Cambé, no Paraná, em fevereiro de 1973.

Excitado com a nova vida de cigano do rock, passando semanas seguidas *on the road*, Arnaldo deixava claro que a banda estava à procura de outro tipo de público: "Estamos cantando para o pessoal da estrada, para os *freaks*, gente que saca o nosso som. Quem for aos nossos shows, ou comprar os nossos discos, já está sabendo qual é a nossa."

Afinal, o que mais esperar de uma banda de rock cujas filipetas de divulgação eram feitas especialmente de papel de seda colorido? Assim os fãs também poderiam usá-las para enrolar seus *baseados*...

* * *

Só mesmo a lábia de Mick Killingbeck para conseguir algo assim. Apelando aos princípios da "paz e amor" e do "todos juntos numa pessoa só", o inglês conseguiu que, sete meses após a traumática separação, Rita e os Mutantes voltassem a subir num mesmo palco. Em 10 de maio de 73, cada um com seu respectivo show, os antigos parceiros comandaram a primeira noite da Phono 73, um grande evento produzido pela Phonogram, que inaugurou oficialmente o Palácio de Convenções do Anhembi, em São Paulo.

Além da abertura em ritmo de rock, para as três noites seguintes a gravadora programou mais de trinta atrações do seu superelenco de MPB, imbatível naquela época, que incluía Elis Regina, Jorge Ben, Caetano Veloso, Gal Costa, Maria Bethânia, Nara Leão, Raul Seixas, Luiz Melodia, Jards Macalé e Hermeto Pascoal, entre outros.

Com agentes policiais disfarçados de cabeludos, circulando de modo ostensivo entre os artistas, o evento foi marcado por incidentes bem típicos da ditadura militar. O episódio mais polêmico ficou por conta da Censura, cujos funcionários podiam ser facilmente identificados nos bastidores do Anhembi: eram os únicos sujeitos que estavam usando terno e gravata. Chico Buarque e Gilberto Gil foram proibidos de apresentar a inédita "Cálice", canção que tinham composto especialmente para a ocasião. Por ordem dos censores, o som do microfone de Chico chegou até a ser cortado, durante o show, incidente que gerou protestos e momentos de tensão.

Convocado a prestar declarações, o diretor geral do evento, Armando Pittigliani (da Phonogram), apresentou-se à Polícia Federal, dois dias depois, certo de que seria preso. Além da companhia do advogado da gravadora, o executivo já levava no bolso até uma escova de dente.

"Na primeira noite, foram encontradas várias seringas, houve gente fumando maconha e pelo menos vinte cadeiras se estragaram", dizia aos jornalistas o encarregado de segurança do Anhembi, justificando o reforço de policiamento, nos dias posteriores do evento. "Um público de vândalos", tachou o "zeloso" funcionário, referindo-se à plateia que assistira ao show dos Mutantes e à volta de Rita aos palcos.

A abertura da Phono 73 marcou a estreia oficial das Cilibrinas do Éden, dupla que Rita e Lúcia Turnbull formaram depois de abandonarem a ideia de uma banda feminina. O nome foi inventado por Rita, a partir do novo estilo de som que imaginava: uma mistura suave, delicada e acústica de vocais femininos, violão, viola americana, flauta, sininhos e, eventualmente, até cantos e bater de asas de pássaros.

"Se Alice Cooper faz tudo aquilo no palco, estraçalha bonecas e mata frangos, é porque sua música é falha. A originalidade, hoje, está na simplicidade", dizia ela, para justificar sua nova fase musical.

Pelo menos na opinião de Rita, a estreia das Cilibrinas foi um fiasco. Ao ver a barulhenta plateia de 3.500 pessoas, ansiosas por verem os Mutantes e seus poderosos 2.600 watts de som em ação, Lúcia ficou tão apavorada que teve de ser empurrada para a frente do palco, por alguém da produção. A insegurança bateu forte e a dupla chegou a desafinar nos vocais, algo compreensível para uma estreia em condições nada favoráveis. Além de abrirem a noite para uma banda experiente e popular, as Cilibrinas ainda nem tinham equipamento próprio. Convencidas por Mick a pegar carona na aparelhagem de som dos Mutantes, acabaram se dando mal.

"Foi uma droga. O som estava horrível e eu não conseguia ouvir bem o meu violão. Foi tudo mesmo uma droga", desabafou Rita para a repórter da *Folha de S. Paulo*, depois do show.

Nem tanto. Apesar de alguns fãs mais inquietos, a plateia acabou fazendo silêncio para ouvir a dupla e aplaudiu com certa simpatia. Rita surgiu com uma cartola alta, enfeitada por uma pluma preta; Lúcia tinha duas enormes asas de anjo nas costas — adereços misturados com roupas coloridas, ainda na antiga linha dos Mutantes, que já soavam meio bobinhas numa época em que o pomposo rock progressivo começava a dominar a cena.

Além do nervosismo das garotas, outro problema do show foi o repertório. Em vez de apelar para algo conhecido do público, Rita resolveu mostrar apenas suas novas composições. Começou justamente com "Mamãe Natureza", a primeira canção que escreveu logo após o rompimento com os Mutantes, um retrato de seu estado de espírito naquele momento:

Estreia melancólica: durante a Phono 73, a primeira e única apresentação das Cilibrinas do Éden.

Ouriço só no palco: na mesma noite, o som progressivo dos Mutantes não chegou a contagiar a plateia do Anhembi.

Não sei se estou pirando / Ou se as coisas estão melhorando / Não sei se eu vou ter algum dinheiro / Ou se eu só vou cantar no chuveiro / Estou no colo da mãe natureza / Ela toma conta da minha cabeça / É que eu sei que não adianta mesmo chorar / A mamãe não dá sobremesa (...)

Na verdade, a discreta resposta da plateia à apresentação das Cilibrinas não foi tão diferente da que se viu em relação ao show dos Mutantes. O entusiasmo de Arnaldo, Sérgio, Liminha e Dinho, todos evidentemente *chapados* naquela noite, não chegou a contagiar o Anhembi. Exceto durante os raros sucessos lembrados pela banda, como "Ando Meio Desligado" e "Beijo Exagerado", ou pelo clássico "Jailhouse Rock", uma boa parte do público se manteve quase apática. Faltou *ouriço*, como se diria naquela época.

"O som não estava nada bom e, depois, a maioria das músicas que apresentamos é nova. O tipo de coisa que fazemos exige um certo preparo, um certo conhecimento do público. Mas logo sairá o disco onde as músicas que apresentamos estão incluídas e então tudo estará bem", justificou Arnaldo. Ao contrário das desanimadas Cilibrinas, Arnaldo saiu do palco tão confiante como entrou. Para ele, o mero fato de a plateia ter participado menos não estragou a *viagem* daquela noite.

* * *

Na madrugada do frustrante show de estreia das Cilibrinas do Éden, Lúcia Turnbull viu uma cena que só fez aumentar a prevenção que já tinha contra Mick. Ao chegar à casa de Rita, na represa de Guarapiranga, ela encontrou o inglês cheirando cocaína, com o auxílio de notas de dólar enroladas como canudinhos.

"E aí, Mick? Cadê a minha grana?", cobrou, com a natural sensação de que o dinheiro ganho no show daquela noite estava sendo cheirado pelo empresário, depois de literalmente ter virado pó.

"Como você é materialista, Lúcia!", retrucou o inglês.

O anjo exterminador: Arnaldo e a perturbadora estátua de cemitério,
em imagem que serviu para a contracapa de seu álbum *Lóki?*

20.
PERDIDO NO ESPAÇO

Não só os Mutantes, mas praticamente toda a comunidade *freak* da serra da Cantareira era ligada em ufologia, astrologia, telepatia, magias e ocultismos em geral. Muitos tinham certeza de que, mais dia menos dia, acabariam se deparando com um disco voador, cruzando o céu estrelado da Mutantolândia — como alguns a chamavam.

Por isso, a reação da turma foi muito natural no dia em que Léo, um dos *roadies* da banda, entrou gritando na sala de ensaio, bastante nervoso. O volume do som era tão alto e todos estavam tão doidões que apenas viram os lábios do sujeito se movendo, sem conseguirem entender uma só palavra.

"Disco voador", alguém gritou, logo que o som diminuiu.

Ninguém riu, nem perguntou se Léo estava maluco. Largaram os instrumentos e saíram correndo. Porém, era outra a surpresa que os esperava do lado de fora: o motor do caminhão da banda estava pegando fogo. E para piorar mais ainda a situação, não havia água ou mesmo extintores suficientes para apagar o incêndio. Tiveram que usar terra, o que não ajudou muito.

Começaram a achar que era mau-olhado, vodu ou coisa do tipo. Dias antes, a banda também recebera outra péssima notícia: o bilhete azul da gravadora. A Phonogram considerou que *O A e o Z*, álbum que os Mutantes tinham acabado de gravar, não possuía nenhum apelo comercial. Depois de discussões com Mick Killingbeck e membros da banda, a Phonogram não só vetou o lançamento do álbum, mas também dispensou os Mutantes de seu *cast*. Sem Rita, André Midani parecia ter perdido totalmente o interesse por eles. Achou que a música da banda tinha deixado de ser provocativa. O ano que parecia tão promissor para os Mutantes se transformou definitivamente em pesadelo.

Por causa desse incidente, *O A e o Z* permaneceu inédito durante 19 anos, até ser lançado pela Polygram, em 92, já em formato CD. Produzido no Estúdio Eldorado, em São Paulo, esse disco inclui seis faixas assinadas pelo quarteto, que foram compostas, executadas, gravadas e mixadas sob efeito de LSD. Sem usar *playback* ou outros recursos de edição, a banda reproduziu fielmente no estúdio o que estava tocando em seus ensaios diários na Cantareira.

Se o anterior *Hoje É o Primeiro Dia do Resto da Sua Vida* já indicava que os Mutantes estavam se aproximando dos sons progressivos, *O A e o Z* escancarou de vez esse mergulho. Todas as seis faixas são longas (com mais de 6 minutos de duração) e repletas de voos instrumentais. A meia-exceção é "Ainda Vou Transar com Você", que conserva o espírito mais dançante e descontraído do rock & roll.

Várias fontes sonoras da banda, naquela época, são facilmente reconhecíveis nessa gravação. "Hey Joe" (nada a ver com a canção homônima do repertório de Jimi Hendrix) e "Uma Pessoa Só" trazem vocais calcados na banda Yes, influência marcante no álbum. O violão de Sérgio, na introdução de "Você Sabe", foi inspirado no guitarrista inglês John McLaughlin, da Mahavishnu Orchestra; os teclados de Arnaldo remetem, em vários momentos, ao trio Emerson, Lake & Palmer. Além disso, a instrumentação da banda trazia algumas novidades em disco, como o teclado Mellotron de Arnaldo, a guitarra Fender Stratocaster de Sérgio e a tabla (percussão indiana) de Dinho.

Também criadas coletivamente, as letras trocaram o bom humor e o deboche por uma nova ideologia, uma espécie de pregação lisérgica com toques religiosos, em busca de um novo público: "*Você sabe o que eu pensei / Eu também sei o que você pensa / Você sabe o quanto andei / Deus, também serei o que você quiser / Nas estradas eu andarei / Nessa escalada alcançarei o sol*", diz a canção "Você Sabe". No fundo, os Mutantes passaram a fazer música para quem, como eles, tomava LSD.

O mesmo vale para *Rolling Stone*, faixa que era, por sinal, anunciada em shows da banda como uma homenagem a Mick Killingbeck, o "bruxo" e ex-diretor do jornal homônimo: "*Estava lendo o Rolling Stone / Li um cara que me abriu a cabeça / Fui correndo e tropecei no arco-íris / Foi muito / (...) Ouça a música tocar / E a terra desbundar / Ouça a música tocar / E o espírito de luz / A refletir a música no ar / Minha imagem, sua imagem / Juntos no espelho do luar*".

Por essas e outras, quando ouvia "Uma Pessoa Só", que incluía a pérola poética "estamos numa boa pescando pessoas no mar", a debochada Lúcia Turnbull não resistia à piada: "Cadê a vara?".

* * *

Tereza decidiu se afastar de Arnaldo e da turma da Cantareira, quando os Mutantes começaram a planejar uma nova viagem à Bahia, em meados de 73. Assustada, já há algumas semanas ela vinha notando que Arnaldo estava vivendo em outro mundo — nem parecia mais o mesmo sujeito alegre e gozador que conhecera. Aflito e atormentado, ele passara a ter visões sombrias. Ficava imaginando coisas estranhas, como se estivesse todo o tempo com a consciência alterada. Pior ainda: falava obsessivamente em Rita.

Na verdade, passada a fase de indignação provocada pelo rompimento com a gravadora, toda a banda entrou em depressão. Porém, o problema de Arnaldo era anterior a essa crise e visivelmente mais grave. Estava ficando evidente que ele não tinha estrutura psíquica para tomar LSD todos os dias, sem falar na mescalina e na cocaína que chegavam à Cantareira, de vez em quando, através de amigos. Como se os versos de sua canção "Balada do Louco" tomassem forma, Arnaldo começou a acreditar que era um deus.

Sérgio já vinha acompanhando as viagens megalomaníacas do irmão há um certo tempo, mas só achou mesmo que Arnaldo estava pirando no dia em que, sem mais nem menos, ouviu-o dizer:

"É, o negócio é eu tocar através de vocês..."

"Espera aí, Arnaldo! Todos nós tocamos! Nós todos somos o canal dessa energia", retrucou Sérgio.

A discussão morreu ali mesmo. Porém, dias depois, durante um show da banda, Arnaldo ficou repetindo no microfone uma espécie de jogo de palavras com seu nome. Entoava as sílabas, como se estivesse falando inglês:

"Ar... nal... do... R... now... do..."

Já na Cantareira, quando Sérgio e Liminha o procuraram para reclamar da estranha brincadeira, o tempo fechou. Irritado, Arnaldo expulsou os dois de sua casa.

A gota d'água veio em seguida. Quando Sérgio, Dinho e Liminha votaram contra tocar de graça em um festival na cidade de São Lourenço, em Minas Gerais, Arnaldo bateu o pé. De nada adiantaram argumentos de que precisavam ganhar mais dinheiro para melhorar a estrutura da banda, ou mesmo que tinham empregados e contas atrasadas para pagar. Arnaldo foi inflexível: se a banda não quisesse, iria sozinho mesmo.

"Então não tem mais papo. Eu tô fora!"

Arnaldo já estava longe quando Liminha começou a chorar, seguido por Dinho e Sérgio. Pela primeira vez, os três sentiram que o futuro da banda estava ameaçado.

* * *

Os malucos mineiros e *freaks* em geral que invadiram a pequena São Lourenço, em julho de 73, custaram a acreditar que aquele sujeito, montando e testando sozinho seu teclado, fosse mesmo Arnaldo Baptista. Além de agitar a plateia do "Woodstock Tupiniquim" com um inesperado concerto solo, o mutante desgarrado quase fundiu a cuca do prefeito da cidade. Adaptando uma ideia do documentário *Rainbow Bridge* (que registrou uma performance de Jimi Hendrix, no Havaí), Arnaldo pediu à autoridade que acendesse no local doze grandes fogueiras, as quais representariam os signos do zodíaco.

Além de ter feito ali seu primeiro show depois de deixar os Mutantes, também foi durante o festival de São Lourenço que Arnaldo conheceu Lucinha Barbosa — a fã que uma década mais tarde ajudou a salvar sua vida e veio a se tornar sua mulher. Coincidência que alguns certamente explicariam como uma poderosa conjunção de astros.

* * *

Refeita da decepção com a estreia das Cilibrinas, Rita já estava ensaiando com seu novo grupo, o Tutti Frutti, quando Arnaldo praticamente a sequestrou, num final de tarde. Levou-a de motocicleta até a serra da Cantareira, dizendo que tinha preparado uma cerimônia especial para ela. Rita acompanhou o estranho ritual, quase tão excitada quanto assustada. Viu Arnaldo simplesmente atear fogo ao piano que ficava na sala da casa onde aconteciam os ensaios da banda.

A princípio, Rita ficou tocada com a homenagem. Loucuras à parte, viu no simbolismo do fogo uma possível intenção de Arnaldo em transcender, de limpar o passado. Porém, no instante seguinte, veio a dúvida e logo depois o medo. Conhecendo o ex-marido tão bem como conhecia, Rita pensou que se aceitasse voltar com ele, em pouco tempo já estaria sendo humilhada de novo. Pela primeira vez, disse não.

Embora já o visse muito menos nessa época, Rita também sentia que Arnaldo não estava bem. Começou a achá-lo estranho desde que ele levara para o quintal da casa na Cantareira uma enorme estátua de mármore, com a ingênua imagem de um anjo. Apesar da beleza da estátua, Rita ficou impressionada ao ouvir de Arnaldo que teria roubado a imagem do cemitério São Paulo, no bairro de Pinheiros.

Sem pensar que não seria nada fácil sair de um cemitério carregando uma estátua de pedra com 1,5 m de altura, ainda mais roubada, Ri-

Me, myself and I: depois de romper com a banda, Arnaldo viajou sozinho para o Woodstock tupiniquim de São Lourenço, em julho de 1973.

ta acreditou na história. Sentiu mesmo que Arnaldo tinha uma ligação sobrenatural com aquele anjo. Dali em diante, Rita passou a relacionar uma série de acidentes e fatos estranhos com a presença da imagem na Cantareira: violentas tempestades que destelharam a casa, vasos que apareciam quebrados sem mais nem menos, ou mesmo o agravamento da saúde do pai de Arnaldo, que sofria de diabetes. Para Rita, tudo aquilo só poderia ter uma explicação: o anjo exterminador.

* * *

Baby Doll, Erva Doce, Finesse. Esses nomes ficaram girando nas cabeças de Rita e Lúcia, assim que as duas decidiram formar um novo grupo, poucas semanas após a frustrada estreia das Cilibrinas do Éden. Felizmente, o bom senso prevaleceu e o escolhido foi Tutti Frutti. Afinal, a ascendência italiana dos novos parceiros de Rita e Lúcia já estava escancarada em seus sobrenomes: Luís Sérgio Carlini (guitarra), Lee Marcucci (baixo) e Emilson Colantonio (bateria), *tutti buona gente* da Pompeia.

A decepção provocada pelo show na Phono 73 levou a dupla a cair na real. "O público quer ouriço, então é isso que nós vamos dar", assumiu Rita, desistindo dos vocais excessivamente suaves e dos violões *folk* das Cilibrinas. Ela e Lúcia acabaram percebendo que, para ouriçar o público, o bom, velho e dançante rock & roll dava perfeitamente conta do recado.

A "volta por cima" das ex-Cilibrinas começou com uma temporada de um mês, no porão do Teatro Ruth Escobar, em São Paulo. Na noite de estreia, em 15 de agosto de 73, a plateia não tinha mais de 50 pessoas. Mas o efeito da propaganda boca a boca e a boa repercussão na imprensa ajudaram rapidamente a encher a sala, nos dias seguintes.

"É o primeiro passo da 'Rita definitiva', depois de sete anos de carreira", anunciava o diretor do espetáculo, Antonio Bivar, à *Folha de S. Paulo*, na véspera da estreia. "Não há dúvida que Rita tem tudo para se transformar numa das grandes estrelas brasileiras", apostava o conhecido dramaturgo, chamando atenção para a facilidade que Rita possuía de interpretar vários personagens no show.

A direção musical de Zé Rodrix e a produção de Mônica Lisboa (que já tinha sido empresária dos Mutantes) também ganharam elogios. Imagens de antigos astros de Hollywood, projetadas em filmes Super-8, juntavam-se a efeitos de luz, slides e outras curtições no palco — caso dos vários incensos acesos na boca do palco, que ajudavam a disfarçar o cheiro da maconha, eventualmente fumada na plateia.

Tutti Frutti: já sem Lúcia Turnbull, uma formação posterior da banda que correu o risco de se chamar Baby Doll, Erva Doce ou Finesse.

Antes do show: Rita e Antonio Bivar, na entrada do Teatro Ruth Escobar, em 1973.

"Rita já não é mais a cantora frágil e insegura de três anos atrás", apontou o crítico Ezequiel Neves, duas semanas após a estreia, no *Jornal da Tarde*. "Aprendeu a dominar a voz (personalíssima) e sua presença extrovertida lembra a Shirley MacLaine dos bons tempos, com pinceladas muito atuais de David Bowie. Seu novo grupo também é afiado e criativo, contribuindo exemplarmente para o sensacional *timing* de *Tutti Frutti*."

Divertindo-se com a chance de poder exibir seus recursos teatrais, ao mesmo tempo Rita fez questão de mostrar que não renegara seu passado com os Mutantes. No show, além de tocar violão, flauta transversal e as tradicionais percussões, ela surgia pilotando os controversos Mini-Moog e Mellotron — teclados que os ex-parceiros não aceitaram vê-la tocando na banda. Outro detalhe importante no show era a afirmação de Rita como compositora, evidente em canções como "Gente Fina É Outra Coisa", "Ando Jururu" e "Tratos à Bola", além do *hit* "Mamãe Natureza".

A sensualidade da nova estrela também foi notada. "Rita Lee vestiu uma malha-bermuda negra, bordada com borboletas. Deixou os cabelos compridos e dourados, totalmente soltos. A maquiagem eficiente e o par de botas até os joelhos completaram para *Tutti Frutti* a imagem de Rita como uma mulher sexy o bastante para ser imediatamente diferenciada da garota um tanto aloprada que era Rita Lee, do conjunto Os Mutantes", observou Luiz Carlos Azevedo, na *Folha de S. Paulo*.

No entanto, a temporada do *Tutti Frutti* não rendeu apenas elogios e sorrisos para Rita. Ela também enfrentou o mal-estar de ver Arnaldo algumas vezes, sentado na plateia, fazendo caretas e sinais de desaprovação. Perdido em suas *viagens* megalomaníacas, mal sabia ele que provocações desse tipo só aumentariam a garra de Rita.

O troco veio em alto estilo. Alguns meses mais tarde, quando já terminara a relação com Mick, Rita começou a dar corda ao assédio de André Midani. O todo-poderoso presidente da Phonogram continuava acompanhando pessoalmente a carreira musical da garota, dando conselhos e palpites. Começaram um *affair* que Rita levou adiante mais pelo gostinho de vingança do que por um real envolvimento afetivo. Pior para Midani, que se apaixonou de verdade pela garota.

Rita sabia muito bem o quanto perturbaria Arnaldo com esse caso. Além do rancor que os Mutantes passaram a ter por Midani, depois de serem desligados do *cast* da Phonogram, Rita estava acostumada a ouvir o ex-marido referindo-se a ele como um sujeito muito mais velho, "um careta que preferia a MPB ao rock".

O caso não durou muito. Depois de gravar *Atrás do Porto Tem Uma*

Cidade (1974), seu primeiro álbum com o Tutti Frutti, ao discutir o planejamento da turnê de lançamento, Rita achou que a gravadora estava investindo menos do que o projeto merecia. Cobrou mais apoio de Midani e, ao receber uma resposta negativa, rompeu ao mesmo tempo com ele e a gravadora.

Na verdade, o descontentamento de Rita já vinha de antes. Com a boa repercussão do show do Tutti Frutti, que também foi apresentado em outras capitais do país, ela passara a ser mais paparicada na Phonogram. A pedido de Midani, virou cobaia dos chamados "grupos de trabalho" da gravadora. Equipes formadas por produtores, letristas, compositores e executivos do disco orientavam os artistas da casa sobre como deveriam encaminhar suas carreiras — do repertório musical ao modo de se vestir e apresentar no palco. Rita sentia-se voltando ao passado: três anos depois do show e do álbum *Build Up*, quando interpretou o papel da *starlet* "construída", lá estava ela novamente passando pelo mesmo processo de *build up*.

Porém, uma vez mutante, sempre mutante. Depois de frequentar alguns grupos, ouvindo as sugestões de *experts* como Roberto Menescal, Nelson Motta, Arthur da Távola, Paulo Coelho e Armando Pittigliani, a loirinha se cansou do *build up*. Durante uma reunião no Hotel Copacabana Palace, no Rio de Janeiro, resolveu dar seu primeiro grito de independência:

"Eu só quero dizer que o que vocês estão tentando fazer aqui é ridículo, porque eu sei muito bem o que eu quero. Além de tudo, tomei um ácido, tô viajando e não vou ficar mais aqui. Tchau!"

O tempo veio provar que a futura *superstar* sabia mesmo o que queria. E também que, exceto pela dor de cotovelo que não conseguiu evitar, o faro musical de Midani mais uma vez tinha funcionado.

* * *

Em agosto de 74, Peticov estava meio perdido, vivendo na Itália. Para ganhar algum dinheiro, trabalhava em uma comunidade dos Meninos de Deus, na Toscana. Construía mesas de madeira, usando enormes tampas de tonéis de vinho. Um dia, chamado ao telefone, teve a surpresa: era Arnaldo, dizendo que estava indo para a Itália e que precisava muito falar com ele. Marcaram encontro em Firenze.

Ao se reverem, com apenas alguns minutos de conversa, Peticov já pôde sentir que seu velho amigo estava bastante esquisito. Ainda mais quando Arnaldo revelou o assunto tão importante que o levara até ali.

Em tom de segredo, contou que tinha planejado construir uma nave espacial. E estava recrutando Peticov, formalmente, para assumir o cargo de capitão da espaçonave.

De Firenze, os dois seguiram para Milão, onde passaram dez dias juntos. Durante as longas conversas que tiveram, Peticov foi ficando cada vez mais assustado com a transformação do amigo. Quase não viu mais sinal do antigo Arnaldo, todo seguro de si, às vezes até arrogante, que conhecia tão bem. Ferido por causa da separação de Rita, ele estava muito deprimido. Pior ainda: Arnaldo começara a criar um universo próprio, já quase sem sensibilidade suficiente para perceber o que acontecia ao seu redor. Uma viagem sem volta.

* * *

Mick Killingbeck nunca mais retornou ao Brasil, depois de ser mandado de volta para a Inglaterra — alucinado, magérrimo e sem dinheiro — graças à ajuda do Consulado Britânico, em meados de 74. Antes disso, tinha morado por um tempo com Arnaldo, já praticamente sozinhos e perdidos em suas *viagens* lisérgicas, na casa da serra da Cantareira. Até que os dois se desentenderam e cada um foi para seu lado.

O inglês voltou para sua cidade natal, Norwich, onde acabou se casando e teve filhos. Morreu em 93, vítima de um enfarte enquanto dormia. Já seu parceiro Hilary Baines vive até hoje no Rio, onde dirige duas franquias da rede de *fast food* McDonald's.

* * *

Quando Arnaldo entrou em seu escritório, Roberto Menescal percebeu logo que ele não estava bem. Sem o jeitão irreverente de outras épocas, abatido, Arnaldo parecia muito triste. Explicou que queria apresentar o projeto de um disco à gravadora, mas estava encontrando dificuldades para falar com André Midani. Pensou então em pedir a ajuda de Menescal, que era o diretor artístico da Philips. Afinal, já se conheciam há muito tempo e sempre se deram bem, desde que viajaram juntos para o MIDEM, em 69.

Mesmo com uma pulga atrás da orelha, sussurrando que poderia estar entrando numa confusão, Menescal conversou com Arnaldo e se mostrou interessado em conhecer suas novas músicas. Dias depois, foi com ele até a serra da Cantareira e lá ouviu o material para o disco, que achou interessante. Decidido, comunicou a Midani:

"Vou tentar fazer um disco com o Arnaldo Baptista."

Apesar de ter como princípio evitar ao máximo o envolvimento pessoal com os artistas que produzia, Menescal não demorou a perceber que aquele disco significava bem mais para Arnaldo do que um mero trabalho. A começar pelas próprias canções, quase todas com letras fortes, em tom francamente confessional, como a de "Não Estou Nem Aí":

> *Vamos pra onde eu vou / Será que é difícil esquecer os males? Ontem me disseram que um dia eu vou morrer / Mas até lá eu não vou me esconder / Porque eu não estou nem aí pra morte / Não estou nem aí pra sorte / Eu quero mais é decolar toda manhã* (...)

Menescal sentiu que Arnaldo *precisava* gravar aquelas músicas, como se essa fosse uma forma de sublimar a angústia que sentia. Mesmo sem conversarem a respeito, ele continuava falando insistentemente em Rita, o que tornava mais evidente a destinatária de grande parte daquelas canções. Assim, sem dar grandes palpites, Menescal conduziu as gravações tentando ser o mais fiel possível às ideias de Arnaldo.

O disco foi gravado no final de 74, no Estúdio Eldorado, em São Paulo. Como nos velhos tempos, Arnaldo convidou o mestre e maestro Rogério Duprat para cuidar dos arranjos orquestrais, além de convocar Liminha e Dinho para gravarem as bases. Sem falar na inesperada presença de Rita, que aceitou participar dos *backing vocals* de "Vou Me Afundar na Lingerie" e "Não Estou Nem Aí".

Foi a última vez que Arnaldo, Rita, Dinho e Liminha estiveram juntos em uma gravação. Exceto pela falta de Sérgio (não há guitarras no disco; só um violão, tocado pelo próprio Arnaldo, na faixa "É Fácil"), até poderia parecer um reencontro dos Mutantes, mas a atmosfera geral é bem diferente. Várias canções e, mais ainda, o piano acústico de Arnaldo remetem à música pop do britânico Elton John. Quase deixando de lado as inflexões da *soul music* que costumava usar com os Mutantes, Arnaldo canta de um modo despojado, com um tom mais natural de voz. O que fazia soar mais expressivas letras como a de "Será que Eu Vou Virar Bolor?":

> *Hoje eu percebi / Que venho me apegando às coisas / Materiais que me dão prazer / O que é isso, meu amor? / Será que eu vou morrer de dor? / O que é isso, meu amor / Será que eu vou virar bolor? / Venho me apegando ao passado / E em ter*

você ao meu lado / Não gosto do Alice Cooper / Onde é que está meu rock & roll? / Eu acho, eu vou voltar pra Cantareira (...)

Mas é na comovente balada "Desculpe" que ficou registrada a mais declarada *bandeira* dos recados musicais de Arnaldo. Logo depois de cantar os versos "*Não sou perfeito / Nem mesmo você é*", ele pronuncia a primeira sílaba do nome de Rita até transformar o som em um grito pungente. Ato falho ou uma mensagem cifrada?

Até mesmo em "Cê Tá Pensando Que Eu Sou Lóki?", uma das poucas faixas mais bem-humoradas, Arnaldo insere mensagens com duplo endereço, fazendo um trocadilho com a ex-banda de Rita e Lucinha Turnbull:

Cê tá pensando que eu sou Lóki, bicho? / Eu sou velho mas gosto de viajar por aí / Cilibrina prá cá / Cilibrina prá lá / Eu sou velho, mas gosto de viajar...

Significativamente, em uma entrevista ao jornal *Última Hora*, pouco antes de gravar o disco, Arnaldo reconhecia o papel do sofrimento na criação: "Muita gente acha que que a melhor arte sai do sofrimento e eu concordo. Só que a medalha tem um reverso: quando a gente ama muito, também fica motivado a criar. A inércia é que atrapalha".

Com Menescal e Duprat ajudando a contornar os descompassos das crises depressivas de Arnaldo, especialmente após as passagens de Rita pelo estúdio, o álbum *Lóki?* foi gravado em poucas sessões, sem muitos *takes*. O trio de piano, baixo e bateria, que toma conta de seis das dez faixas, foi registrado "ao vivo", com os três tocando ao mesmo tempo.

Dinho e Liminha chegaram a pedir para refazer algumas bases, mas Arnaldo não permitiu. Parecia ter muita pressa, como se quisesse se afastar o mais rápido possível da dor que aquelas canções carregavam.

21.
A BOMBA DESATIVADA

"É como a química de uma bomba de hidrogênio: faltando algum dos elementos, ela não explode mais."

Comentando sua parceria musical com Arnaldo e Rita, mais de vinte anos após a separação dos três, Sérgio Dias usa uma analogia que se aplica perfeitamente aos cinco últimos anos da banda. Sem Rita e Arnaldo, os Mutantes ainda viveram momentos de razoável popularidade, mas o impacto musical do grupo nunca mais foi o mesmo.

Se a saída de Rita significou o abandono do humor e do deboche, sem Arnaldo a banda também perdeu em carisma e nas letras. Apesar de sua declarada vocação de acompanhante ("mais pra índio do que cacique", dizia), ao perder os velhos parceiros Sérgio foi obrigado a assumir pela primeira vez o papel de líder. Achava que se a "filosofia" da banda fosse mantida, atitude que passava necessariamente pelas experiências com o LSD, a música dos Mutantes poderia continuar viva, mesmo feita por outros músicos.

Superado o choque inicial da saída de Arnaldo, a solução encontrada por Sérgio, Liminha e Dinho foi tentar substituí-lo por Manito. Ex-The Clevers e Os Incríveis, ele era um músico virtuose e bastante experiente, que além dos teclados também tocava três tipos de saxofone, flauta, bateria e violino.

Manito chegou a fazer alguns shows com a banda, mas por mais que brilhasse como instrumentista, não tinha as ideias e sacadas de Arnaldo. Na verdade, não era o tipo de músico que os Mutantes estavam precisando. Depois de algumas semanas de convivência, ele mesmo desistiu da banda, amigavelmente. Preferiu continuar tocando com o Som Nosso de Cada Dia, outro popular grupo de rock progressivo de São Paulo, do qual já fazia parte.

A saída de Manito precipitou os Mutantes em uma espécie de conexão carioca. Para a vaga novamente aberta, Sérgio convocou um pianista que acabara de conhecer no Rio de Janeiro: Túlio Mourão, um mineiro de Divinópolis, ex-aluno do erudito Instituto Villa-Lobos. Túlio tocava com o Veludo Elétrico, um grupo carioca de rock progressivo pelo qual passaram, curiosamente, outros futuros mutantes: o baterista Rui Motta, o guitarrista Paul de Castro e os baixistas Antonio Pedro e Fernando Gama.

Mal começaram os ensaios com Túlio, a banda teve de enfrentar uma nova perda. Com um problema físico na mão direita, que não respondia direito a seus comandos, Dinho também entrou em crise pessoal e profissional. Desanimado, começou a questionar até se continuaria sendo músico e acabou saindo da banda. Foi a vez de Túlio sugerir o nome de Rui Motta, um fluminense de Niterói, que tinha tocado muito em bailes de subúrbio antes de mergulhar no rock carioca. Depois de passar por um teste, junto com alguns bateristas paulistas, ele foi oficializado na banda.

As duas substituições aconteceram tão rápido que, na estreia da nova formação, em 26 de outubro de 73, em Ribeirão Preto, no interior de São Paulo, os mais fanáticos pela banda tomaram um susto, por não encontrarem Arnaldo e Dinho. Ansioso pelo bom e velho rock & roll dos Mutantes, um público de quase 5 mil pessoas lotou o ginásio Cava do Bosque, mas não se animou com o novo material composto por Sérgio e Liminha: canções como "Eu Sou Você", "Cada Dia Pinta Um Louco Mais Louco do que Eu" e "Hare Krishna". Na verdade, Rui quase não tivera tempo de ensaiar com a banda e Túlio ainda nem estava com seus teclados — tocou apenas piano acústico. Por pouco os novos Mutantes não enfrentaram uma sonora vaia, como nos velhos tempos dos festivais.

Passado o sufoco inicial, o quarteto conseguiu se entrosar rapidamente. Na primeira aparição da nova banda no Rio de Janeiro, no final desse ano, quase 3 mil fãs brigaram por um lugar na plateia do Museu de Arte Moderna, com capacidade para apenas mil pessoas. Um grande *ouriço*.

* * *

Sérgio já tinha planos de se mudar para o Rio de Janeiro há algum tempo. Ainda mais depois que começou a namorar Eunice, cuja casa, no bairro do Jardim Botânico, transformou-se em *point* carioca dos Mutantes. A oportunidade surgiu em maio de 74, logo depois de conhecerem Samuca, um garotão apaixonado por rock que, apesar de sua inexperiência nessa área, acabou se tornando empresário da banda. Filho do jornalista Samuel Wainer e da *socialite* Danuza Leão, Samuca ofereceu o sítio da família, na cidadezinha serrana de Itaipava, próxima de Petrópolis, para que os Mutantes ensaiassem e produzissem ali seu novo disco.

Animada pelo contrato assinado com a gravadora Som Livre, a banda se transferiu para Itaipava, ensaiando durante cerca de um mês, na enorme casa de sete quartos do sítio de Samuca. Mantendo os costumes da serra da Cantareira, maconha e ácido continuaram sendo artigos de primeira necessidade no cotidiano do grupo.

A maior parte do material para o novo disco foi composta por Sérgio e Liminha, mas Rui e Túlio também contribuíram. As datas do estúdio já estavam marcadas, quando Sérgio e Liminha tiveram uma discussão mais pesada. Foi a gota d'água para o baixista que, além de estar enfrentando problemas familiares, andava descontente com as letras fracas e o tom excessivamente sisudo que tomara conta da banda desde a saída de Rita e Arnaldo. Liminha achava que uma música chamada "O Santo Graal" (de Túlio Mourão) já era seriedade demais. Assim, decidiu deixar os Mutantes às vésperas de entrarem em estúdio.

O baque foi grande, principalmente para Sérgio, que de um dia para o outro se viu sozinho com parceiros que ainda nem conhecia direito. O jeito de salvar a gravação foi convocar às pressas um baixista conhecido de Túlio e Rui: Antonio Pedro, outro fluminense de Niterói e ex-integrante do Veludo Elétrico, que na época tocava com a banda Os Mesmos.

Poucos dias depois, os quatro entraram no estúdio da RCA, em Copacabana, para gravar o que veio a ser o álbum *Tudo Foi Feito Pelo Sol*, lançado em novembro de 74. Seguindo a linha do engavetado *O A e o Z*, as sete faixas foram gravadas "ao vivo", em um único *take* e sem uso de *playback*. Exceção feita a Túlio, o único careta da banda, todos tocaram com muito *ácido na cuca*.

Graças a um certo cuidado de não complicar excessivamente os arranjos, a insipidez das letras e a pouca familiaridade de Antonio Pedro com a banda não impediram esse álbum de ser talvez o mais popular dos Mutantes. Enquanto os anteriores não ultrapassaram a faixa das 15 mil cópias vendidas, *Tudo Foi Feito Pelo Sol* aproximou-se das 30 mil, segundo Sérgio. Um índice da relativa popularidade dos Mutantes nessa fase, já que quase não frequentavam mais a TV, estava nas enormes filas e tumultos que as apresentações da banda provocavam em portas de teatros e cinemas. Foi o caso do show de lançamento do novo álbum em São Paulo, no Teatro Bandeirantes, na última semana de outubro, quando centenas de fãs quebraram os vidros da entrada principal, tentando invadir o auditório. Cenas semelhantes costumavam acontecer no Teatro Aquarius, também em São Paulo, e no cine Bruni 70, no Rio, com a invariável participação da polícia, que não perdia a chance de reprimir os cabeludos fãs dos Mutantes.

Sem Arnaldo: entra na banda o virtuose Manito (segundo à esquerda).

Sem Dinho: algumas semanas depois, em outubro de 1973, Túlio Mourão (à esquerda) assume os teclados; Rui Motta (à direita) fica com as baquetas.

Sem Liminha: dias antes da gravação do LP *Tudo Foi Feito Pelo Sol*, em julho de 1974, Antonio Pedro (à direita) é convocado para o baixo.

Na verdade, a banda não chegava a fazer shows suficientes para um grupo que quisesse ganhar dinheiro ou mesmo se manter em evidência. As extensas turnês que Rita e o Tutti Frutti fizeram nessa época mostraram que havia um enorme potencial de público ainda não explorado no país. Um exemplo de puro desinteresse estava no fato de os Mutantes jamais terem chegado a tocar no Nordeste — nunca foram além de Salvador, limitando-se a tocar no Sul e no Leste do país. Se os vários empresários da banda não ajudavam, por outro lado o próprio grupo preferia passar a maior parte do tempo tocando para seu próprio prazer. Ganhando o suficiente para a comida e os ácidos, estava tudo bem. Só quando o dinheiro terminava é que se pensava em marcar novos shows.

No fundo, eles sentiam uma certa vergonha de ganhar dinheiro com a música. Na hora de acertar as contas com os empresários e produtores, o jogo de empurra era inevitável. Ninguém na banda queria esquentar a cabeça com números e cifrões. Algumas vezes, chegaram a notar que o dinheiro da bilheteria de um show tinha sumido, sem que ninguém tomasse a iniciativa de averiguar o que acontecera. Eles não estavam nem aí para a grana.

* * *

Rita tomou um susto quando viu Arnaldo através das grades, vindo na direção da cela. Na última vez em que os dois tinham se visto, meses antes, Arnaldo chegara a passar alguns dias na casa de Rita. Ele estava atravessando uma de suas fases mais críticas. Gostava de falar em uma língua estranha, que às vezes soava como russo. Tinha o hábito de guardar sacos cheios de lixo, espalhados por diversos cantos da sala da casa. E mesmo quando o cheiro se tornava insuportável, não permitia que os sacos fossem tirados do lugar.

Foi na mesma casa da rua Pelotas, nº 497, na Vila Mariana, que Rita fora detida, alguns dias antes, acusada de posse de drogas. Ela estava em temporada com o Tutti Frutti, no Teatro Aquarius, naquele 24 de agosto de 76, quando os investigadores da Divisão de Entorpecentes do DEIC bateram à sua porta com um mandado de busca e apreensão.

Grávida há dois meses, Rita estava tranquila. Logo que soubera da gravidez, tinha parado com tudo, até mesmo com os cigarros comuns. Por isso, ao ouvir dos policiais que teriam recebido a denúncia de que havia um quilo de maconha dentro da casa, ela respondeu com bom humor:

"Se vocês tivessem passado aqui uns meses atrás, teriam achado bem mais de um quilo. Mas agora não tem mais nada..."

Rita acabou autuada em flagrante e levada para o DEIC. Além de um narguilé (uma espécie de cachimbo oriental), os policiais disseram ter encontrado pontas de cigarros de maconha. Coagida, ela acabou assinando um papel, no qual reconhecia ter a droga em casa. Depois, foi enviada à Penitenciária Feminina, para aguardar o julgamento.

"De quem é o seu filho?", perguntou Arnaldo, ao saber da gravidez.

"Você não conhece..."

"Eu posso ser o pai da sua criança, se você não tiver ninguém..."

"Sai dessa, cara! Eu não preciso disso! Meu filho tem pai, sim!"

Arnaldo demorou muito a entender. Era tarde demais para uma declaração de amor.

* * *

Depois de um ano e meio de relativa tranquilidade, instalados no sítio de Itaipava, os Mutantes enfrentaram novas turbulências, no início de 76. Além do problema com dois empresários, que evaporaram com o dinheiro de toda uma turnê, bate-bocas internos culminaram nas saídas de Túlio e Antonio Pedro. Com nove anos de vida, os Mutantes ("não o grupo, mas a energia", costumava dizer Sérgio) chegavam à sétima formação.

Para o lugar de Túlio, após novas sessões de testes, foi escolhido outro tecladista mineiro: Luciano Alves, um garotão de 20 anos. Já a substituição de Antonio Pedro, que nunca chegou a ser muito bem aceito por Sérgio, demonstrou como o profissionalismo era encarado pela banda. Vários baixistas foram avaliados, inclusive alguns bastante técnicos, mas o grupo não chegou a um consenso. Na dúvida, quem assumiu o baixo foi Paul de Castro, 27 anos, ex-guitarrista do Veludo Elétrico, que já frequentava o sítio há tempos. Apesar de não ser baixista, o fato de Paul estar integrado ao *astral* da turma pesou na escolha. Um amigo valia mais do que qualquer virtuose desconhecido, diziam.

Anos depois, Sérgio assumiu esse erro: "A coisa já não rolava legal naquela época. Foi a pior de todas as nossas formações", diz, reconhecendo que o fato de Paul ser originalmente guitarrista prejudicou o som da banda. "Nunca mais conseguimos achar alguém do nível do Liminha", lamenta.

A chegada dos dois novos integrantes trouxe outras influências. Às vésperas da estreia oficial, em agosto de 76, no Museu de Arte Moderna do Rio de Janeiro, Sérgio admitia estar à procura de uma nova atitude musical, em entrevista ao jornal *O Globo*:

"A gente foi vendo que não fazia sentido, que bastava colocar um disco do Yes ou da Mahavishnu Orchestra do nosso lado, que eles davam um banho na gente. Estava faltando... não propriamente uma busca das raízes brasileiras, não, não era bem isso. Era um... filtro brasileiro. Não renegar todas as coisas de rock, todas as informações lá de fora que a gente já tinha dentro de nós e que, afinal, eram verdadeiras porque faziam parte da gente. Era colocar tudo isso segundo um filtro brasileiro. Como Caetano Veloso. Caetano sempre fez isso."

Durante essa temporada no MAM carioca, um novo álbum da banda foi gravado ao vivo — alternativa sugerida por Peninha Schmidt, o produtor, em função do pequeno orçamento oferecido pela gravadora Som Livre. Ironicamente, poucos dias após a temporada do show, o museu foi destruído por um incêndio.

Quase tão arrasada ficou a banda, ao ouvir o álbum finalizado. Com muitas músicas inéditas no repertório do show, todas longas e repletas de improvisos, depois de várias discussões os quatro Mutantes não conseguiram chegar a um acordo sobre quais faixas entrariam no disco. Peninha se propôs então a fazer uma edição inicial, que seria submetida ao grupo.

Desprezando vários solos e passagens instrumentais das faixas mais longas, o produtor reduziu as duas horas de show ao limite da duração de um LP: em cerca de 40 minutos, incluiu 12 faixas. Sem consultar a banda, muito seguro do que estava fazendo, nem se deu ao trabalho de copiar a fita original. Fez os cortes e a montagem diretamente no master.

A audição da fita quase terminou em briga. O trabalho de edição foi bastante criticado pela banda, mas já não havia o que fazer. O álbum *Ao Vivo* foi para as lojas como estava e o fracasso das vendas só ajudou a baixar mais o astral do grupo.

Ainda assim, não foi dessa vez que os Mutantes entregaram os pontos. Para compensar a frustração provocada pelo disco, o novo empresário da banda, Mario Buonfiglio, provou ser mais profissional que seus antecessores e ativou bastante a agenda do grupo com muitas apresentações, nos meses seguintes.

Especialmente bem-sucedida foi a temporada do show *Como nos Velhos Tempos*, em março de 1977, quando os Mutantes se juntaram à banda O Terço, para recordarem a música dos Beatles. Durante quatro noites, o sisudo Teatro Municipal de São Paulo teve sua lotação esgotada, com centenas de fãs do lado de fora, tentando forçar a entrada. Enquanto isso, nos bastidores, o recém-empossado diretor do teatro arrancava os cabelos com medo de que os milhares de roqueiros estragassem as poltronas de veludo da sala de espetáculos.

A boa repercussão do show, que posteriormente viajou por algumas capitais do país, não livrou os novos Mutantes das costumeiras críticas. Como as de Okky de Souza, no tabloide *Hit Pop*:

> "*Já os Mutantes, mais uma vez, mostraram que o único elemento na banda que sugere movimento é o nome. Insistindo em duvidar de que o rock é um gênero musical despretensioso, os Mutantes detonaram a costumeira tonelada de bobagens que os têm caracterizado desde a saída de Arnaldo Baptista e Rita Lee. Estranho grupo, os Mutantes. Seus músicos, individualmente, são todos excelentes; mas, juntos, provocam uma química sonora das mais infelizes de que se tem notícia: pretensiosa, importada, vulgar e* déjà-vu."

Sérgio e seus parceiros ficavam irritadíssimos quando recebiam críticas como essa, mas não davam o braço a torcer. Quando a fúria punk já começara a revelar seus primeiros sinais na Europa, sem notar os Mutantes tinham se transformado em dinossauros do rock.

* * *

A primeira vez que Sérgio realmente sentiu próximo o fim da banda foi na Itália, em junho de 77. Toninho Peticov tinha se mudado para Milão e convidara os Mutantes a passarem uma temporada em sua casa. Seria uma chance de fazer contatos e conhecer melhor o ambiente musical europeu.

Acompanhados das respectivas mulheres, os quatro Mutantes se instalaram no apartamento duplex de Peticov, na Via Canova. Para que o grupo escapasse do depósito compulsório (um imposto federal cobrado na época de quem saía do Brasil por motivo de turismo), o velho amigo dos tempos do O'Seis conseguiu também um documento oficial da Prefeitura de Milão, convidando a banda a se apresentar no festival da Unità, um grande evento promovido pelos comunistas italianos. Foi às vésperas desse show que Sérgio ouviu de Luciano uma proposta surpreendente:

"Por que a gente não toca 'Fé Cega, Faca Amolada'? Milton Nascimento pode dar mais pé com os comunistas..."

Para um roqueiro tão fanático como Sérgio, a sugestão soou quase como uma blasfêmia. Desde esse dia o líder dos Mutantes deixou a banda à deriva. Sentiu que já não tinha mais identidade com aquelas pessoas.

Ainda assim, a viagem foi proveitosa para Sérgio. Em Milão, teve a oportunidade de conhecer um de seus grandes ídolos da guitarra: John McLaughlin, que na época liderava o quarteto Shakti, junto com o violinista indiano L. Shankar. Após o concerto, os dois grupos foram para o apartamento de Peticov, onde conversaram e chegaram a tocar juntos. Foi graças a esse contato com Shankar que, alguns anos depois, Sérgio veio a se radicar nos EUA.

No mais, as coisas não foram tão fáceis na Itália como os Mutantes imaginavam. Graças aos contatos de Peticov, no início até foram recebidos com certa simpatia. Porém, depois de distribuírem os discos da banda aos jornalistas especializados, tiveram que engolir críticas. Além da costumeira "falta algo mais brasileiro", colocaram em dúvida até a originalidade da banda, comparada com centenas de outros grupos que faziam esse gênero de música na Europa.

Outra frustração considerável foi o que sobrou do contato com Flavio Carraresi, um produtor bastante ativo no mercado fonográfico local. Depois de algumas sessões de estúdio, durante as quais a banda chegou a gravar várias músicas de seu repertório, sempre sob os elogios rasgados do italiano, este finalmente abriu seu jogo:

"Eu sei como encher os bolsos de vocês de dinheiro", afirmou. "É só vocês retornarem ao Brasil, escolherem duas mulatas gostosas, com as pernas bem compridas, e então voltarem para cá. Aí nós vamos fazer uma música dançante e com uma batida bem repetitiva", explicou, imitando o som de bate-estaca de um gênero que já começara a dominar as paradas de sucesso pelo mundo: a *discothèque*.

O produtor não percebeu que estava fazendo a proposta aos sujeitos errados. Os quatro Mutantes saíram do estúdio como um diabo correria de uma cruz. Pior foi perceber, quando voltaram ao Brasil, que a receita musical do italiano também já tomara conta do país.

Porém, mais decepcionado ainda ficou Peticov, ao ver Sérgio passar quatro meses hospedado em sua casa, esnobando convites para tocar, como o do inglês Eric Burdon ou o da banda italiana Aria, ambos à procura de guitarrista. O clima foi ficando insustentável. Principalmente quando o anfitrião via seus hóspedes desprezarem as oportunidades que lhes tinha oferecido, desperdiçando dias e dias *viajando* dentro do apartamento, ao inevitável som da Mahavishnu Orchestra e afins.

Patrulha do Espaço: Arnaldo, Koquinho, John Flavin
e Rolando Castello Jr., em 1977.

Não deu outra: quando a paciência de Peticov se esgotou, um insistente LP do Yes virou disco voador, atirado pela janela. Só então os *viajandões* perceberam que era hora de voltar para casa.

Influenciado por esse episódio, Antonio Peticov resolveu diminuir suas relações pessoais com o meio musical, embora a música tenha continuado a inspirar muitos de seus trabalhos. Em 85, mudou-se para Nova York e, de lá para cá, tem alternado períodos nos EUA e no Brasil. Tornou-se um dos artistas plásticos mais populares do país, com efetiva projeção internacional. Seguiu à risca o lema do guru tropicalista Chacrinha: "quem não se comunica, se trumbica".

* * *

Ao retornar da Europa, em outubro de 77, Sérgio teria razões mais que suficientes para desistir da banda. A começar do precário relacionamento que tinha se instalado no grupo, durante a viagem, colaborando inclusive com a saída do baixista Paul de Castro. Mesmo assim, Sérgio resolveu tentar pela última vez.

Como em ocasiões anteriores, ainda pensou em sondar Arnaldo para uma possível volta ao grupo. Encontrou o irmão mais deprimido e alucinado do que antes. Pelo menos dessa vez Arnaldo tinha uma desculpa aceitável para outra recusa: estava tocando com sua nova banda, a Patrulha do Espaço, formada por John Flavin (guitarra), Koquinho (baixo) e Rolando Castello Jr. (bateria).

Sete meses se passaram até o retorno oficial dos Mutantes aos palcos. Uma nova formação estreou no Palácio de Convenções do Anhembi, em São Paulo, no fim de maio de 78 — aliás, em show aberto por Arnaldo. Pela primeira vez desde a saída de Rita, os Mutantes voltaram a ser um quinteto: além de Sérgio, Rui, Luciano e o novo baixista Fernando Gama (outro carioca ex-integrante do Veludo Elétrico), havia também uma vocalista.

Cansado dos vocais que seus parceiros faziam a contragosto, Sérgio decidiu que precisavam de mais alguém para cantar. Quando conheceu Betina, a mulher de Fernando, encasquetou que poderia transformá-la em vocalista, apesar de a garota jamais ter cantado fora do banheiro. Assim, um bom tempo foi gasto com esse treinamento (levado adiante também com segundas intenções do professor, há quem garanta). Os primeiros shows da nova banda só foram marcados quando Sérgio conseguiu extrair da garota vocais mais ou menos satisfatórios.

Mesmo sem o retorno de Arnaldo, Sérgio tentou resgatar, pelo menos em parte, a velha fórmula dos Mutantes. Além de ter novamente uma voz feminina na banda e convencer Cláudio César a operar os equipamentos, Sérgio também foi buscar no baú duas canções dos bons tempos: "Panis et Circensis" e "Ando Meio Desligado".

A estreia de Betina não foi das mais animadoras, mas o verdadeiro fiasco da noite acabou ficando com Rui. Como todos na banda tinham espaço para longos solos durante o show, o baterista decidiu incrementar seu improviso. Com o auxílio do sintetizador de Luciano, criou uma espécie de trilha sonora pré-gravada, para acompanhar seu solo de bateria. O roteiro era um tanto pretensioso: simplesmente tentava representar através de sons o surgimento da Terra, o aparecimento dos animais, a evolução do Homem até a explosão da bomba atômica e a chegada do Apocalipse.

A fita já não estava lá essas coisas, mas só depois de começar o número, sozinho no palco, é que o pobre Rui percebeu que o gravador fora

Último disco: Sérgio, entre o técnico de som Ivo Barreto (à esquerda), o produtor Peninha Schmidt e o assistente Fernando Floret, no MAM carioca, durante a gravação do LP *Ao Vivo*, em agosto de 1976.

Devagar, quase parando: no início de 1976, entram Luciano Alves (à esquerda) e Paul de Castro (à direita).

A última tentativa de Sérgio: na volta da Europa, em 1978, com Fernando Gama (no alto).

ligado em rotação mais lenta. Além de tornar muito mais graves os sons da gravação, desse modo o solo durou o dobro do tempo previsto. Nenhum dos olhares desesperados do baterista chegou a chamar a atenção de alguém na técnica. Uma tortura tanto para ele como para a plateia.

Pior ainda foi a frustração deixada pelo show marcado em Ribeirão Preto, na semana seguinte. A divulgação precária levou menos de 200 pessoas ao Teatro de Arena — público que mais parecia uma sombra perto das enormes plateias que costumavam acompanhar o grupo na cidade.

No fundo, aquela banda também não passava de uma sombra perto do que tinham sido os Mutantes. A falta de entrosamento fora do palco se refletia durante o show. Como se cada músico tivesse ensaiado sozinho, a maior parte do repertório era composta de longos solos individuais, sendo que, especialmente os de Luciano, já indicavam uma discreta tendência a se aproximar da música brasileira instrumental.

Para completar a série de desencontros, havia também as letras das novas canções (algumas ainda sem título), que pareciam se recusar a encaixar nas melodias. Indicavam, de maneira ingênua e constrangedora, o contato da banda com os movimentos políticos da Europa:

> *Comunistas olhando o mar / Eu vou olhar o mar / Vou olhar o mar / Imperialistas respiram ar / E eu respiro o ar / Eu respiro o ar (...) Os terroristas no meu voo estão / Quem é que tem razão? / Quem é que tem razão? / A CIA no meu banheiro está / Como é que vai ficar? / Como é que vai ficar?*

Ao final do show, para quem acompanhara outras fases da banda, a sensação de decadência era evidente. Naquele 6 de junho de 1978, uma terça-feira, os Mutantes de Sérgio fizeram sem saber sua última apresentação. Por sinal, na mesma Ribeirão Preto onde foi parar a mítica Guitarra de Ouro.

Só depois dessa melancólica temporada, Sérgio percebeu que aqueles já não eram os Mutantes. Compreendeu, finalmente, que a "bomba" mutante já não poderia mais explodir.

Reencontro frustrado: Sérgio e Rita chegaram a tocar juntos em São Paulo, em 1992, mas sem Arnaldo.

22.
DUAS DÉCADAS DEPOIS...

Em novembro de 92, os grandes jornais do país anunciaram uma verdadeira bomba musical: os Mutantes poderiam se reunir de novo. Exatos vinte anos após a separação oficial de Rita Lee, Arnaldo Baptista e Sérgio Dias, o trio ameaçou se encontrar durante o "enterro" do show de Rita, *Bossa'n'Roll*, em São Paulo. O responsável indireto pelo possível reencontro, curiosamente, foi Gilberto Gil, o "padrinho" musical da banda. Durante as gravações do *songbook* do mestre baiano, que Almir Chediak produzira alguns meses antes, a própria Rita sugeriu regravar com os ex-parceiros a clássica "Bat Macumba". Por falta de entendimento, essa gravação acabou não se concretizando, mas a ideia ficou no ar.

Na véspera da anunciada *canja* dos Mutantes em seu show, Rita explicava ao *Jornal da Tarde* (12/11/1992): "Convidei o Sérgio e o Arnaldo, mas sem a intenção de fazer os Mutantes voltarem. A intenção é de voltar como amigo, de fazer aquelas brincadeiras todas que a gente fazia. Com o Sérgio, já estou em contato há mais tempo. Já rolou uma choradeira desgraçada. Acho que é uma época boa para reatar os laços de amizade, a espiritualidade da gente. Nós tomamos muito ácido junto, naquele papo de autoconhecimento. A coisa era telepática. Agora, a gente vai procurar se encontrar de carne e osso."

Para frustração geral, a excitada plateia do show terminou vendo apenas parte do prometido. Rancores desenterrados, cenas de ciúme explícito e bate-bocas nos bastidores impediram que o encontro musical dos três acontecesse. Quando Sérgio entrou no palco para tocar com Rita, a plateia chegou a gritar o nome de Arnaldo, mas este já tinha saído há muito tempo do Palace. Ainda não foi daquela vez que o trio mais irreverente da música popular brasileira voltou a se ver num palco.

Porém, nestas duas décadas em que não mais estiveram juntos, os Mutantes seguiram fazendo a cabeça de fãs e roqueiros de várias gerações. Especialmente nos últimos anos, os clássicos da banda voltaram a ser gravados e interpretados, não só por estrelas da MPB, como Ney Matogrosso, Marisa Monte e Paula Morelenbaum, mas por grupos de rock e pop, como o Pato Fu, o Sepultura e o Ratos de Porão.

Esse culto aos Mutantes não se limita apenas ao Brasil. Bandas como a Redd Kross e a L7 têm declarado sua admiração pelo psicodelismo de Rita Lee, irmãos Baptista e companhia, ao desembarcarem no país. Especialmente em Seattle, onde o *grunge rock* se estabeleceu como uma tendência dominante no início dos anos 90, os Mutantes são reverenciados sem economia de elogios:

"Eles são uma das bandas com a sonoridade mais variada que já ouvi na minha vida. Na música deles pintam, de repente, sons vindos de diferentes épocas e de diferentes estilos. Eles assimilaram e transformaram em outra coisa o rock psicodélico inglês e americano, e misturaram aquilo com músicas locais. É *supercool*", já disse Ken Stringfellow, o vocalista dos Posies, à revista *Bizz*.

Um dos responsáveis pelo recente culto aos Mutantes em Seattle foi Kurt Cobain, o ex-líder do Nirvana, que tragicamente se suicidou, em 1994. Depois de seus concertos no Brasil, no Hollywood Rock de 1993, Cobain levou para os EUA os discos da banda paulista e desde então propagou seu entusiasmo pelos Mutantes, no circuito do rock alternativo. Ainda no Brasil, o norte-americano deixou também um carinhoso bilhete para Arnaldo Baptista, com um conselho que mais parecia um vaticínio:

"Arnaldo, os melhores votos para você e cuidado com o sistema. Eles engolem você e cospem fora como o caroço de uma cereja marrasquino." Arnaldo não teve chance de responder pessoalmente a Cobain, mas chegou a mandar um recado: "Diga a ele que eu já fui engolido, cuspido e estou começando tudo de novo".

Terminado o pesadelo que o manteve por quatro meses internado em um hospital, em 1982, Arnaldo realmente teve que começar tudo de novo. Preferiu se mudar para um pacato sítio, em Juiz de Fora, MG, onde vive até hoje com a mulher, Lucinha Barbosa, que esteve sempre a seu lado durante esses anos. Arnaldo passa boa parte de seus dias pintando, desenhando e escrevendo, mas ainda toca e compõe ocasionalmente. Planeja exposições de seus trabalhos visuais e tem livros de ficção científica ainda inéditos, na gaveta.

O anunciado relançamento em CD de seus álbuns individuais e gravações com a Patrulha do Espaço, na época lançados por selos alternativos com distribuição deficiente, vai permitir enfim que a obra de Arnaldo atinja um público mais amplo. Se alguém pode ser chamado de lenda viva do rock brasileiro, esse é Arnaldo Baptista. Ironicamente, ele acabou pagando um preço alto por conseguir sobreviver à própria loucura.

Como nos velhos tempos: o encontro de Sérgio e Arnaldo, em 1991.

Música visual: vivendo com
Lucinha, em Juiz de Fora, MG,
Arnaldo se recupera, pintando.

Do contrário, hoje seria cultuado como mito, exatamente como um Jim Morrison ou um Raul Seixas. Arnaldo está vivo e isso perturba.

Oposta à de Arnaldo foi a trajetória de Rita Lee. Rejeitada pelos Mutantes no início da fase progressiva, a ovelha negra conseguiu realizar o autodesafio de se tornar a maior *popstar* do país. Graças ao deboche e à irreverência de sempre, enfrentou preconceitos de vários tipos, até provar que roqueiro brasileiro não precisava mais ter necessariamente cara de bandido. Sua música passou a atingir não só o público jovem, mas até as crianças e a terceira idade.

Impulsionada pela parceria musical e amorosa com o guitarrista Roberto de Carvalho, a carreira de Rita decolou rapidamente a partir de 1979. De lá para cá vendeu mais de 3 milhões de discos, dominando em vários momentos as paradas de sucesso e os maiores palcos do país, além de ter suas canções vertidas para outras línguas. Claro que em meio a tamanho sucesso, ela também enfrentou crises e períodos de baixa. Chegou a brigar feio com a imprensa, mas acabou fazendo as pazes, nos últimos anos.

Em várias oportunidades, Rita também tem mostrado seu talento de comediante e atriz, no cinema, na TV e no rádio. E em meio a inúmeros prêmios, homenagens e discos de ouro e platina, em janeiro de 1995 conquistou a primazia de fazer o que nenhum outro roqueiro brasileiro jamais tivera chance: abriu com sucesso os shows da turnê dos Rolling Stones no país. Nada mais justo para a verdadeira mãe do rock nacional.

Entre os extremos de Rita e Arnaldo, Sérgio Dias manteve sua carreira em relativo *low profile*, depois de finalmente desistir da marca Mutantes. Tocou com Márcio Montarroyos e outros instrumentistas cariocas, até decidir se radicar nos EUA, em 1980. Além de excursionar com John McLaughlin e L. Shankar, fez trabalhos ao lado de jazzistas e músicos pop, como Jeremy Steig e Airto Moreira. De 84 em diante, passou a alternar períodos no Brasil e nos EUA, compondo geralmente em inglês. Em 95, anuncia um disco da banda Southern Cross, que formou na África do Sul, junto com músicos de outros países.

"Odeio quando me chamam de ex-mutante. Sempre fui mutante e vou continuar sendo até morrer", diz Sérgio, ainda hoje receptivo a um possível reencontro musical da banda. "Se eu sentisse aquela mesma vibração de novo, voltaria na hora", confessa, apontando o que considera ser o maior entrave para essa reunião: "O problema dos Mutantes sempre foi esse romance eterno e inacabado do Arnaldo e da Rita. Sempre imaginei que os dois iriam acabar juntos, num asilo, quando ficassem velhos. Enquanto eles não acertarem os ponteiros, vão ficar sofrendo, um de cada lado. Eu sei o quanto eles sofrem até hoje com isso. Mas como eles são verdes, eles que se entendam".

O baterista Dinho foi o único dos mutantes que desistiu da carreira musical. Depois de sair da banda, abriu um escritório de assessoria de imprensa com o irmão, Reginaldo Leme. Hoje, Ronaldo orienta o marketing de vários pilotos de automobilismo.

Liminha tornou-se um dos produtores musicais mais bem-sucedidos do país. Além de uma longa parceria com Gilberto Gil, nos anos 80 ele produziu álbuns das principais bandas nacionais de rock, incluindo Titãs, Paralamas do Sucesso, Ultraje a Rigor e Kid Abelha, entre outras. A repercussão de seu *know-how* também chegou ao mercado fonográfico internacional. Assim, nos últimos anos, Liminha tem combinado períodos no Brasil e nos EUA.

Rui Motta, Túlio Mourão, Antonio Pedro (que veio a fazer parte da Blitz, banda que retomou o rock bem-humorado e irreverente, no início dos anos 80), Luciano Alves, Paul de Castro e Fernando Gama também continuam na ativa, acompanhando estrelas da MPB, tocando com grupos instrumentais, apresentando seus próprios trabalhos ou atuando como músicos de estúdio.

Radicado no Rio de Janeiro desde 78, Cláudio César Dias Baptista continua desenvolvendo suas pesquisas e invenções na área de áudio. Com um *approach* artesanal, sua empresa — a CCDB — oferece amplificadores, acessórios e mesas de som somente por mala direta. Desde a entrada de seu escritório, no último andar de um antigo edifício no bairro de Laranjeiras, o inventor mutante exibe sua marca pessoal: instalados na porta, como se pertencessem a uma estranha criatura, três olhos mágicos focalizam o visitante sob diferentes pontos de vista...

Duas décadas já se passaram desde a era mutante. Porém não se espante se, a qualquer momento, Rita, Arnaldo, Sérgio ou outro ex-integrante da banda se unirem de novo, para mais uma vez curtirem conosco aquelas *vibrações*. Entre mutantes, tudo é possível.

São Paulo, outubro de 1995

AGRADECIMENTOS

Este livro nasceu de uma conversa com Tárik de Souza, mestre da crítica musical, a quem agradeço imensamente pela sugestão, pela confiança e pelo apoio carinhoso durante estes quase dois anos de trabalho.

Outro mestre a quem jamais poderei agradecer o suficiente é Jacó Guinsburg, que não negou o costumeiro incentivo, mesmo quando seu orientando decidiu trocar a tese de doutoramento por uma inesperada biografia regada a rock & roll.

Generosidade também é a palavra-chave para agradecer às colaborações preciosas de Maurício Ruella (do F5-Clube Ovelha Negra), Henrique Bartsch (do Grupo Nós) e Moisés Santana (do Fã-Clube Mutantes Pra Sempre). Além de abrir seus arquivos e memórias, em vários momentos esses mutantemaníacos contribuíram com a pesquisa deste livro como se fossem parceiros no trabalho.

Agradecimentos especiais vão ainda para Mathilda Kóvak, parceira por telepatia (sem esquecer os quilométricos telefonemas noturnos), que emprestou toda sua bagagem de PhD em Mutantologia, ao escrever o prefácio.

Esta história jamais seria contada em seus detalhes, não fosse a simpatia generosa dos sempre mutantes Rita Lee, Arnaldo Baptista, Sérgio Dias, Liminha, Dinho e Rui Motta, que se submeteram a várias e longas entrevistas, sem jamais se recusarem a falar sobre qualquer assunto ou episódio, mesmo os menos agradáveis de recordar.

Por esse mesmo motivo, agradeço também a todos os que dividiram comigo suas memórias e experiências pessoais (em ordem alfabética): Alberto Helena Jr., André Geraissati, André Midani, Antonio Peticov, Armando Pittigliani, Auro Soderi, Caetano Veloso, Carlos Bogossian (Bogô), Carlos Olms, Carmem Sylvia Leme, Cynira Arruda, Chiquinho de Moraes, Clarisse Leite Dias Baptista, Cláudio César Dias Baptista, Cláudio Prado, Eduardo Lemos, Edu Lobo, Élcio Decário, Eliane Vaz, Ezequiel Neves, Gal Costa, Gilberta Castro (Gi), Gilberto Gil, Gilberto Kawabi (Pataca), Grace Lagôa, Guilherme Araújo, Humberto Contardi, Johnny de Oliveira, José Carlos Capinan, Jô Soares, Júlio Medaglia, Koquinho, Leila Lisboa, Luiz Calanca, Luís Sérgio Carlini, Lúcia Turnbull, Manito, Manoel Barenbein, Marcos Lázaro, Maria Lúcia Barbosa, Maria Olga Malheiros (Mogguy), Naná Vasconcelos, Nelson Motta, Norman Hilary Baines, Oswaldo Schmiedel, Paulo Orlando Laffer de Jesus (Polé), Peninha Schmidt, Raphael Vilardi, Reginaldo Leme, Roberto Loyola (Tobé), Roberto Menescal, Rogério Duprat, Ronnie Von, Solano Ribeiro, Sonia Abreu, Suely Aguiar, Suely Chagas, Tadeu Chaim, Tereza Kawall, Tibério Correia, Tim Maia, Tom Zé, Tony Nogueira, Virgínia Lee, Walter Hugo Khouri, Wilson Simonal, Zuza Homem de Melo.

Meus agradecimentos ainda, pelos mais variados motivos, a Aluizio Leite, Ayrton Martini Filho, Bernardo Carvalho, Bia Abramo, Braulio Tavares, Cássia Mello, Célia Brandão, Clarissa Lambert, Fabiana Figueiredo, Flávio Mancini Jr., *Folha de S. Paulo*, Hélio Gomes, Isabel Levy, Jair Mari, Jane Barbosa, João Francisco Souza Cunha, J. C. Costa Netto, Juan Esteves, *Manchete*, Maria Clara Jorge (Cacaia), Maria Telles, Paulo Malta, Pedro Franciosi, Rita de Cássia, Roberto Nascimento, Rolando Castello Jr., Thomas Pappon e Zeca Camargo.

Carlos Calado

DISCOGRAFIA

Com a colaboração de Maurício Ruella

ÁLBUNS DA BANDA

OS MUTANTES (Polydor, 1968)

1. *Panis et Circensis*
(Gilberto Gil / Caetano Veloso)
2. *A Minha Menina*
(Jorge Ben)
3. *O Relógio*
(Os Mutantes)
4. *Adeus Maria Fulô*
(Humberto Teixeira / Sivuca)
5. *Baby*
(Caetano Veloso)
6. *Senhor F*
(Os Mutantes)
7. *Bat Macumba*
(Gilberto Gil / Caetano Veloso)
8. *Le Premier Bonheur du Jour*
(Jean Renard / Frank Gerald)
9. *Trem Fantasma*
(Caetano Veloso / Os Mutantes)
10. *Tempo no Tempo*
(J. Philips / versão: Os Mutantes)
11. *Ave Gengis Khan*
(Os Mutantes)

Direção de produção: Manoel Barenbein
Participações: Rogério Duprat (arranjos); Jorge Ben (voz e violão); Dirceu (bateria)
Reedição em CD: 1992

MUTANTES (Polydor, 1969)

1. *Dom Quixote*
(Arnaldo Baptista / Rita Lee)
2. *Não Vá Se Perder Por Aí*
(Raphael Vilardi / Roberto Loyola)
3. *Dia 36*
(Johnny Dandurand / Mutantes)
4. *2001*
(Rita Lee / Tom Zé)
5. *Algo Mais*
(Mutantes)
6. *Fuga nº 2*
(Mutantes)
7. *Banho de Lua (Tintarella di Luna)*
(B. de Filippi / F. Migliacci / versão: Fred Jorge)
8. *Rita Lee*
(Mutantes)
9. *Qualquer Bobagem*
(Tom Zé / Mutantes)
10. *Caminhante Noturno*
(Arnaldo Baptista / Rita Lee)

Direção de produção: Manoel Barenbein
Participações: Rogério Duprat (arranjos); Ronaldo Leme (bateria); Liminha (viola)
Reedição em CD: 1992

A DIVINA COMÉDIA OU ANDO MEIO DESLIGADO (Polydor, 1970)

1. *Ando Meio Desligado*
(Arnaldo Baptista / Rita Lee / Sérgio Dias)
2. *Quem Tem Medo de Brincar de Amor*
(Arnaldo Baptista / Rita Lee)
3. *Ave Lúcifer*
(Arnaldo Baptista / Rita Lee / Élcio Decário)
4. *Desculpe, Babe*
(Arnaldo Baptista / Rita Lee)
5. *Meu Refrigerador Não Funciona*
(Arnaldo Baptista / Rita Lee / Sérgio Dias)
6. *Hey Boy*
(Arnaldo Baptista / Élcio Decário)
7. *Preciso Urgentemente Encontrar um Amigo* (Roberto Carlos / Erasmo Carlos)
8. *Chão de Estrelas*
(Orestes Barbosa / Silvio Caldas)
9. *Jogo de Calçada*
(Arnaldo Baptista / W. Cunha / I. Oliveira)
10. *Haleluia*
(Arnaldo Baptista)
11. *Oh! Mulher Infiel* (Arnaldo Baptista)

Direção de produção: Arnaldo Saccomani
Participações: Ronaldo Leme (bateria); Liminha (baixo); Raphael Vilardi (violão e vocais); Naná Vasconcelos (percussão); Rogério Duprat (arranjos para orquestra)
Reedição em CD: 1992

JARDIM ELÉTRICO (Polydor, 1971)

1. *Top Top*
(Mutantes / Liminha)
2. *Benvinda*
(Arnaldo Baptista / Rita Lee)
3. *Tecnicolor*
(Arnaldo Baptista / Rita Lee / Sérgio Dias)
4. *El Justiciero*
(Arnaldo Baptista / Rita Lee / Sérgio Dias)
5. *It's Very Nice Pra Xuxu*
(Arnaldo Baptista / Rita Lee / Sérgio Dias)
6. *Portugal de Navio*
(Arnaldo Baptista / Rita Lee / Sérgio Dias)
7. *Virgínia*
(Arnaldo Baptista / Rita Lee / Sérgio Dias)
8. *Jardim Elétrico*
(Arnaldo Baptista / Rita Lee / Sérgio Dias)
9. *Lady, Lady*
(Mutantes / Liminha)
10. *Saravá*
(Arnaldo Baptista / Rita Lee / Sérgio Dias)
11. *Baby*
(Caetano Veloso / versão: Mutantes)

Direção de produção: Arnaldo Baptista
Participação: Rogério Duprat (arranjos para orquestra)
Reedição em CD: 1992

MUTANTES E SEUS COMETAS NO PAÍS DO BAURETS (Polydor, 1972)

1. *Posso Perder Minha Mulher, Minha Mãe, Desde que Eu Tenha o Rock & Roll*
(Arnaldo Baptista / Rita Lee / Liminha)
2. *Vida de Cachorro*
(Rita Lee / Arnaldo Baptista / Sérgio Dias)
3. *Dune Buggy*
(Rita Lee / Arnaldo Baptista / Sérgio Dias)
4. *Cantor de Mambo*
(Élcio Decário / Arnaldo Baptista / Rita Lee)
5. *Beijo Exagerado*
(Arnaldo Baptista / Rita Lee / Sérgio Dias)
Todo Mundo Pastou
(Ismar S. Andrade "Bororó")
6. *Balada do Louco*
(Arnaldo Baptista / Rita Lee)
7. *A Hora e a Vez do Cabelo Nascer*
(Liminha / Mutantes)
8. *Rua Augusta*
(Hervé Cordovil)
9. *Mutantes e Seus Cometas no País do Baurets*
(Ronaldo Leme / Liminha / Mutantes)
10. *Todo Mundo Pastou II*
(Ismar S. Andrade "Bororó")

Direção de produção: Arnaldo Baptista
Reedição em CD: 1992

O A E O Z (Philips, 1992; gravado em 1973)

1. *"A"e o "Z"*
(Mutantes)
2. *Rolling Stone*
(Mutantes)
3. *Você Sabe*
(Mutantes)
4. *Hey Joe*
(Mutantes)
5. *Uma Pessoa Só*
(Mutantes)
6. *Ainda Vou Transar com Você*
(Mutantes)

Produção: Mutantes
Lançamento original em CD

TUDO FOI FEITO PELO SOL (Som Livre, 1974)

1. *Deixe Entrar um Pouco D'Água no Quintal*
(Sérgio Dias / Liminha / Rui Motta)
2. *Pitágoras*
(Túlio Mourão)
3. *Desanuviar*
(Sérgio Dias / Liminha)
4. *Eu Só Penso em Te Ajudar*
(Sérgio Dias / Liminha)
5. *Cidadão da Terra*
(Sérgio Dias / Liminha)
6. *O Contrário de Nada é Nada*
(Sérgio Dias / Túlio Mourão)
7. *Tudo Foi Feito Pelo Sol*
(Sérgio Dias)

Produção: Mutantes

AO VIVO (Som Livre, 1976)

1. *Anjos do Sul*
(Sérgio Dias)
2. *Benvindos*
(Sérgio Dias)
Mistérios
(Sérgio Dias)
3. *Trem*
(Paul de Castro)
Dança dos Ventos
(Mutantes)
4. *Sagitarius*
(Sérgio Dias)
5. *Esquizofrenia*
(Sérgio Dias)
6. *Rio de Janeiro*
(Paul de Castro)
7. *Loucura Pouca É Bobagem*
(Luciano Alves / Sérgio Dias)
8. *Hey Tu*
(Sérgio Dias / Paul de Castro)
9. *Rock'n'Roll City*
(Sérgio Dias)
10. *Tudo Explodindo*
(Rui Motta / Paul de Castro)
11. *Grand Finale*
(Luciano Alves / Sérgio Dias)
12. *Anjos do Sul* (Sérgio Dias)

Produção: Peninha Schmidt
Reedição em CD: 1994

TECNICOLOR
(Polydor, 1999; gravado em 1970)

1. *Panis et Circensis* (Gilberto Gil / Caetano Veloso)
2. *Bat Macumba* (Gilberto Gil / Caetano Veloso)
3. *Virgínia* (Arnaldo Baptista / Rita Lee / Sérgio Dias)
4. *She's my Shoo Shoo [A Minha Menina]* (Jorge Ben)
5. *I Feel a Little Spaced Out [Ando Meio Desligado]* (Arnaldo Baptista / Rita Lee / Sérgio Dias)
6. *Baby* (Caetano Veloso)
7. *Tecnicolor* (Arnaldo Baptista / Rita Lee / Sérgio Dias)
8. *El Justiciero* (Arnaldo Baptista / Rita Lee / Sérgio Dias)
9. *I'm Sorry Baby [Desculpe, Babe]* (Arnaldo Baptista / Rita Lee)
10. *Adeus, Maria Fulô* (Humberto Teixeira / Sivuca)
11. *Le Premier Bonheur du Jour* (Jean Renard / Frank Gerald)
12. *Saravah* (Arnaldo Baptista / Rita Lee / Sérgio Dias)
13. *Panis et Circensis* (reprise) (Gilberto Gil / Caetano Veloso)

Produção: Carlos Olms
Lançamento original em CD

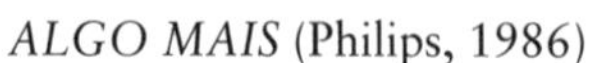
ALGO MAIS (Philips, 1986)

1. *Balada do Louco*
2. *Baby*
3. *Panis et Circensis*
4. *Beijo Exagerado / Todo Mundo Pastou*
5. *Posso Perder Minha Mulher, Minha Mãe, Desde Que Eu Tenha o Rock & Roll*
6. *2001*
7. *Hey Boy*
8. *Portugal de Navio*
9. *Ando Meio Desligado*
10. *Rua Augusta*
11. *Algo Mais*
12. *It's Very Nice Pra Xuxu*
13. *Top Top*

PERSONALIDADE (Polydor, 1994)

1. *Ando Meio Desligado*
2. *Panis et Circensis*
3. *Baby*
4. *Rita Lee*
5. *Jardim Elétrico*
6. *Meu Refrigerador Não Funciona*
7. *Não Vá se Perder Por Aí*
8. *Balada do Louco*
9. *2001*
10. *Caminhante Noturno*
11. *Posso Perder Minha Mulher, Minha Mãe, Desde Que Eu Tenha o Rock & Roll*
12. *Desculpe, Babe*
13. *El Justiciero*
14. *Banho de Lua (Tintarella di Luna)*

MINHA HISTÓRIA (Polydor, 1994)

1. *Balada do Louco*
2. *Ando Meio Desligado*
3. *Top Top*
4. *Baby*
5. O *"A"e o "Z"*
6. *Panis et Circensis*
7. *Chão de Estrelas*
8. *Vida de Cachorro*
9. *Bat Macumba*
10. *Desculpe, Babe*
11. *Rita Lee*
12. *Posso Perder Minha Mulher, Minha Mãe, Desde Que Eu Tenha o Rock & Roll*
13. *Banho de Lua*
14. *Meu Refrigerador Não Funciona*

ÁLBUM COLETIVO

TROPICÁLIA OU PANIS ET CIRCENSIS (Philips, 1968)

1. *Miserere Nobis* (Gilberto Gil / Capinan)
2. *Coração Materno* (Vicente Celestino)
3. *Panis et Circensis* (Gilberto Gil / Caetano Veloso)
4. *Lindoneia* (Caetano Veloso / Gilberto Gil)
5. *Parque Industrial* (Tom Zé)
6. *Geleia Geral* (Gilberto Gil)
7. *Baby* (Caetano Veloso)
8. *Três Caravelas [Las Tres Carabelas]* (A. Algueró Jr. / G. Moreau / versão: João de Barro)
9. *Enquanto Seu Lobo Não Vem* (Caetano Veloso)
10. *Mamãe, Coragem* (Caetano Veloso / Torquato Neto)
11. *Bat Macumba* (Gilberto Gil / Caetano Veloso)
12. *Hino do Senhor do Bonfim* (João Antonio Wanderley)

Direção de produção: Manoel Barenbein
Participação: Rogério Duprat (arranjos e regência)
Reedição em CD: 1993

COLETÂNEAS DE FESTIVAIS COM FAIXAS NÃO INCLUÍDAS EM ÁLBUNS DA BANDA

II FESTIVAL ESTUDANTIL DA MÚSICA POPULAR BRASILEIRA (Philips, 1968):

1. *Glória ao Rei dos Confins do Além* (Paulo César de Castro)

IV FESTIVAL INTERNACIONAL DA CANÇÃO POPULAR - FASE NACIONAL (Philips, 1969):

1. *Ando Meio Desligado / Não Faz Marola* (Mutantes / versão ao vivo)

OS GRANDES SUCESSOS DO FIC 72 (Fontana / Phonogram, 1972):

1. *Mande Um Abraço Pra Velha* (Arnaldo Baptista / Rita Lee / Sérgio Dias / Liminha)

ÁLBUNS DE OUTROS ARTISTAS COM PARTICIPAÇÕES DA BANDA

GILBERTO GIL (Philips, 1967):

1. *Coragem Pra Suportar* (Gilberto Gil)
2. *Domingou* (Gilberto Gil / Torquato Neto)
3. *Pega a Voga, Cabeludo* (Gilberto Gil Juan Arcon)
4. *Ele Falava Nisso Todo Dia* (Gilberto Gil)
5. *Procissão* (Gilberto Gil)
6. *Luzia Luluza* (Gilberto Gil)
7. *Pé da Roseira* (Gilberto Gil)
8. *Domingo no Parque* (Gilberto Gil)

RONNIE VON - N° 3 (Polydor, 1967):

1. *O Homem da Bicicleta* (Olmir Stocker "Alemão" / Newton Siqueira Campos)
2. *A Chave* (Malcolm Dale)
3. *Soneca Contra o Barão Vermelho (Snoopy vs. The Red Baron)* (Gerhard Holler / versão: Carlos Wallace)
4. *Pra Chatear* (Caetano Veloso)
5. *A Filha do Rei* (Renato Teixeira)
6. *Meu Mundo Azul (Lullaby to Tim)* (Clarke / Hicks / Nash / versão: Fred Jorge)
7. *O Manequim (Le Manequin)* (Paul Mauriat / A. Pascal / versão: Fred Jorge)
8. *A Importância da Flor (Lovers of the World United)* (Greenway / Cook / versão: Fred Jorge)

CAETANO VELOSO (Philips, 1968):

1. *Eles* (Caetano Veloso)

A BANDA TROPICALISTA DO DUPRAT (Philips, 1968):

1. *Canção Pra Inglês Ver* (Lamartine Babo) / *Chiquita Bacana* (João de Barro / Alberto Ribeiro)
2. *The Rain, the Park and Other Things* (Kornfeld / Dukoff)
3. *Cinderella Rockefella* (M. Williams)
4. *Lady Madonna* (Lennon / McCartney)

COMPACTOS COM FAIXAS NÃO INCLUÍDAS EM ÁLBUNS DA BANDA

7° FESTIVAL INTERNACIONAL DA CANÇÃO (Polydor, 1972):

1. *Mande um Abraço Pra Velha* (Rita Lee / Arnaldo Baptista / Sérgio Dias / Liminha)

MUTANTES (Som Livre, 1976):

1. *Cavaleiros Negros* (Sérgio Dias / Rui Motta / A. Pedro de Medeiros)
2. *Tudo Bem* (Sérgio Dias / A. Pedro Medeiros)
3. *Balada do Amigo* (Túlio Mourão)

COMPACTOS DE OUTROS ARTISTAS COM PARTICIPAÇÕES DA BANDA

NANA CAYMMI (RGE, 1967):

1. *Bom Dia* (Nana Caymmi / Gilberto Gil)

CAETANO VELOSO (Philips, 1968):

1. *É Proibido Proibir* (Caetano Veloso)
2. *Ambiente de Festival / É Proibido Proibir* (Caetano Veloso)

GILBERTO GIL (Philips, 1968):

1. *A Luta Contra a Lata ou a Falência do Café* (Gilberto Gil)

CAETANO VELOSO E OS MUTANTES AO VIVO (Philips, 1968):

1. *A Voz do Morto* (Caetano Veloso)
2. *Baby* (Caetano Veloso)
3. *Marcianita* (J. Marcone / G. Aldreto / versão: Fernando César) [faixa relançada em maxi-single de Caetano Veloso, *Marcianita* (Polygram, 1993)]
4. *Saudosismo* (Caetano Veloso)

COMPACTOS COM O'SEIS E TEENAGE SINGERS

O'SEIS (Continental, 1966):

1. *Suicida* (Raphael Vilardi / Roberto Loyola)
2. *Apocalipse* (Raphael Vilardi / Rita Lee)

GEMINI II (Continental, 1966) - com O'Seis (*backing vocals*):

1. *Lindo (Groovin')* (Felix Cavalieri / Eddie Brigati / versão: Carlos Wallace)
2. *Tchau Mug* (Edy Miranda)

TONY CAMPELLO (Odeon, 1965) - com as Teenage Singers (*backing vocals*):

1. *Pertinho do Mar (South of the Border)* (Jimmy Kennedy / Michael Carr / versão: Pepe Avila)
2. *O Meu Bem Só Quer Chorar Perto de Mim* (Hamilton Di Giorgio)

ÁLBUNS DE RITA LEE

BUILD UP (Polydor, 1970)

1. *Sucesso, Aqui Vou Eu (Build Up)* (Rita Lee / Arnaldo Baptista)
2. *Calma* (Arnaldo Baptista)
3. *Viagem ao Fundo de Mim* (Rita Lee)
4. *Precisamos de Irmãos* (Élcio Decário)
5. *Macarrão com Linguiça e Pimentão* (Arnaldo Baptista / Rita Lee)
6. *José [Joseph]* (G. Moustaki / versão: Nara Leão)
7. *Hulla-Hulla* (Rita Lee / Élcio Decário)
8. *And I Love Her* (Lennon / McCartney)
9. *Tempo Nublado* (Rita Lee / Élcio Decário)
10. *Prisioneira do Amor* (Élcio Decário)
11. *Eu Vou Me Salvar* (Rita Lee / Élcio Decário)

Coordenação de produção: Manoel Barenbein
Direção musical: Arnaldo Baptista
Arranjos para orquestra: Rogério Duprat
Participação: Mutantes
Reedição em CD: 1992

HOJE É O PRIMEIRO DIA DO RESTO DA SUA VIDA (Polydor, 1972)

1. *Vamos Tratar da Saúde* (Arnaldo Baptista / Rita Lee / Liminha)
2. *Beija-me Amor* (Arnaldo Baptista / Élcio Decário)
3. *Hoje É o Primeiro Dia do Resto da Sua Vida* (Arnaldo Baptista / Sérgio Dias)
4. *Teimosia* (Rita Lee / Liminha / Arnaldo Baptista)
5. *Frique Comigo* (Arnaldo Baptista / Ronaldo Leme / Sérgio Dias / Rita Lee)
6. *Amor em Branco e Preto* (Rita Lee / Arnaldo Baptista)
7. *Tiroleite* (Arnaldo Baptista / Sérgio Dias / Rita Lee / Liminha)
8. *Tapupukitipa* (Arnaldo Baptista / Rita Lee)
9. *De Novo Aqui Meu Bom José* (Arnaldo Baptista / Rita Lee / Liminha / Sérgio Dias)
10. *Superfície do Planeta* (Arnaldo Baptista)

Direção de produção: Arnaldo Baptista
Participações: Mutantes; Lucinha Turnbull (*backing vocals*)
Reedição em CD: 1992

ATRÁS DO PORTO TEM UMA CIDADE - com Tutti Frutti (Philips, 1974*)
FRUTO PROIBIDO - com Tutti Frutti (Som Livre, 1975*)
ENTRADAS E BANDEIRAS - com Tutti Frutti (Som Livre, 1976**)
REFESTANÇA - com Gilberto Gil e Tutti Frutti (Som Livre, 1977**)
BABILÔNIA - com Tutti Frutti (Som Livre, 1978**)
RITA LEE (Som Livre, 1979**)
RITA LEE (Som Livre, 1980**)
SAÚDE (Som Livre, 1981**)
RITA LEE / ROBERTO DE CARVALHO (Som Livre, 1982**)
BOMBOM (Som Livre, 1983**)
RITA E ROBERTO (Som Livre, 1985**)
FLERTE FATAL (EMI-Odeon, 1987*)
ZONA ZEN (EMI-Odeon, 1988**)
RITA LEE E ROBERTO DE CARVALHO (EMI-Odeon, 1990**)
RITA LEE EM BOSSA'N'ROLL (Som Livre, 1991)
RITA LEE (Som Livre, 1993)
A MARCA DA ZORRA (Som Livre, 1995)

(*) Reedição em CD: Polygram, 1992
(**) Reedição em CD: EMI, 1995

ÁLBUNS DE ARNALDO BAPTISTA

LÓKI? (Philips, 1974)

1. *Será Que Eu Vou Virar Bolor?*
2. *Uma Pessoa Só* (Mutantes)
3. *Não Estou Nem Aí*
4. *Vou Me Afundar Na Lingerie*
5. *Honky Tonky*
6. *Cê Tá Pensando Que Eu Sou Lóki?*
7. *Desculpe*
8. *Navegar de Novo*
9. *Te Amo Podes Crer*
10. *É Fácil*

Todas as músicas são de Arnaldo Baptista, com exceção da faixa 2
Produção: Roberto Menescal e Mazola
Participações: Rogério Duprat (arranjos para orquestra); Liminha (baixo); Dinho (bateria); Rita Lee (*backing vocals*)
Reedição em CD: 1992

ELO PERDIDO - com a Patrulha do Espaço (Vinil Urbano, 1977)
FAREMOS UMA NOITADA EXCELENTE - com a Patrulha do Espaço (Vinil Urbano, 1978)
SINGIN' ALONE (Baratos Afins, 1982)
DISCO VOADOR (Baratos Afins, 1987)

ÁLBUNS DE SÉRGIO DIAS

SÉRGIO DIAS (CBS, 1980)

1. *Não Quero Ver Você Dançar* (Sérgio Dias / Caetano Veloso)
2. *At Pirada!* (Sérgio Dias / Nelson Motta)
3. *Ventos Cardíacos* (Sérgio Dias)
4. *Brazilian New Wave* (Sérgio Dias)
5. *O Grão* (Sérgio Dias / Caetano Veloso)
6. *Arigatô-Harakiri* (Sérgio Dias / Paulo Coelho)
7. *Corações de Carnaval* (Sérgio Dias / Nelson Motta)
8. *Eunice* (Sérgio Dias)
9. *Cromatica* (Sérgio Dias)
10. *To Sérgio* (L. Shankar)

Produção: Sérgio Dias e Marcio Moura
Participações: Antonio Pedro e Fernando Gama (baixo); Luciano Alves (órgão); L. Shankar (cordas); Caetano Veloso e Gal Costa (vocais); e outros
Reedição em CD: 1995

MATOGROSSO - com Phil Manzanera (Expression, 1990)
MIND OVER MATTER (Expression, 1991)

QUEM REGRAVOU MUTANTES

Bad Girls - *Top Top* (1994)
Bocato - *Balada do Louco* (1994)
Capital Inicial - *2001* (1989)
Cida Moreyra - *Balada do Louco* (1986)
Coral Som Livre - *Mande Um Abraço Pra Velha* (1972)
Gilberto Gil - *2001* (1969)
Grupo Catavento - *Ando Meio Desligado* (1991)
Kid Abelha - *Fuga nº 2* (1991)
Marisa Monte - *Ando Meio Desligado* (1988)
Milton Guedes - *Desculpe, Babe* (1993)
Mirage - *Beijo Exagerado* (1990)
Ney Matogrosso - *Ando Meio Desligado* (1980)
Ney Matogrosso - *Balada do Louco* (1986)
Ney Matogrosso & Raphael Rabello - *Balada do Louco* (1990)
Pato Fu - *Qualquer Bobagem* (1995)
Paula Morelenbaum - *Desculpe, Babe* (1992)
Ratos de Porão - *Jardim Elétrico* (1989)
Roupa Nova - *Top Top* (1984)
Roupa Nova - *Ando Meio Desligado* (1993)
Sepultura - *A Hora e a Vez do Cabelo Nascer* (1989)
Os Spokes - *Caminhante Noturno* (1968)
Tom Zé - *Qualquer Bobagem* (1970)
Três Hombres - *Dia 36* (1989)
Yahoo - *Vida de Cachorro* (1988)

ÍNDICE REMISSIVO

BIBLIOGRAFIA

BAHIANA, Ana Maria; WISNIK, José Miguel; AUTRAN, Margarida. *Anos 70: música popular*. Rio de Janeiro: Europa, 1979.

Brasil musical. Rio de Janeiro: Art Bureau, 1988.

CAMPOS, Augusto de. *Balanço da bossa e outras bossas*. São Paulo: Perspectiva, 1978.

CHEDIAK, Almir. *Songbook Caetano Veloso*. Rio de Janeiro: Lumiar, 1989 (2 vols.).

_________. *Songbook Gilberto Gil*. Rio de Janeiro: Lumiar, 1992 (2 vols.).

_________. *Songbook Rita Lee*. Rio de Janeiro: Lumiar, 1990 (2 vols.).

DIAS BAPTISTA, Cláudio César. *CCDB: Gravação profissional*. Rio de Janeiro, 1987.

DOLABELA, Marcelo. *ABZ do rock brasileiro*. São Paulo: Estrela do Sul, 1987.

FAVARETTO, Celso F. *Tropicália: alegoria, alegria*. São Paulo: Kairós, 1979.

HOMEM DE MELO, Zuza. *Música popular brasileira*. São Paulo: Edusp, 1976.

KRAUSCHE, Valter. *Música popular brasileira: da cultura de roda à música de massa*. São Paulo: Brasiliense, 1983.

MEDAGLIA, Júlio. *Música impopular*. São Paulo: Global, 1988.

MOTTA, Nelson. *Música, humana música*. Rio de Janeiro: Salamandra, 1980.

MUGNAINI JR., Ayrton. *Rita Lee: o futuro me absolve*. São Paulo: Nova Sampa, 1995.

NETO, Torquato. *Os últimos dias de Paupéria*. Rio de Janeiro: Eldorado, 1973.

Nova história da música popular brasileira. São Paulo: Abril Cultural, 1978 (coleção).

PACHECO, Mário. *Balada do louco*. Brasília: Edição do Autor, 1991.

PAVÃO, Albert. *Rock brasileiro 1955-65*. São Paulo: Edicon, 1989.

Rock: a música do século XX. Rio de Janeiro: Rio Gráfica, 1983 (2 vols.).

The Rolling Stone Illustrated History of Rock & Roll, 1950-1980. Nova York: Random House/Rolling Stone, 1980.

SOUZA, Tárik de. *O som nosso de cada dia*. Porto Alegre: L&PM, 1983.

SOUZA, Tárik de; ANDREATO, Elifas. *Rostos e gostos da música popular brasileira*. Porto Alegre: L&PM, 1979.

Tropicália 20 anos. São Paulo: SESC, 1987.

VASCONCELLOS, Gilberto. *Música popular: de olho na fresta*. Rio de Janeiro: Edições do Graal, 1977.

VELOSO, Caetano. *Alegria, alegria*. Rio de Janeiro: Pedra Q Ronca, s.d.

PERIÓDICOS CONSULTADOS

Afinal, Amiga, Bizz, Bondinho, Cláudia, Contigo, Correio Braziliense, O Cruzeiro, Diário de Notícias, Diário do Grande ABC, O Estado de S. Paulo, Fatos & Fotos, Folha da Tarde, Folha de S. Paulo, O Globo, Intervalo, Isto É, Jornal de Música, Jornal do Brasil, Jornal da Tarde, Manchete, Melodias, Música, Notícias Populares, Pop, Realidade, Rock: A História e a Glória, Rolling Stone, Somtrês, Última Hora, Veja.

CRÉDITOS DAS IMAGENS

Adhemar Veneziano / Abril Imagens (pp. 112, 328b)
Agência Estado / Reprodução (pp. 168, 177a)
Arquivo CCDB (pp. 5, 24/25, 33a, 33b, 76/77, 79b, 177b, 190b, 259, 270a)
Arquivo pessoal Antonio Peticov (p. 241)
Arquivo pessoal Élcio Decário (p. 205b)
Arquivo pessoal Gilberta Castro (p. 246)
Arquivo pessoal Liminha (pp. 205a, 281b)
Arquivo pessoal Peninha Schmidt (p. 328)
Arquivo pessoal Raphael Vilardi (pp. 37a, 37b, 63a, 63b, 69a, 107a, 107b)
Arquivo pessoal Rita Lee (pp. 42, 48a, 48b, 49, 60, 92, 100, 194b, 311a, 326a)
Arquivo pessoal Tadeu Chaim (p. 52)
Arquivo pessoal Tibério Correia (pp. 79a, 183)
Arquivo pessoal Walter Hugo Khouri (pp. 8/9, 105a, 105b, 105e)
Célio Pereira (pp. 130, 134/135, 145b, 150b)
Cynira Arruda (contra-capa, pp. 159, 207e)
Fabiana Figueiredo / N-Imagem (pp. 333a, 333b)
Fã-clube Ovelha Negra (pp. 21b, 116b, 126, 140, 150a, 172a, 172b, 186/187, 215a, 220, 223a, 223b, 230a, 230b, 230e, 253, 267)
Fernando Sampaio / AE (p. 330)
Folha Imagem / Reprodução (pp. 71, 311h, 328c)
Grace Lagôa (pp. 21a, 326b)
J. Ferreira da Silva / Abril Imagens (capa, p. 90a)
Jean Solari / Reflexo Texto & Imagem (p. 190a)
Leila Lisboa (pp. 257a, 257b, 257c, 270b, 274/275, 278, 281a, 291, 295, 299a, 299b, 302a, 302b, 304)
Leonardo Costa / Abril Imagens (p. 320a)
Lúcia Turnbull (pp. 88a, 88b)
Manchete (pp. 154, 180/181, 194a, 210/211, 215b, 234, 238a, 238b, 320b, 320e)
Mário Luiz Thompsom (p. 309)
Paulo Salomão / Abril Imagens (pp. 145a, 145e)
Reprodução (pp. 3 [detalhe de anúncio publicitário], 14, 69b, 86a, 86b, 116a, 119, 173, 207a, 207b, 339, 340a, 340b, 341a, 341b, 342a, 342b, 343, 344a, 344b, 345a, 345b, 348a, 348b, 349, 350)
Roger Bester / Abril Imagens (p. 90)
Reprodução das fotos do "Arquivo CCDB": Marcos Cunha

Este livro foi composto em Sabon
pela Bracher & Malta, com CTP
e impressão da Edições Loyola em
papel Paperfect 90 g/m² da Cia.
Suzano de Papel e Celulose para
a Editora 34, em maio de 2023.